“다양한 **유형**의 **사고력** 문제를 통해
사고력을 향상시킬 수 있는 GO! 매쓰”

각 단원별 **사고력** 문제를 **유형**에 따라 학습할 수 있는 **사고력 확장**
GO! 매쓰 Jump로 수학 능력치를 한 단계 점프해 보세요.

Jump

6-1

차례

구성과 특징

1 핵심 개념 정리

단원별 핵심 개념을 간결하게 정리하여 한눈에 이해할 수 있습니다.

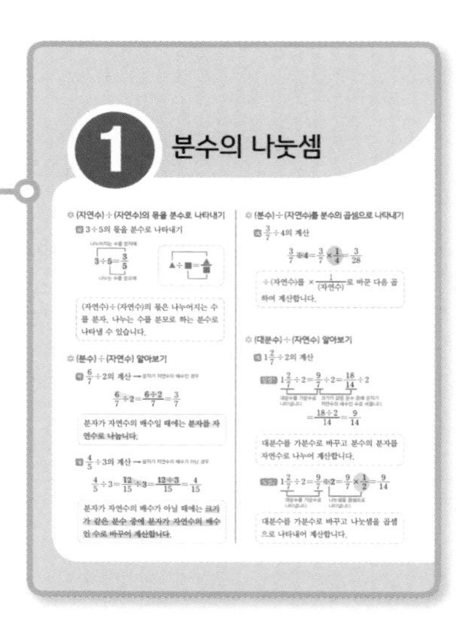

2 대표 유형 익히기

단원별 사고력 문제의 대표 유형을 뽑아 수록하였습니다. 단계에 따라 문제를 해결하면 사고력 문제도 스스로 해결할 수 있습니다.

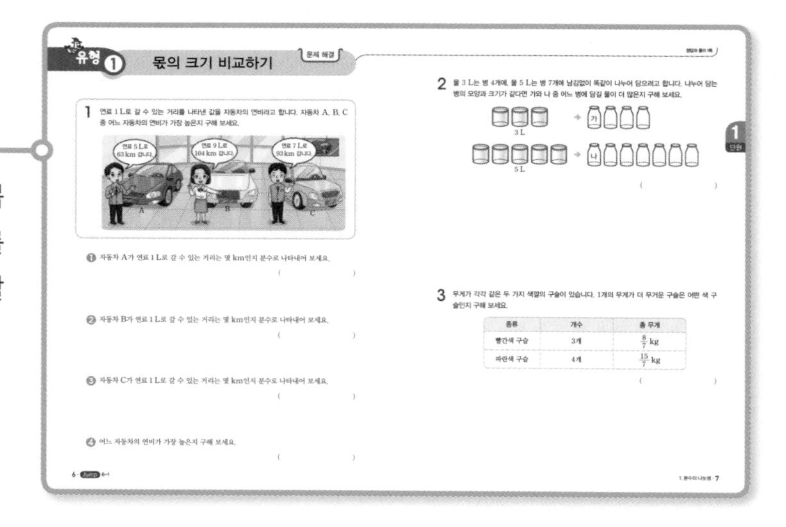

3 사고력 종합평가

한 단원을 학습한 후 종합평가를 통하여 단원에 해당하는 사고력 문제를 잘 이해하였는지 평가할 수 있습니다.

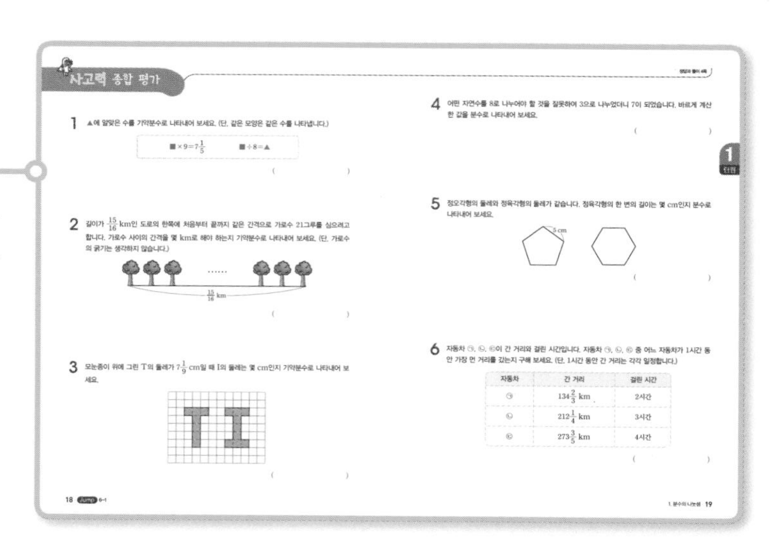

1 분수의 나눗셈

(자연수)÷(자연수)의 몫을 분수로 나타내기

예 3÷5의 몫을 분수로 나타내기

나누어지는 수를 분자에

$$3\div 5=\frac{3}{5}$$

나누는 수를 분모에

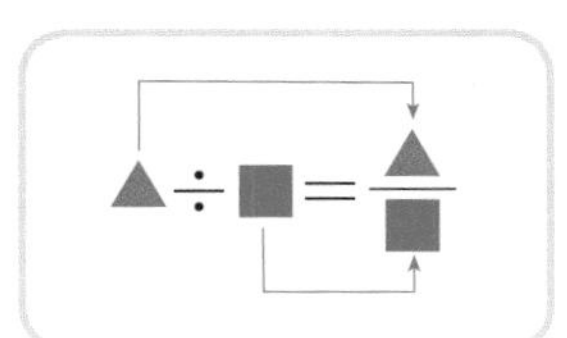

(자연수)÷(자연수)의 몫은 나누어지는 수를 분자, 나누는 수를 분모로 하는 분수로 나타낼 수 있습니다.

(분수)÷(자연수) 알아보기

예 $\frac{6}{7}\div 2$의 계산 → 분자가 자연수의 배수인 경우

$$\frac{6}{7}\div 2=\frac{6\div 2}{7}=\frac{3}{7}$$

분자가 자연수의 배수일 때에는 분자를 자연수로 나눕니다.

예 $\frac{4}{5}\div 3$의 계산 → 분자가 자연수의 배수가 아닌 경우

$$\frac{4}{5}\div 3=\frac{12}{15}\div 3=\frac{12\div 3}{15}=\frac{4}{15}$$

분자가 자연수의 배수가 아닐 때에는 크기가 같은 분수 중에 분자가 자연수의 배수인 수로 바꾸어 계산합니다.

(분수)÷(자연수)를 분수의 곱셈으로 나타내기

예 $\frac{3}{7}\div 4$의 계산

$$\frac{3}{7}\div 4=\frac{3}{7}\times\frac{1}{4}=\frac{3}{28}$$

÷(자연수)를 $\times\frac{1}{(자연수)}$로 바꾼 다음 곱하여 계산합니다.

(대분수)÷(자연수) 알아보기

예 $1\frac{2}{7}\div 2$의 계산

방법1 $1\frac{2}{7}\div 2=\frac{9}{7}\div 2=\frac{18}{14}\div 2$

대분수를 가분수로 나타냅니다. 크기가 같은 분수 중에 분자가 자연수의 배수인 수로 바꿉니다.

$$=\frac{18\div 2}{14}=\frac{9}{14}$$

대분수를 가분수로 바꾸고 분수의 분자를 자연수로 나누어 계산합니다.

방법2 $1\frac{2}{7}\div 2=\frac{9}{7}\div 2=\frac{9}{7}\times\frac{1}{2}=\frac{9}{14}$

대분수를 가분수로 나타냅니다. 나눗셈을 곱셈으로 나타냅니다.

대분수를 가분수로 바꾸고 나눗셈을 곱셈으로 나타내어 계산합니다.

유형 1 몫의 크기 비교하기

문제 해결

1 연료 1 L로 갈 수 있는 거리를 나타낸 값을 자동차의 연비라고 합니다. 자동차 A, B, C 중 어느 자동차의 연비가 가장 높은지 구해 보세요.

연료 5 L로 63 km 갑니다.
연료 9 L로 104 km 갑니다.
연료 7 L로 93 km 갑니다.
A
B
C

① 자동차 A가 연료 1 L로 갈 수 있는 거리는 몇 km인지 분수로 나타내어 보세요.

( )

② 자동차 B가 연료 1 L로 갈 수 있는 거리는 몇 km인지 분수로 나타내어 보세요.

( )

③ 자동차 C가 연료 1 L로 갈 수 있는 거리는 몇 km인지 분수로 나타내어 보세요.

( )

④ 어느 자동차의 연비가 가장 높은지 구해 보세요.

( )

2 물 3 L는 병 4개에, 물 5 L는 병 7개에 남김없이 똑같이 나누어 담으려고 합니다. 나누어 담는 병의 모양과 크기가 같다면 가와 나 중 어느 병에 담길 물이 더 많은지 구해 보세요.

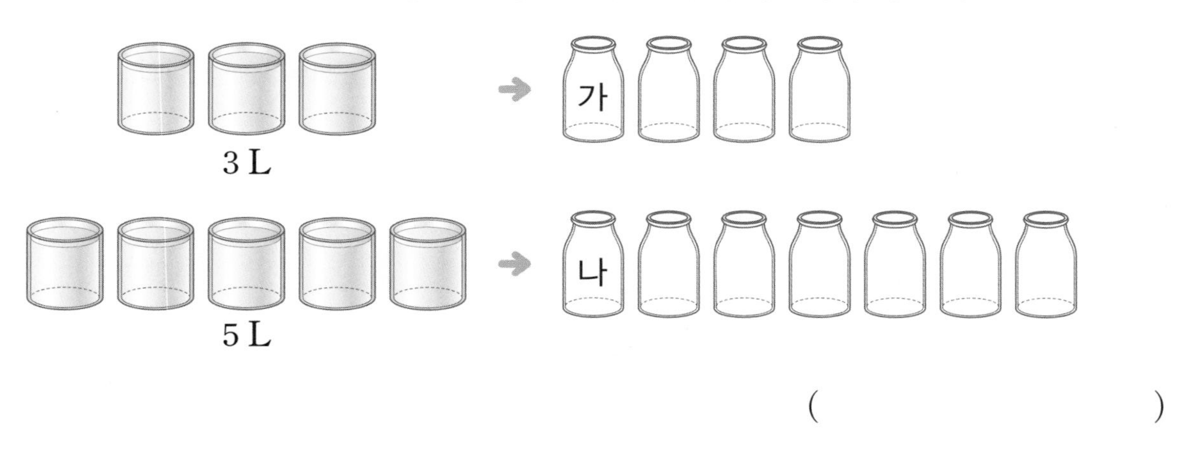

(　　　　　　　　　　)

3 무게가 각각 같은 두 가지 색깔의 구슬이 있습니다. 1개의 무게가 더 무거운 구슬은 어떤 색 구슬인지 구해 보세요.

종류	개수	총 무게
빨간색 구슬	3개	$\frac{8}{7}$ kg
파란색 구슬	4개	$\frac{15}{7}$ kg

(　　　　　　　　　　)

유형 2 도형의 둘레 구하기

추론

1 모눈종이 위에 그린 L의 둘레가 $9\frac{3}{5}$ cm일 때 E의 둘레는 몇 cm인지 기약분수로 나타내어 보세요.

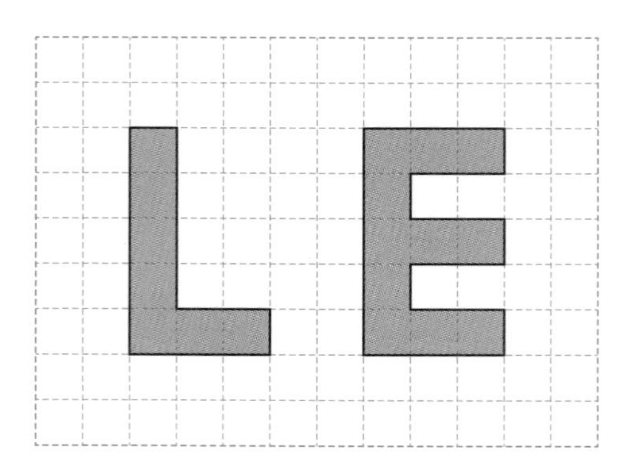

❶ L은 가장 작은 정사각형의 변 몇 개로 이루어져 있는지 구해 보세요.

( )

❷ 가장 작은 정사각형의 한 변은 몇 cm인지 기약분수로 나타내어 보세요.

( )

❸ E는 가장 작은 정사각형의 변 몇 개로 이루어져 있는지 구해 보세요.

( )

❹ E의 둘레는 몇 cm인지 기약분수로 나타내어 보세요.

( )

2 모눈종이 위에 그린 F의 둘레가 $11\frac{3}{7}$ cm일 때 H의 둘레는 몇 cm인지 기약분수로 나타내어 보세요.

(   )

3 둘레가 $\frac{10}{13}$ m인 정사각형을 똑같은 크기의 정사각형 25개로 나누었습니다. 가장 작은 정사각형 한 개의 둘레는 몇 m인지 기약분수로 나타내어 보세요.

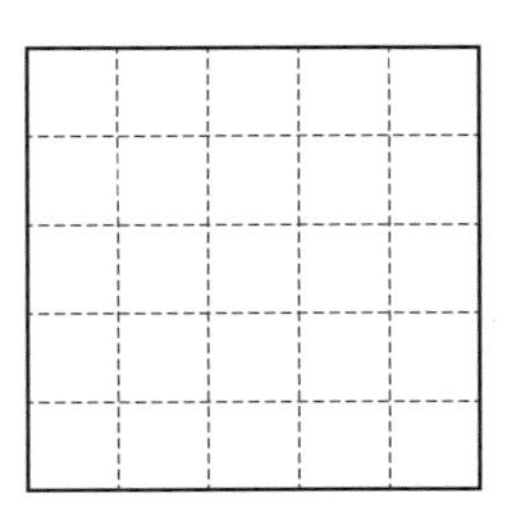

(   )

유형 3 조건에 맞는 분수의 나눗셈

추론

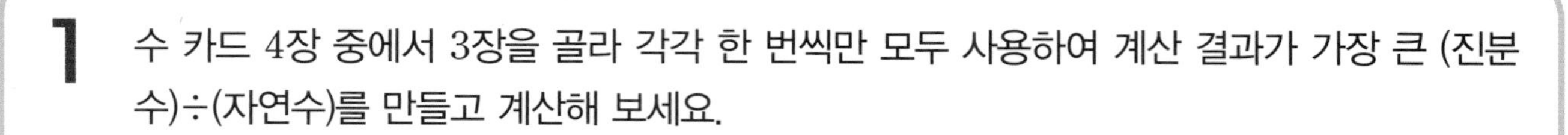

1 수 카드 4장 중에서 3장을 골라 각각 한 번씩만 모두 사용하여 계산 결과가 가장 큰 (진분수)÷(자연수)를 만들고 계산해 보세요.

❶ 알맞은 말에 ○표 하세요.

먼저 나누는 수에 가장 (큰 , 작은) 수를 놓고, 나누어지는 수에 나머지 수로 만들 수 있는 진분수 중 가장 (큰 , 작은) 수를 놓아야 합니다.

❷ 나누는 수에 알맞은 수를 구해 보세요.

❸ ❷에서 구한 수를 제외한 나머지 수로 만들 수 있는 진분수 중 가장 큰 수를 구해 보세요.

❹ 계산 결과가 가장 큰 (진분수)÷(자연수)를 만들고 계산해 보세요.

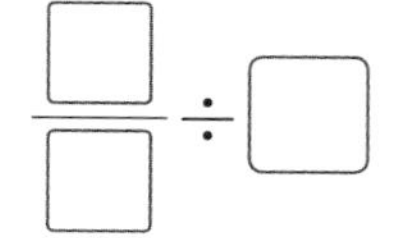

(　　　　　　　　)

2 수 카드 4장 중에서 3장을 골라 각각 한 번씩만 모두 사용하여 계산 결과가 가장 큰 (진분수) ÷(자연수)를 만들고 계산해 보세요.

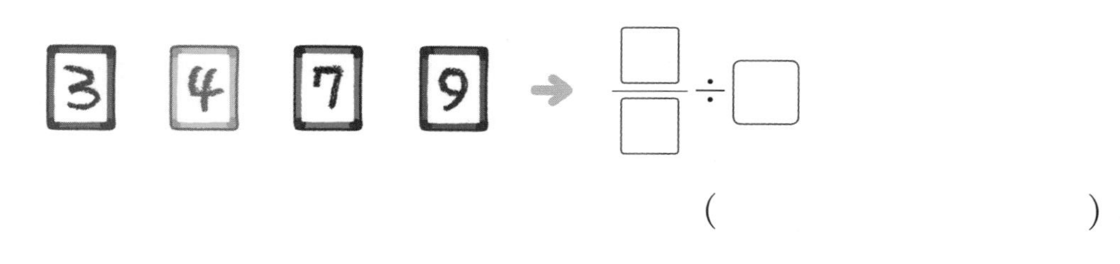

(　　　　　　　　　　)

3 수 카드 4장을 각각 한 번씩만 모두 사용하여 계산 결과가 가장 큰 (대분수)÷(자연수)를 만들고 계산해 보세요.

2　3　7　8 → $\square\frac{\square}{\square}\div\square$

(　　　　　　　　　　)

4 수 카드 4장을 각각 한 번씩만 모두 사용하여 ▲, ■, ●, ★에 넣어 계산 결과가 가장 클 때의 값을 구해 보세요. (단, $\frac{▲}{■}$는 진분수, 가분수 중 어느 것도 될 수 있습니다.)

2　5　7　9 → $\frac{▲}{■}$÷●÷★

(　　　　　　　　　　)

유형 4 색칠한 부분의 넓이 구하기

문제 해결

1 다음 그림은 직사각형의 네 변의 한가운데를 이어 그린 것입니다. 색칠한 부분의 넓이는 몇 cm^2인지 기약분수로 나타내어 보세요.

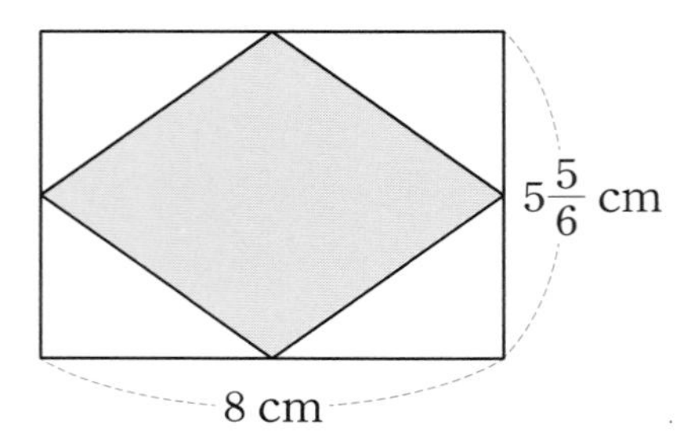

❶ 직사각형의 넓이는 몇 cm^2인지 기약분수로 나타내어 보세요.

( )

❷ 직사각형의 네 변의 한가운데를 마주 보는 변끼리 점선으로 이어 보세요.

❸ 색칠한 부분의 넓이는 몇 cm^2인지 기약분수로 나타내어 보세요.

( )

2 다음 그림은 직사각형의 두 꼭짓점과 한 변의 한가운데를 이어 그린 것입니다. 색칠한 부분의 넓이는 몇 cm^2인지 기약분수로 나타내어 보세요.

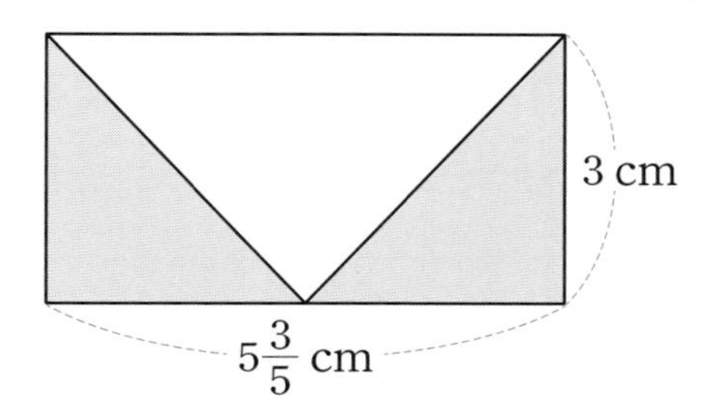

(   )

3 다음 그림은 가장 큰 정사각형을 똑같은 크기의 작은 정사각형 9개로 나누어 그린 것입니다. 가장 큰 정사각형의 둘레가 $9\frac{3}{5}$ cm일 때 색칠한 부분의 넓이는 몇 cm^2인지 기약분수로 나타내어 보세요.

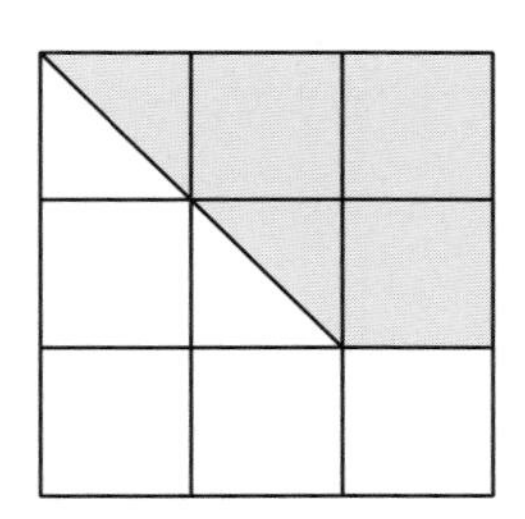

(   )

유형 5 일의 양 구하기

문제 해결

1 어떤 일을 하는 데 강호와 윤하가 일하는 양은 다음과 같습니다. 두 사람이 함께 일을 시작하면 일을 끝내는 데 며칠이 걸리는지 구해 보세요. (단, 두 사람이 하루에 일하는 양은 각각 일정합니다.)

난 3일 동안
전체 $\frac{3}{10}$을 해.

강호

난 4일 동안
전체 $\frac{2}{5}$를 해.

윤하

❶ 강호가 하루에 일하는 양을 기약분수로 나타내어 보세요.

( )

❷ 윤하가 하루에 일하는 양을 기약분수로 나타내어 보세요.

( )

❸ 두 사람이 함께 일을 했을 때 하루에 일하는 양을 기약분수로 나타내어 보세요.

( )

❹ 두 사람이 함께 일을 시작하면 일을 끝내는 데 며칠이 걸리는지 구해 보세요.

( )

2 어떤 일을 하는 데 현서와 은주가 일하는 양은 다음과 같습니다. 두 사람이 함께 일을 시작하면 일을 끝내는 데 며칠이 걸리는지 구해 보세요. (단, 두 사람이 하루에 일하는 양은 각각 일정합니다.)

난 3일 동안 전체의 $\frac{1}{4}$을 해.
난 4일 동안 전체의 $\frac{1}{6}$을 해.
현서
은주

( )

3 어떤 일을 하는 데 은정이는 3일 동안 전체의 $\frac{1}{3}$을 하고, 주헌이는 9일 동안 전체의 $\frac{1}{2}$을 합니다. 3일 동안 주헌이가 혼자서 일한 후 두 사람이 함께 일을 한다면 일을 시작하여 끝내는 데 모두 며칠이 걸리는지 구해 보세요. (단, 두 사람이 하루에 일하는 양은 각각 일정합니다.)

( )

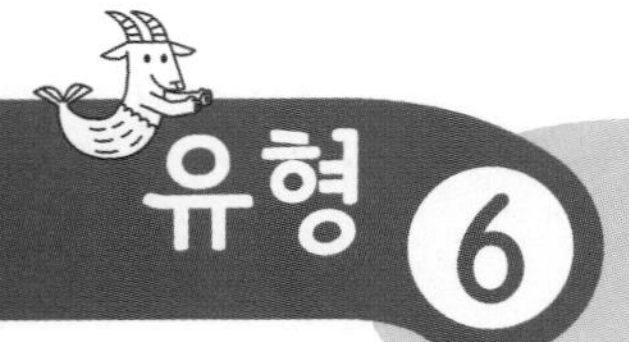

유형 6 마주 보는 면에 있는 수 구하기

추론

1 마주 보는 두 면에 있는 두 수의 곱이 일정하도록 정육면체의 전개도를 만들었습니다. 정육면체의 전개도를 보고 ㉠과 ㉡에 알맞은 수를 기약분수로 나타내어 보세요.

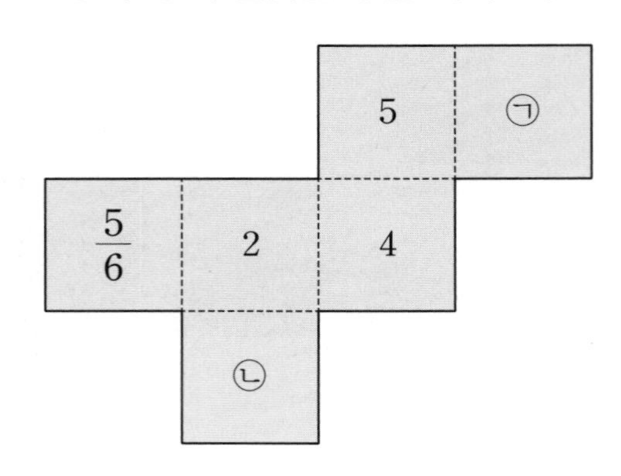

❶ 마주 보는 두 면에 있는 두 수의 곱을 기약분수로 나타내어 보세요.

(　　　　　　　　)

❷ ㉠에 알맞은 수를 기약분수로 나타내어 보세요.

(　　　　　　　　)

❸ ㉡에 알맞은 수를 기약분수로 나타내어 보세요.

(　　　　　　　　)

2 마주 보는 두 면에 있는 두 수의 곱이 일정하도록 정육면체의 전개도를 만들었습니다. 정육면체의 전개도를 보고 ㉠과 ㉡에 알맞은 수를 기약분수로 나타내어 보세요.

(1)

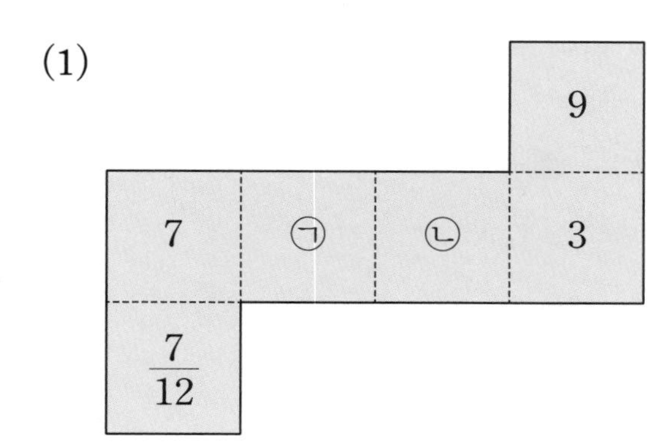

㉠ (　　　　　　　　), ㉡ (　　　　　　　　)

(2)

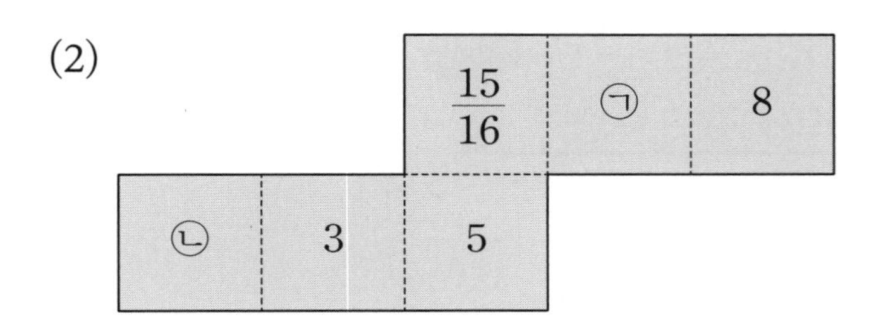

㉠ (　　　　　　　　), ㉡ (　　　　　　　　)

(3)

㉠ | 21

$\frac{5}{12}$ | ㉡

7 | 5

㉠ (　　　　　　　　), ㉡ (　　　　　　　　)

사고력 종합 평가

1 ▲에 알맞은 수를 기약분수로 나타내어 보세요. (단, 같은 모양은 같은 수를 나타냅니다.)

$$■\times 9=7\frac{1}{5} \qquad ■\div 8=▲$$

( )

2 길이가 $\frac{15}{16}$ km인 도로의 한쪽에 처음부터 끝까지 같은 간격으로 가로수 21그루를 심으려고 합니다. 가로수 사이의 간격을 몇 km로 해야 하는지 기약분수로 나타내어 보세요. (단, 가로수의 굵기는 생각하지 않습니다.)

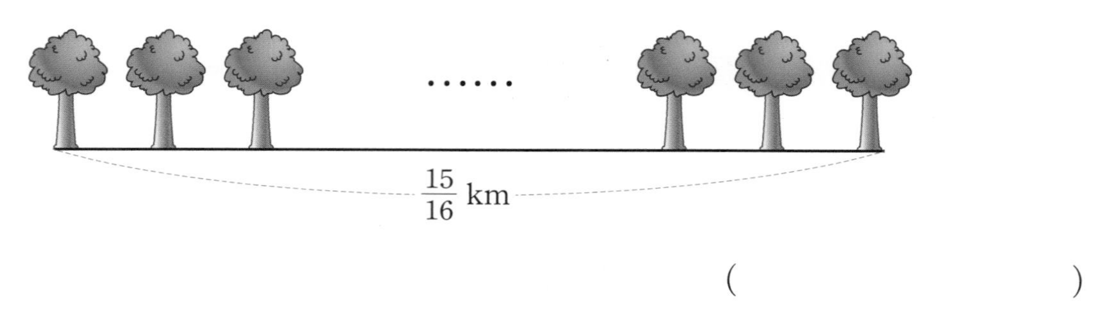

( )

3 모눈종이 위에 그린 T의 둘레가 $7\frac{1}{9}$ cm일 때 I의 둘레는 몇 cm인지 기약분수로 나타내어 보세요.

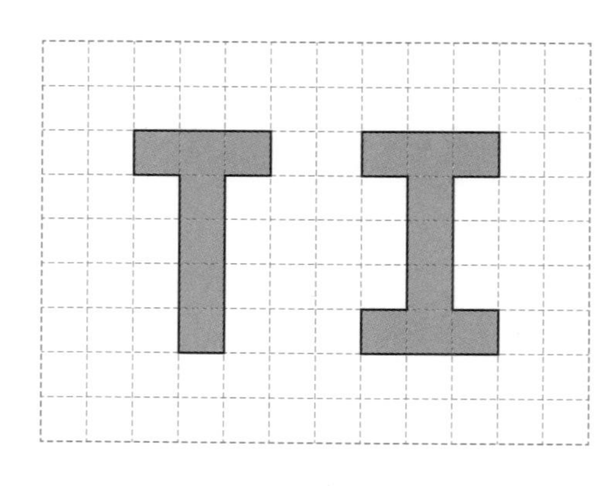

( )

4 어떤 자연수를 8로 나누어야 할 것을 잘못하여 3으로 나누었더니 7이 되었습니다. 바르게 계산한 값을 분수로 나타내어 보세요.

( )

5 정오각형의 둘레와 정육각형의 둘레가 같습니다. 정육각형의 한 변의 길이는 몇 cm인지 분수로 나타내어 보세요.

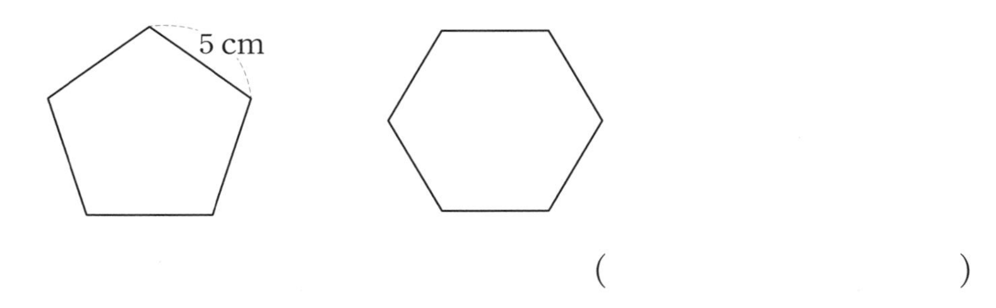

( )

6 자동차 ㉠, ㉡, ㉢이 간 거리와 걸린 시간입니다. 자동차 ㉠, ㉡, ㉢ 중 어느 자동차가 1시간 동안 가장 먼 거리를 갔는지 구해 보세요. (단, 1시간 동안 간 거리는 각각 일정합니다.)

자동차	간 거리	걸린 시간
㉠	$134\frac{2}{3}$ km	2시간
㉡	$212\frac{1}{4}$ km	3시간
㉢	$273\frac{3}{5}$ km	4시간

( )

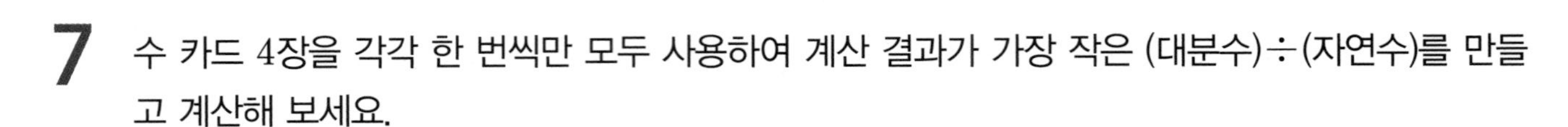

7 수 카드 4장을 각각 한 번씩만 모두 사용하여 계산 결과가 가장 작은 (대분수)÷(자연수)를 만들고 계산해 보세요.

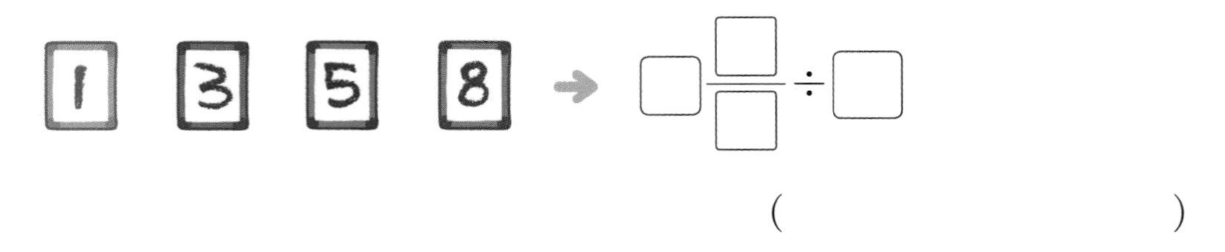

( )

8 둘레가 $\frac{14}{17}$ m인 정사각형을 똑같은 크기의 정사각형 49개로 나누었습니다. 가장 작은 정사각형 한 개의 둘레는 몇 m인지 기약분수로 나타내어 보세요.

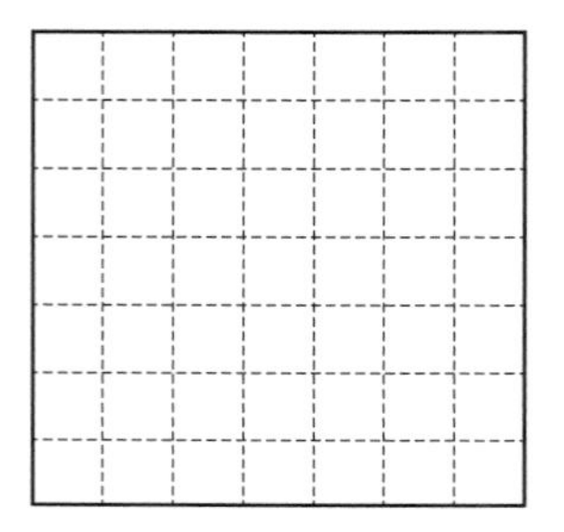

( )

9 수직선에서 $\frac{2}{3}$와 $\frac{6}{7}$ 사이를 3등분 하였습니다. ㉠에 알맞은 분수를 구해 보세요.

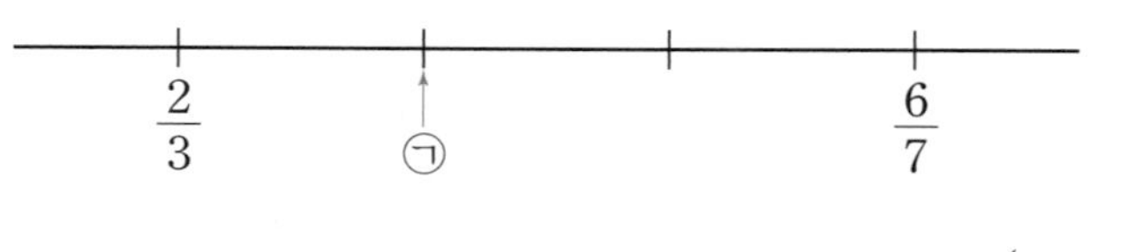

( )

10 수 카드 4장을 각각 한 번씩만 모두 사용하여 ▲, ■, ●, ★에 넣어 계산 결과가 가장 작을 때의 값을 구해 보세요. (단, $\frac{▲}{■}$는 진분수, 가분수 중 어느 것도 될 수 있습니다.)

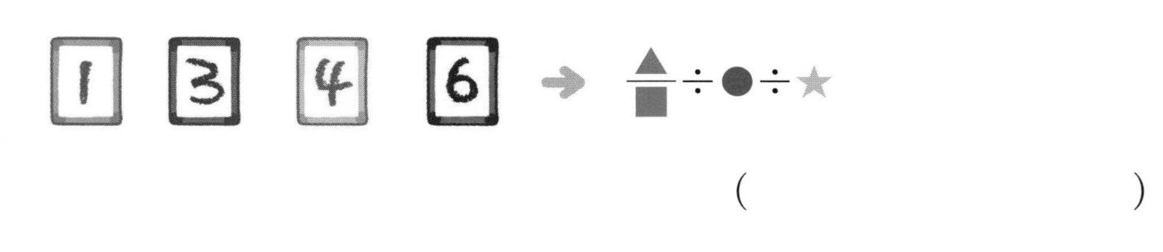

( )

11 어떤 일을 하는 데 부길이는 3일 동안 전체의 $\frac{1}{8}$을 하고, 세현이는 4일 동안 전체의 $\frac{1}{6}$을 합니다. 두 사람이 함께 일을 시작하면 일을 끝내는 데 며칠이 걸리는지 구해 보세요. (단, 두 사람이 하루에 일하는 양은 각각 일정합니다.)

( )

12 마주 보는 두 면에 있는 두 수의 곱이 일정하도록 정육면체의 전개도를 만들었습니다. 정육면체의 전개도를 보고 ㉠과 ㉡에 알맞은 수를 기약분수로 나타내어 보세요.

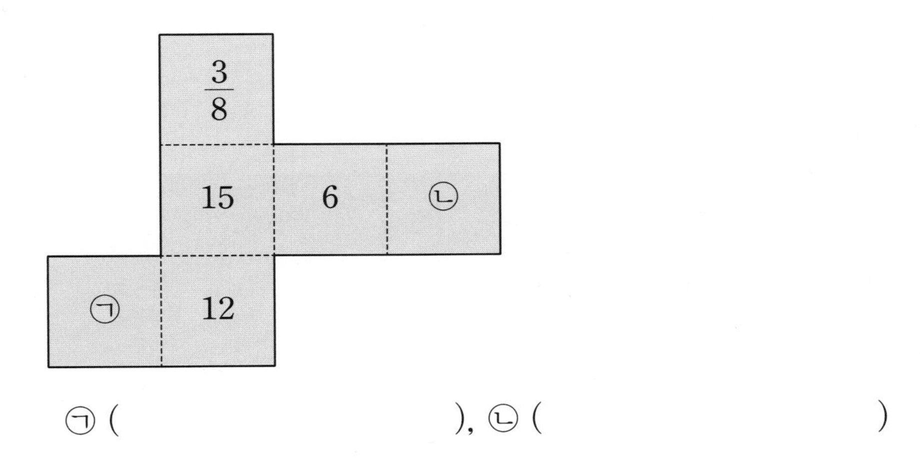

㉠ ( ), ㉡ ( )

정답과 풀이 5쪽

13 다음 그림은 큰 정사각형의 네 변의 한가운데를 이어서 작은 정사각형을 만드는 방법으로 정사각형 3개를 그린 것입니다. 색칠한 부분의 넓이는 몇 cm^2인지 기약분수로 나타내어 보세요.

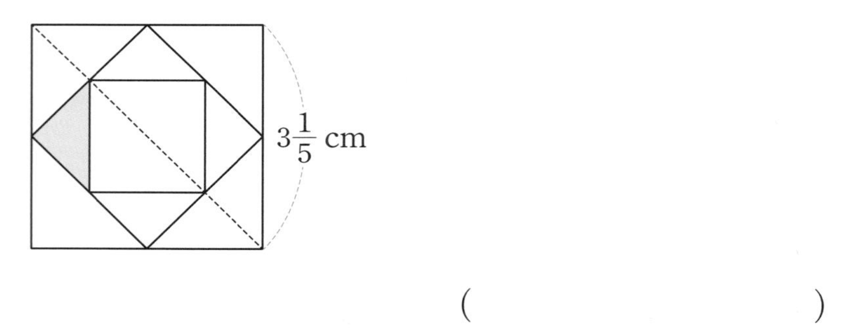

(　　　　　　　　　　)

14 길이가 같은 색 테이프 3장을 $1\frac{1}{5}$ cm씩 겹치게 한 줄로 길게 이어 붙였더니 전체 길이가 6 cm가 되었습니다. 색 테이프 한 장의 길이는 몇 cm인지 기약분수로 나타내어 보세요.

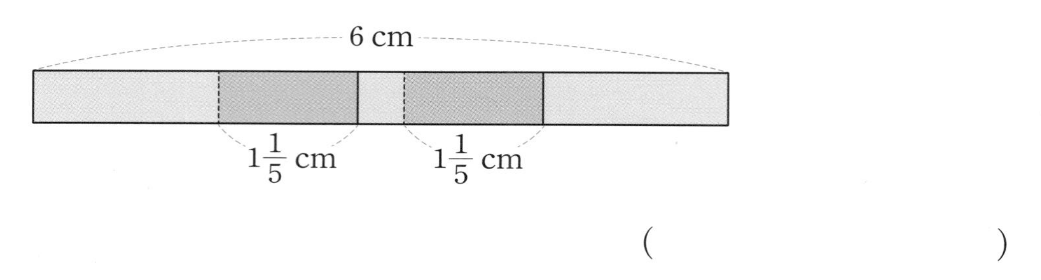

(　　　　　　　　　　)

15 칠판에 쓴 식을 이용하여 $\left(\frac{1}{6}+\frac{1}{12}+\frac{1}{20}\right)\div 10$을 계산한 값을 기약분수로 나타내어 보세요.

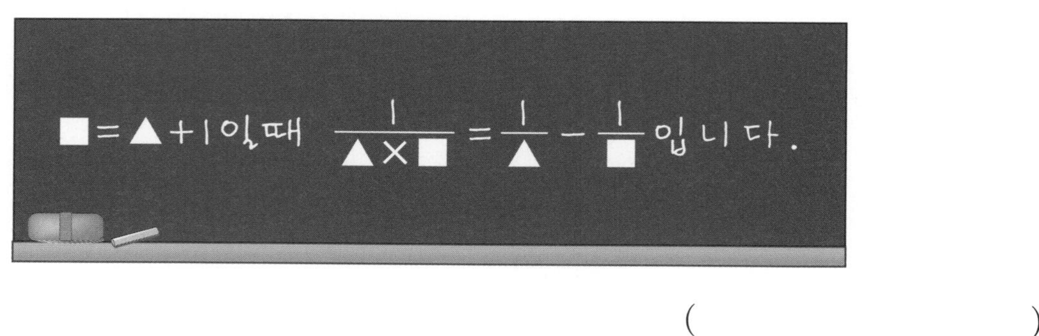

(　　　　　　　　　　)

2 각기둥과 각뿔

각기둥 알아보기

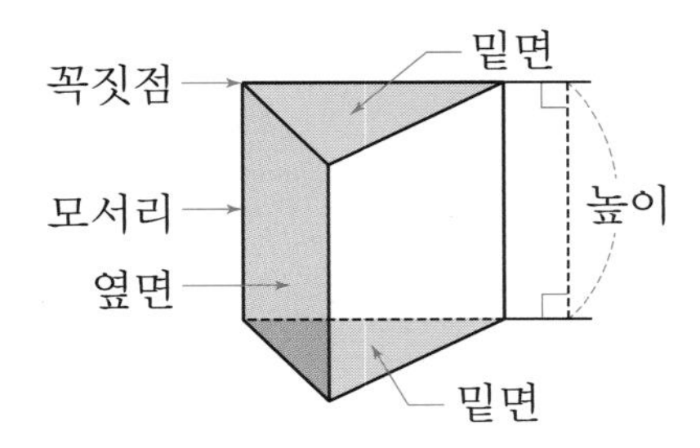

- 밑면: 서로 평행하고 합동인 두 면
  ➔ 두 밑면은 나머지 면들과 모두 수직으로 만납니다.
- 옆면: 두 밑면과 만나는 면
  ➔ 각기둥의 옆면은 모두 직사각형입니다.
- 모서리: 면과 면이 만나는 선분
- 꼭짓점: 모서리와 모서리가 만나는 점
- 높이: 두 밑면 사이의 거리

도형	꼭짓점의 수(개)	면의 수 (개)	모서리의 수(개)
■각기둥	■×2	■+2	■×3

각기둥의 전개도 알아보기

- 각기둥의 전개도: 각기둥의 모서리를 잘라서 평면 위에 펼쳐 놓은 그림

① 합동인 2개의 밑면과 직사각형 모양의 옆면이 있습니다.
② 전개도를 접었을 때 맞닿는 선분의 길이는 같습니다.

각기둥의 전개도 그려 보기

- 각기둥의 전개도를 그릴 때 잘린 모서리는 실선으로, 잘리지 않은 모서리는 점선으로 그립니다.
- 전개도는 어느 모서리를 자르는가에 따라 여러 가지 모양이 나올 수 있습니다.

각뿔 알아보기

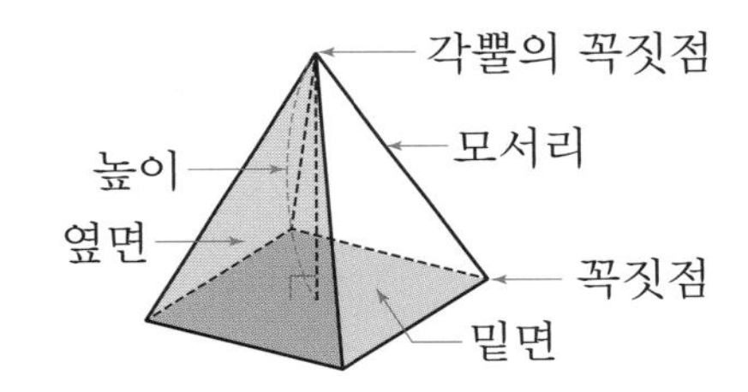

- 밑면: 바닥에 놓인 면
- 옆면: 밑면과 만나는 면
  ➔ 각뿔의 옆면은 모두 삼각형입니다.
- 모서리: 면과 면이 만나는 선분
- 꼭짓점: 모서리와 모서리가 만나는 점
- 각뿔의 꼭짓점: 꼭짓점 중에서도 옆면이 모두 만나는 점
- 높이: 각뿔의 꼭짓점에서 밑면에 수직인 선분의 길이

도형	꼭짓점의 수(개)	면의 수 (개)	모서리의 수(개)
■각뿔	■+1	■+1	■×2

유형 1 입체도형 사다리 타기

창의 · 융합

1 서유기에 등장하는 주인공 4명과 각기둥 모양의 보물 상자를 연결한 사다리 타기 게임을 완성하려고 합니다. 출발하는 주인공 이름과 도착하는 각기둥 이름의 □ 안에 들어갈 말이 같아지도록 가로선을 하나 더 그어 보세요.

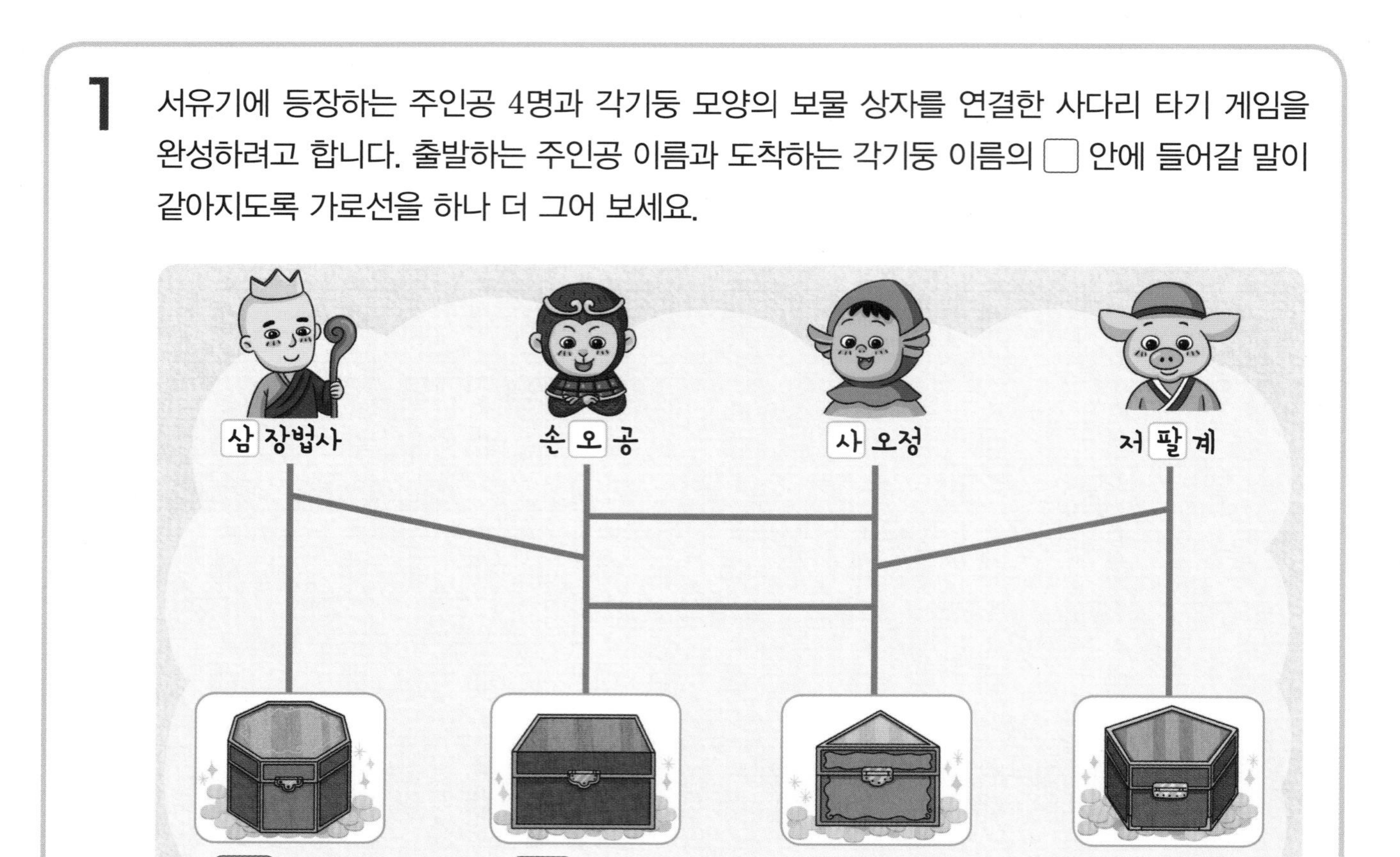

❶ 보물 상자를 보고 각기둥 이름의 □ 안에 알맞은 말을 써넣으세요.

❷ 주어진 사다리를 타고 내려 가서 도착하는 곳에 있는 각기둥의 이름을 써 보세요.

출발하는 주인공	삼장법사	손오공	사오정	저팔계
각기둥의 이름				

❸ 주인공 이름과 각기둥 이름의 □ 안에 들어갈 말이 같아지도록 가로선을 하나 더 그어 보세요.

2 출발하는 곳의 각뿔과 도착하는 곳의 꼭짓점의 수가 맞도록 가로선을 하나 더 그어 보세요.

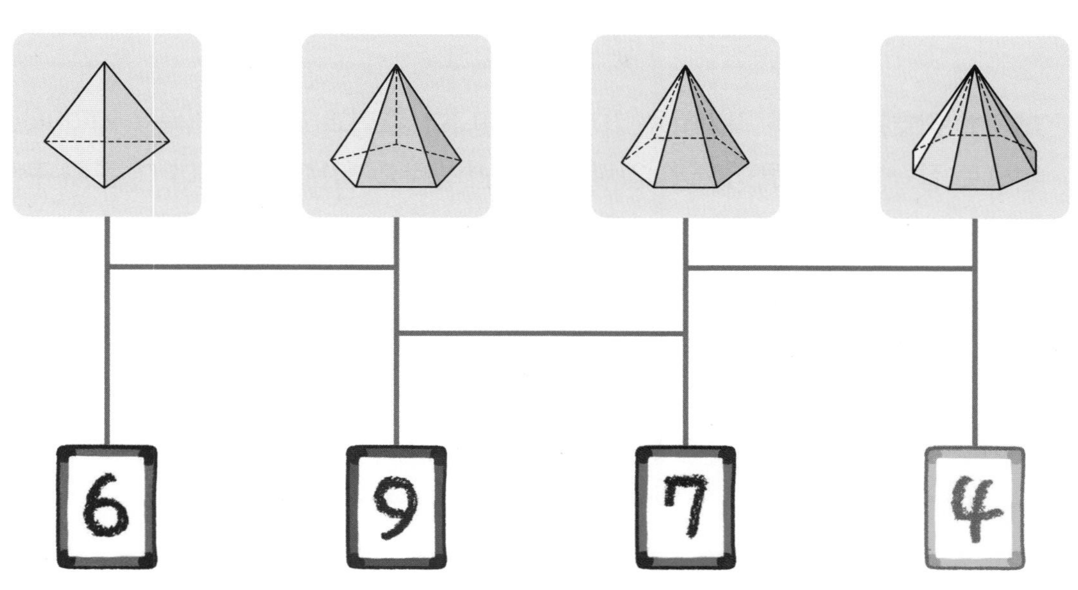

3 출발하는 곳의 전개도와 도착하는 곳의 각기둥이 맞도록 가로선을 3개 그어 보세요.

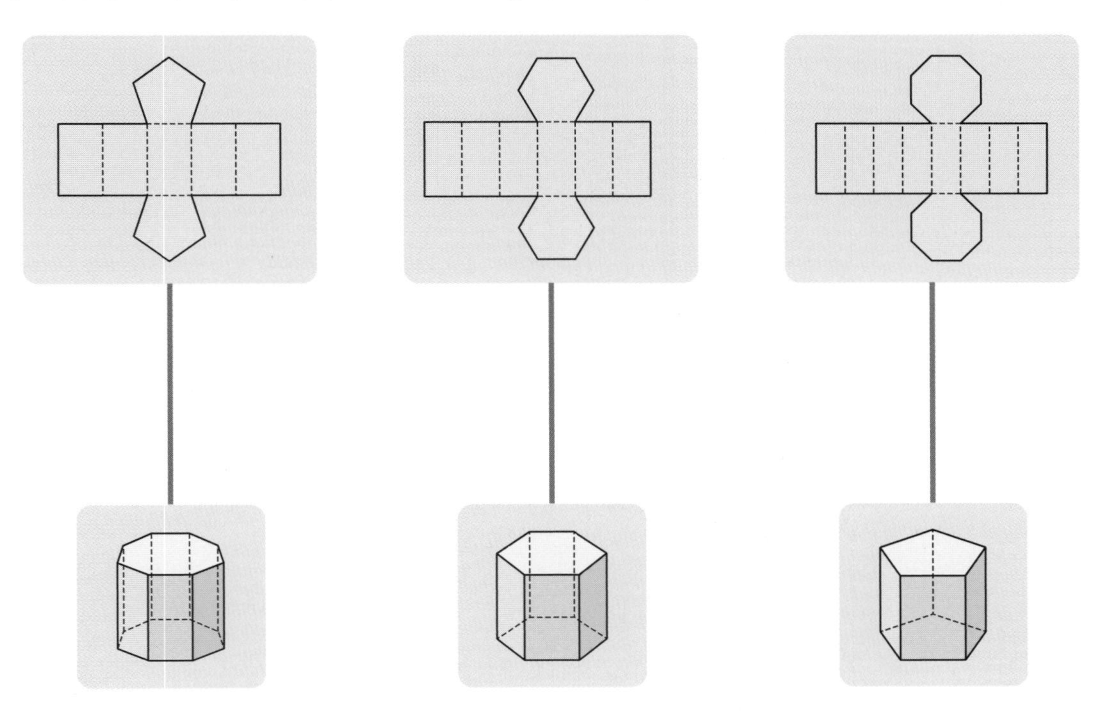

유형 2 입체도형 자르기

문제 해결

1 예지와 강호는 똑같은 각기둥을 가지고 있습니다. 그림과 같이 각기둥을 각각 서로 다른 방법으로 잘랐을 때 만들어진 두 입체도형의 면의 수의 합은 누가 얼마 더 큰지 구해 보세요.

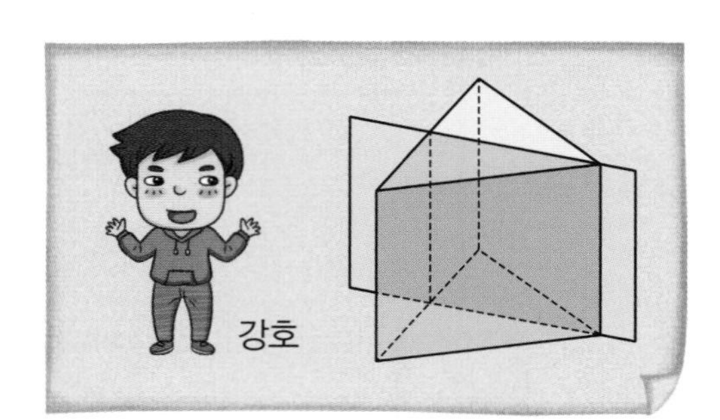

❶ 예지와 강호가 자르기 전에 가지고 있던 각기둥의 이름을 써 보세요.

(　　　　　　　　　)

❷ 예지와 강호가 잘랐을 때 만들어진 두 입체도형의 이름을 각각 써 보세요.

예지 (　　　　　　　　　)

강호 (　　　　　　　　　)

❸ 예지와 강호가 잘랐을 때 만들어진 두 입체도형의 면의 수의 합을 각각 구해 보세요.

예지 (　　　　　　　　　)

강호 (　　　　　　　　　)

❹ 예지와 강호가 잘랐을 때 만들어진 두 입체도형의 면의 수의 합은 누가 얼마 더 클까요?

(　　　　　　　　　)

2 그림과 같이 각기둥을 평면으로 잘랐을 때 만들어진 두 입체도형의 면의 수의 합을 구해 보세요.

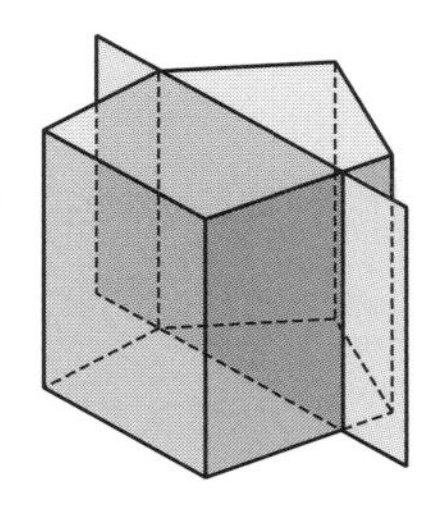

( )

3 그림과 같이 각기둥을 평면으로 잘랐을 때 만들어진 두 입체도형의 꼭짓점의 수의 합을 구해 보세요.

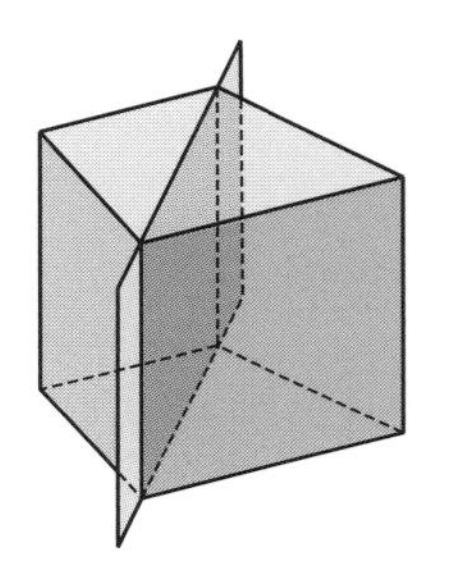

( )

4 그림과 같이 각기둥을 평면으로 잘랐을 때 만들어진 두 입체도형의 모서리의 수의 합을 구해 보세요.

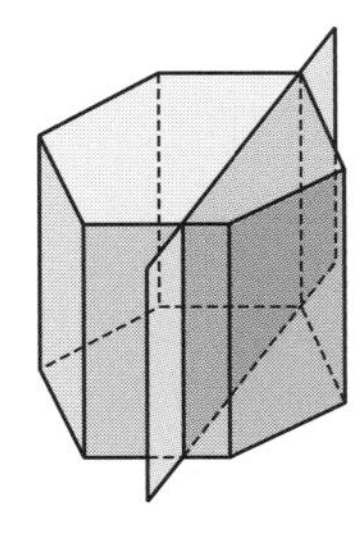

( )

각기둥의 전개도

추론

1 사각기둥의 전개도를 바르게 그린 학생을 모두 찾아 이름을 써 보세요.

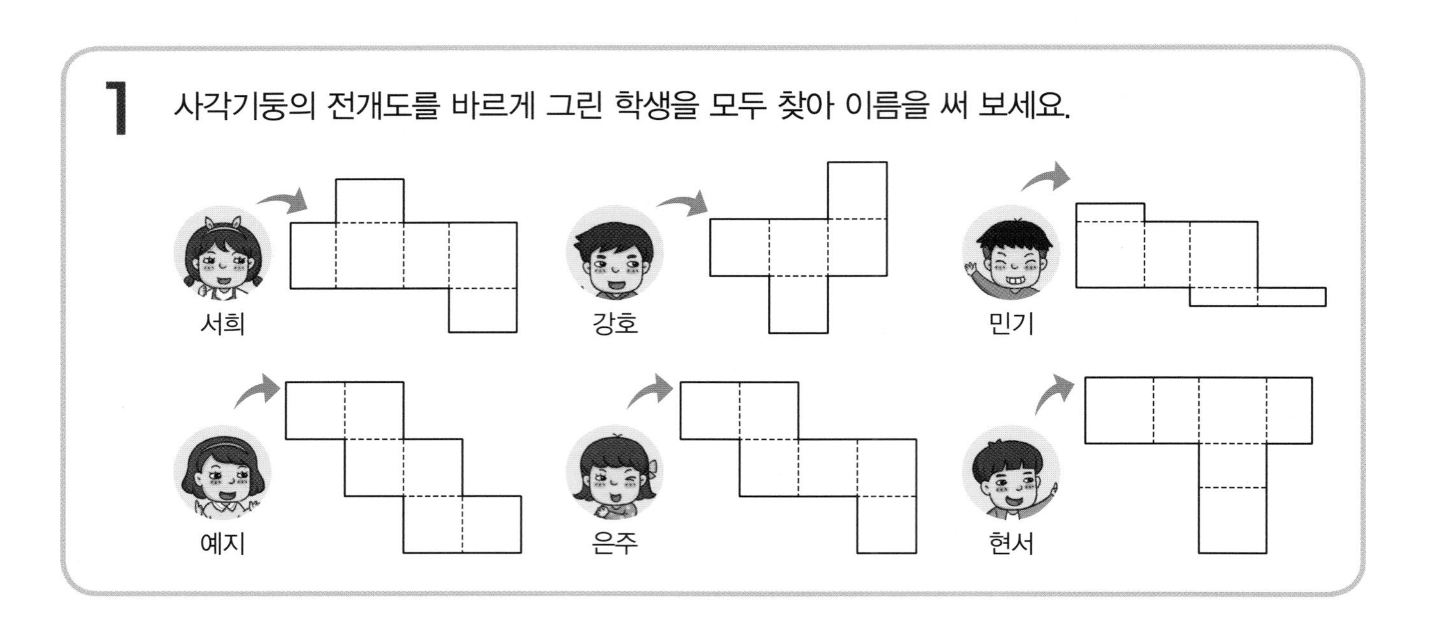

❶ □ 안에 알맞은 수와 이름을 써넣으세요.

> 사각기둥의 밑면은 □개, 옆면은 □개이므로 전개도의 면은 모두 6개입니다.
>
> 면의 수를 비교해 보았을 때 사각기둥의 전개도를 잘못 그린 학생은 □입니다.

❷ 전개도를 접었을 때 맞닿는 선분의 길이는 같습니다. 맞닿는 선분의 길이를 비교해 보았을 때 사각기둥의 전개도를 잘못 그린 학생은 누구일까요?

( )

❸ 전개도를 접었을 때 겹치는 면은 없어야 합니다. 겹치는 면이 있는지를 비교해 보았을 때 사각기둥의 전개도를 잘못 그린 학생은 누구일까요?

( )

❹ 사각기둥의 전개도를 바르게 그린 학생을 모두 찾아 이름을 써 보세요.

( )

2 각기둥의 전개도를 잘못 그린 것을 찾아 기호를 써 보세요.

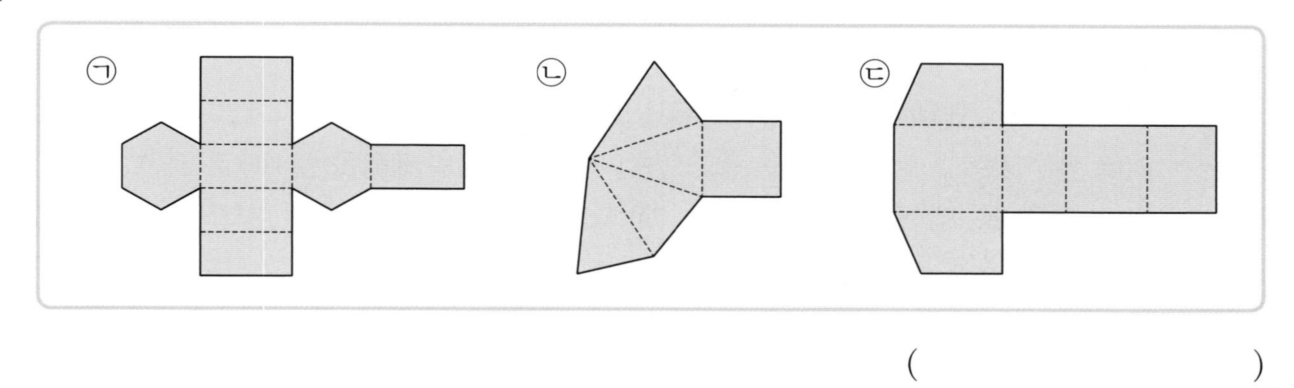

( )

3 보기 는 삼각기둥의 전개도를 나타낸 것입니다. 보기 와 다른 모양의 삼각기둥의 전개도를 2개 그려 보세요.

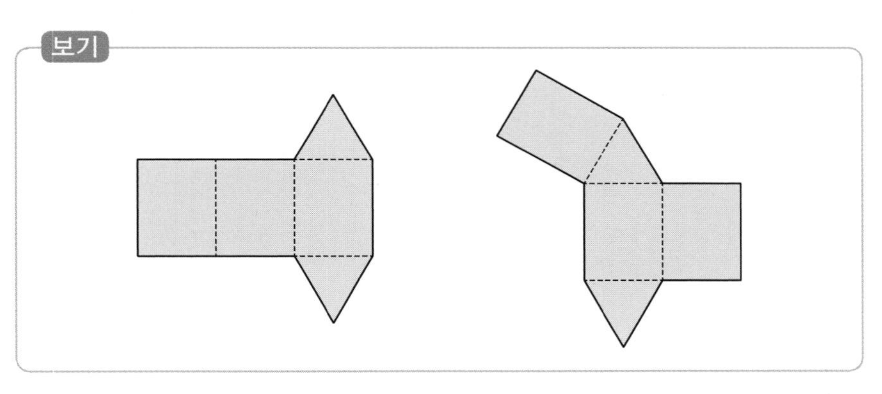

유형 4 규칙적으로 나열한 입체도형

추론

1 십이지신[十二支神]은 12방위(方位)를 나타내는 신으로 얼굴은 각각 12마리의 동물 모습이며 몸은 사람과 같은 형상을 하고 있습니다. 12마리의 동물을 순서대로 쓰면 쥐, 소, 호랑이, 토끼, 용, 뱀, 말, 양, 원숭이, 닭, 개, 돼지입니다. 십이지신들이 순서대로 가지고 있는 각기둥의 규칙을 찾아 말의 얼굴을 한 신(神)이 가지고 있는 각기둥의 모서리의 수를 구해 보세요.

❶ 쥐, 소, 호랑이, 토끼의 얼굴을 한 신(神)이 가지고 있는 각기둥의 이름을 써 보세요.

얼굴	쥐	소	호랑이	토끼
각기둥의 이름				

❷ □ 안에 알맞은 수를 써넣으세요.

쥐의 얼굴을 한 신(神)이 가지고 있는 각기둥부터 한 밑면의 변의 수를 차례로 써 보면 3, □, □, □……이므로 각기둥의 한 밑면의 변의 수가 □씩 커지는 규칙입니다.

❸ 말의 얼굴을 한 신(神)이 가지고 있는 각기둥의 모서리의 수를 구해 보세요.

( )

2 서희네 반 학생들이 번호 순서대로 규칙에 따라 그린 각뿔에 대한 설명입니다. 8번 학생이 그린 각뿔의 모서리의 수를 구해 보세요.

번호	학생	각뿔에 대한 설명
1번	서희	밑면의 변의 수는 4입니다.
2번	강호	면의 수는 6입니다.
3번	예지	모서리의 수는 12입니다.
4번	민기	꼭짓점의 수는 8입니다.
……	……	……

( )

3 다음과 같은 규칙으로 각기둥과 각뿔을 번갈아 가며 놓으려고 합니다. 10번째 입체도형의 꼭짓점의 수를 구해 보세요.

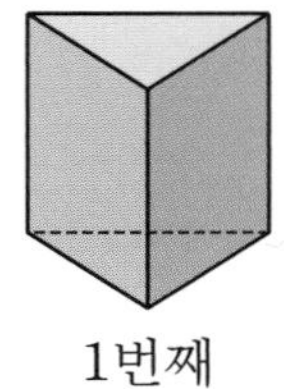
1번째

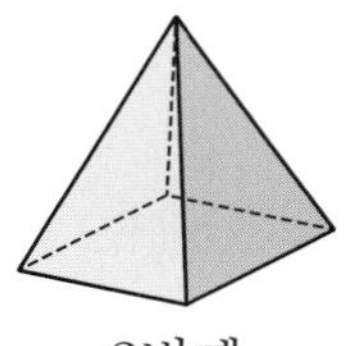
2번째

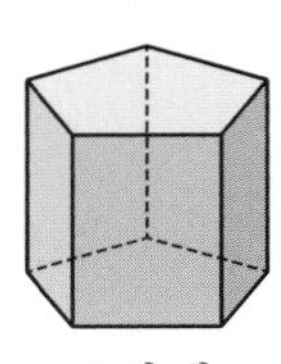
3번째

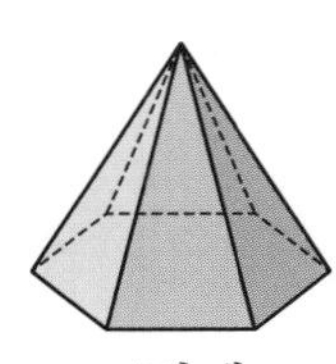
4번째

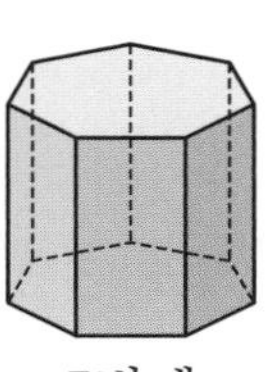
5번째

……

( )

도형수

1 어떤 도형의 모양을 잘 나타내도록 점을 규칙적으로 나열했을 때의 점의 개수를 도형수라 하고, 평면도형 모양 또는 입체도형 모양으로 배열한 점의 개수를 생각해 볼 수 있습니다.

평면도형 모양으로 배열한 점의 개수를 나타내는 수 가운데 대표적인 것은 다각수이고 정다각형의 모양에 따라 삼각수, 사각수, 오각수, 육각수 등이 있습니다.

예 삼각수: 정삼각형 모양을 이루는 점의 개수

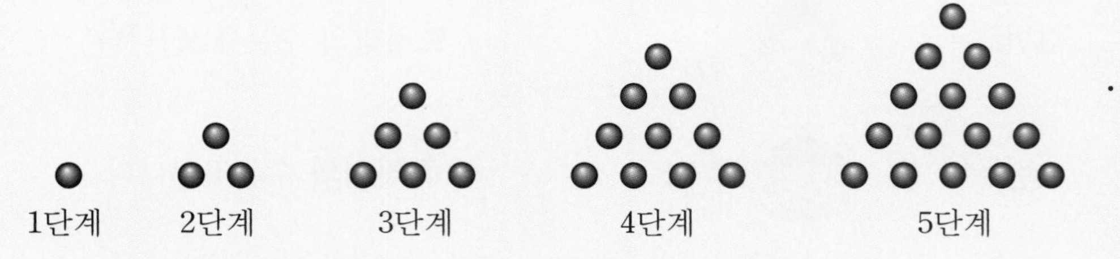

→ 삼각수를 차례로 쓰면 1, 3, 6, 10, 15……입니다.

정다각형 모양의 배열로부터 다각수를 생각하는 것처럼 각뿔 모양의 배열로부터 각뿔수를 생각할 수 있습니다. 삼각뿔수를 나타내는 그림을 보고 5단계 삼각뿔수를 구해 보세요.

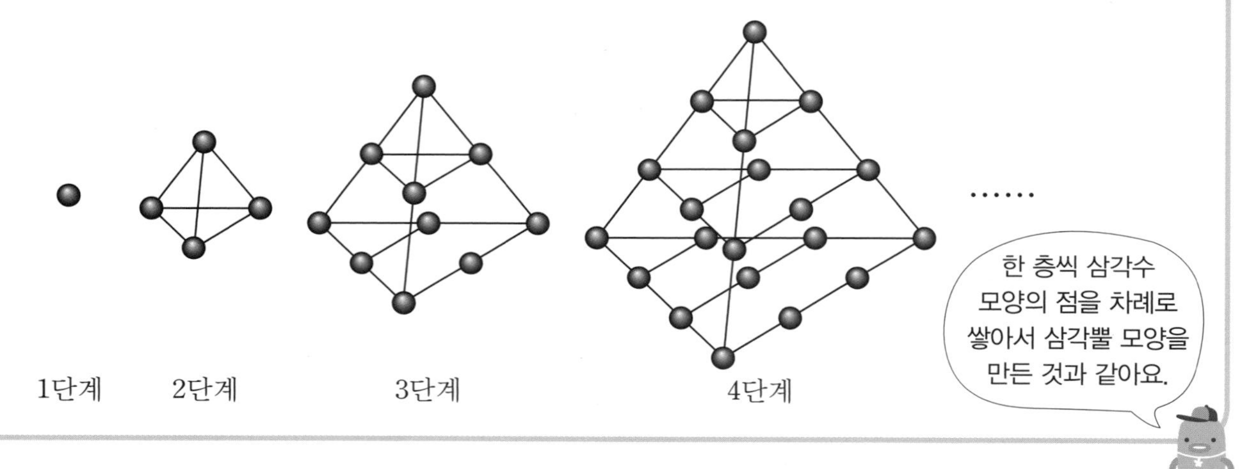

① 각 단계별 삼각뿔수를 세어 빈칸에 알맞은 수를 써넣으세요.

단계	1	2	3	4	……
삼각뿔수	1	4			……

② 5단계 삼각뿔수를 구해 보세요.

(　　　　　　　　)

2 사각수와 사각뿔수를 나타내는 그림을 보고 5단계 사각뿔수를 구하려고 합니다. □ 안에 알맞은 수를 써넣으세요.

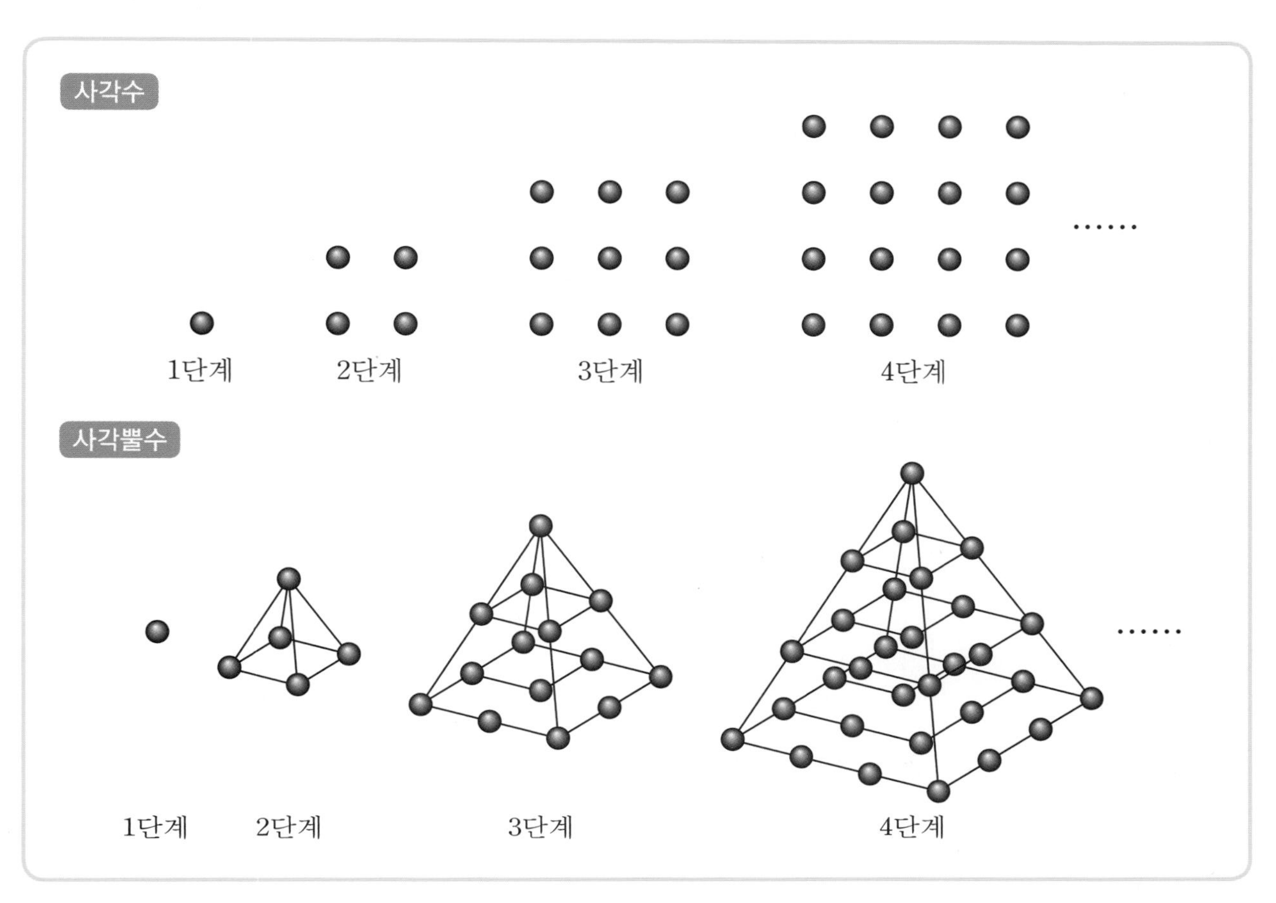

➡ 사각수를 1단계부터 4단계까지 차례로 구해 보면 1, 4, 9, □이므로 5단계 사각수는 □입니다. 따라서 사각뿔수를 1단계부터 4단계까지 차례로 구해 보면 1, 5, 14, □이므로 5단계 사각뿔수는 □입니다.

3 **2**를 보고 6단계 사각뿔수를 구해 보세요.

( )

유형 6 전개도의 둘레

추론

1 다음 6장의 색종이를 이용하여 만들 수 있는 사각기둥의 전개도를 그리려고 합니다. 전개도의 둘레가 가장 길 때와 가장 짧을 때의 둘레의 길이의 차를 구해 보세요.

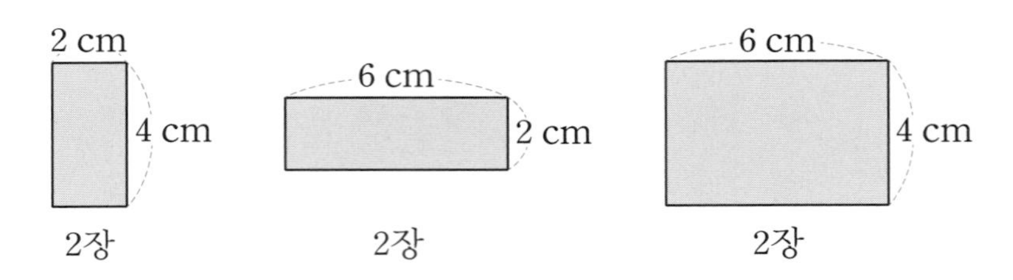

❶ 둘레가 가장 길 때의 전개도입니다. 전개도의 둘레의 길이를 구해 보세요.

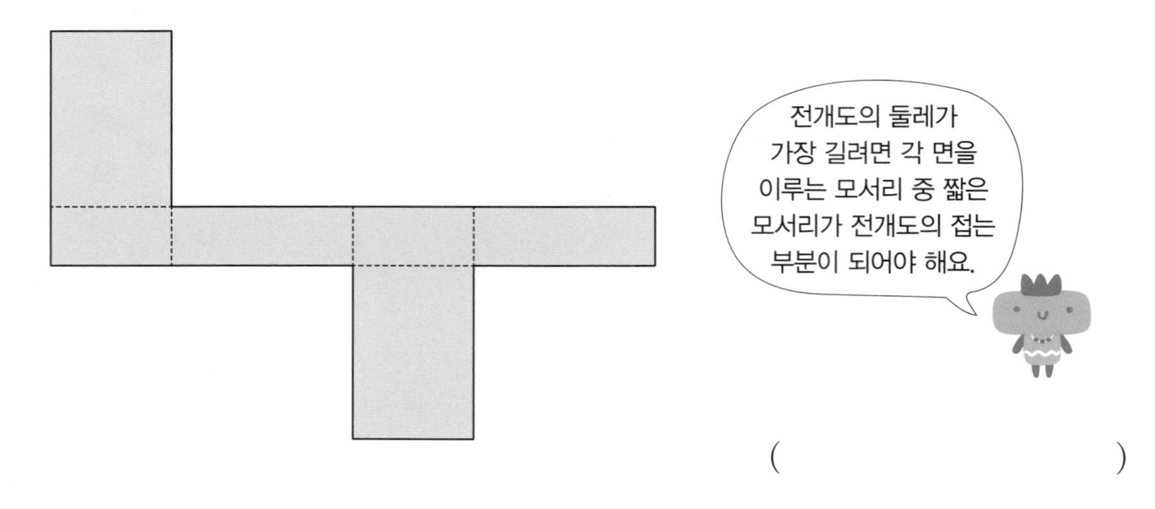

(　　　　　　　　)

❷ 둘레가 가장 짧을 때의 전개도를 완성한 후 전개도의 둘레의 길이를 구해 보세요.

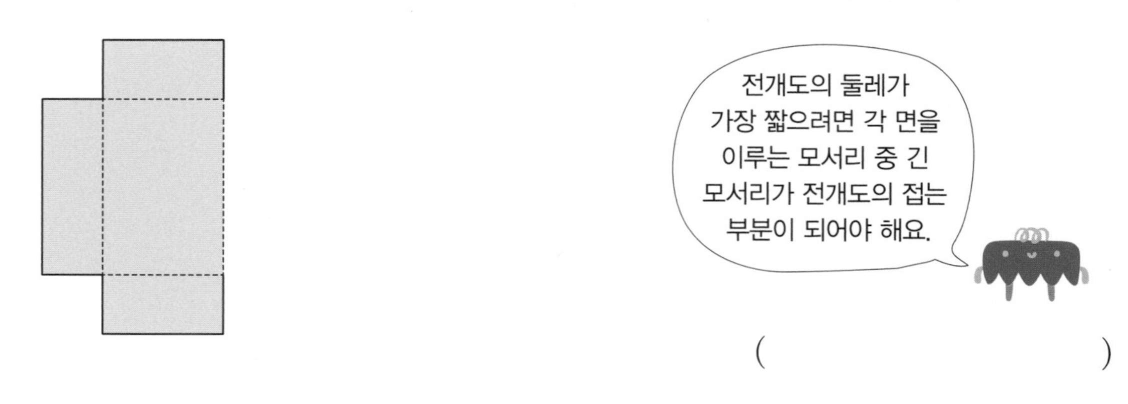

전개도의 둘레가 가장 짧으려면 각 면을 이루는 모서리 중 긴 모서리가 전개도의 접는 부분이 되어야 해요.

(　　　　　　　　)

❸ 전개도의 둘레가 가장 길 때와 가장 짧을 때의 둘레의 길이의 차를 구해 보세요.

(　　　　　　　　)

2 다음 6장의 색종이를 이용하여 만들 수 있는 사각기둥의 전개도를 그리려고 합니다. 전개도의 둘레가 가장 길 때의 둘레의 길이를 구해 보세요.

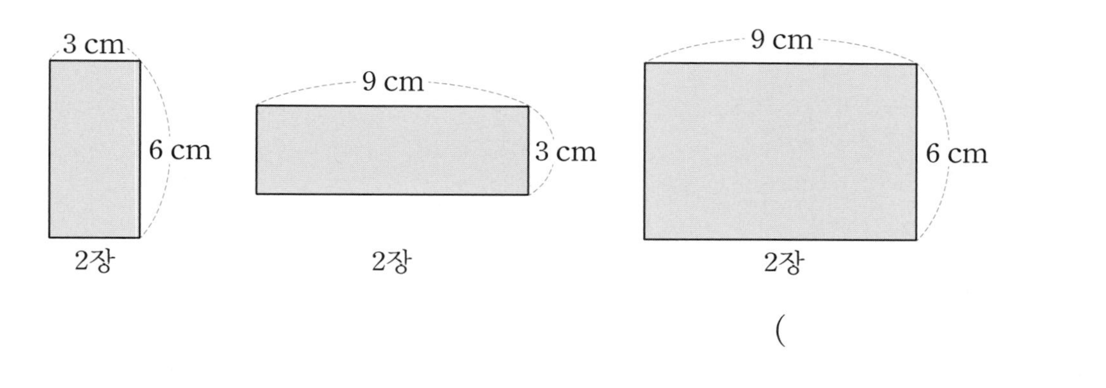

(　　　　　　　　)

3 다음과 같은 직사각형 6개를 옆면으로 하는 각기둥의 전개도를 그리려고 합니다. 전개도의 둘레가 가장 짧을 때의 둘레의 길이를 구해 보세요.

(　　　　　　　　)

사고력 종합 평가

1 각뿔의 밑면의 모양, 이름, 면의 수를 관계있는 것끼리 선으로 이어 보세요.

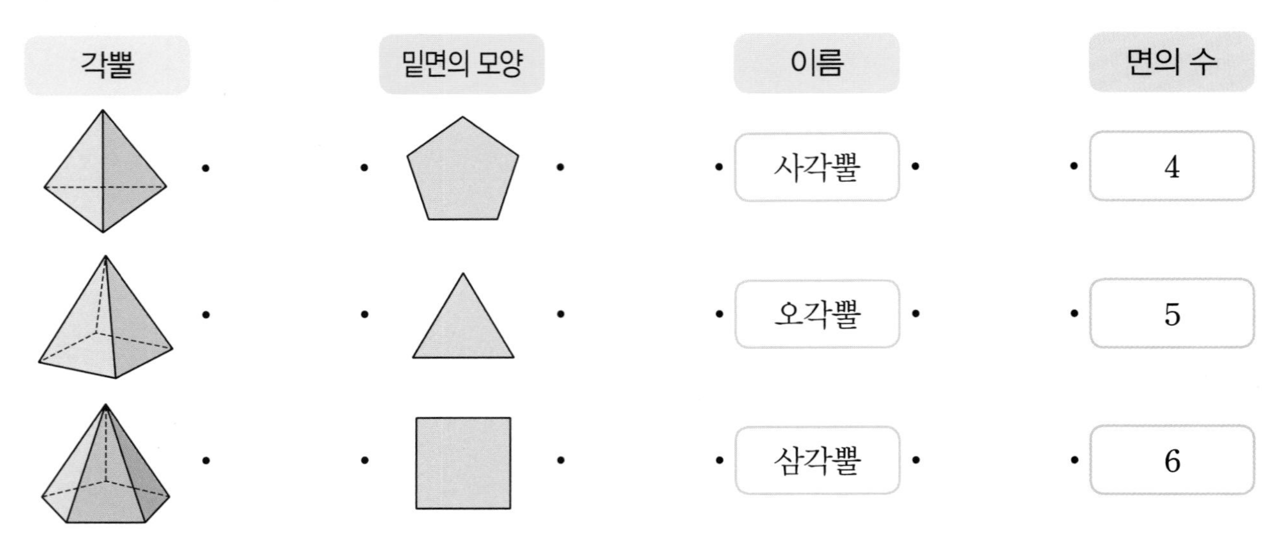

2 오각기둥의 전개도를 잘못 그린 것을 찾아 기호를 쓰고, 그 이유도 써 보세요.

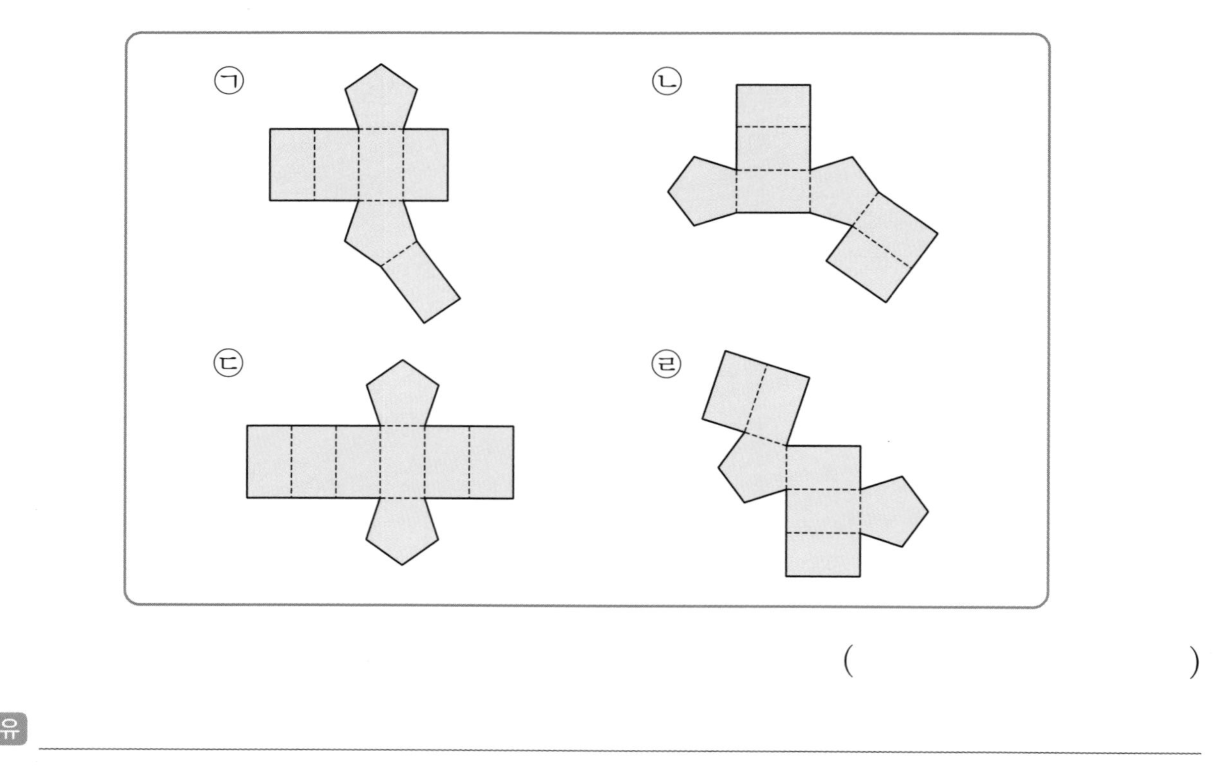

( )

이유

3 그림과 같이 각기둥을 평면으로 잘랐을 때 만들어진 두 입체도형의 꼭짓점의 수의 합을 구해 보세요.

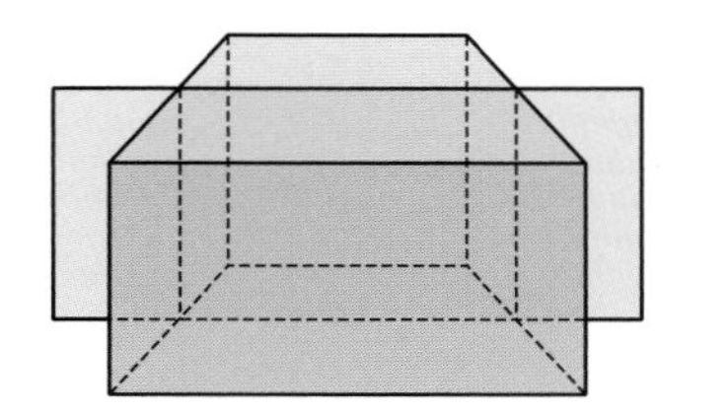

(　　　　　　　　　　)

4 그림과 같이 각기둥을 평면으로 잘랐을 때 만들어진 두 입체도형의 모서리의 수의 합을 구해 보세요.

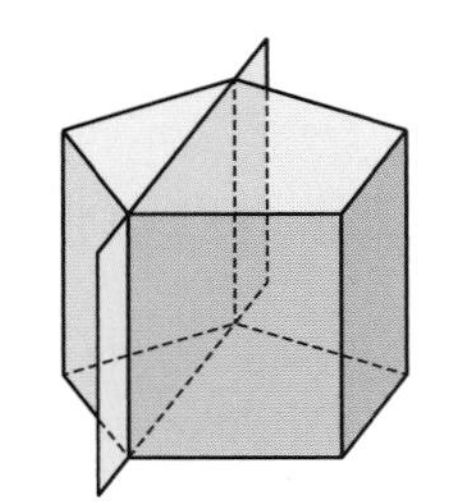

(　　　　　　　　　　)

5 출발하는 곳의 각기둥과 도착하는 곳의 면의 수가 맞도록 가로선을 하나 더 그어 보세요.

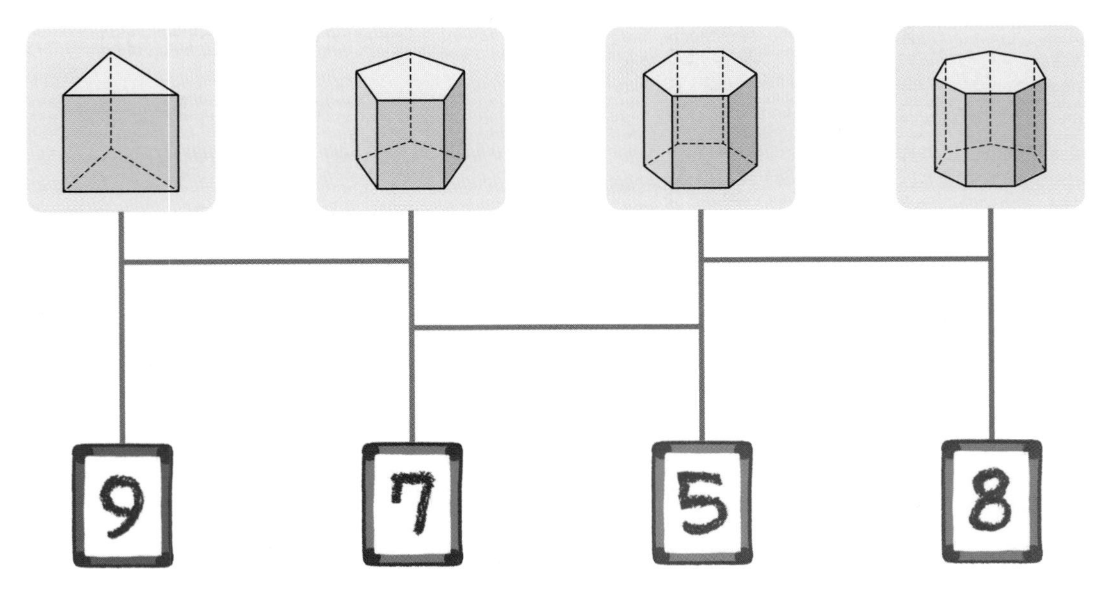

6 규칙적으로 늘어놓은 각뿔의 밑면의 모양을 나타낸 것입니다. 7번째 각뿔의 꼭짓점의 수를 구해 보세요.

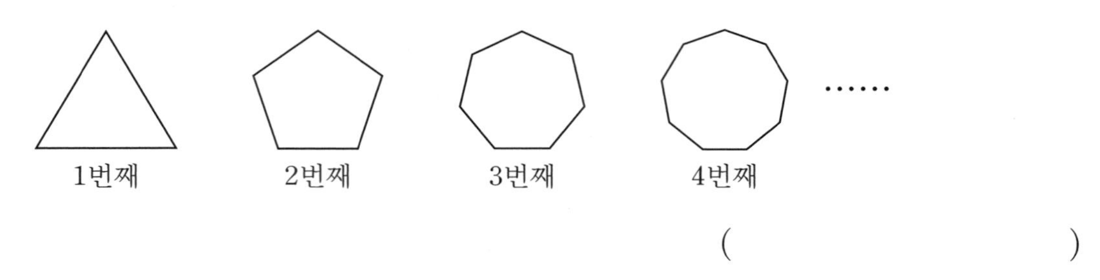

( )

7 윤하네 반 학생들이 번호 순서대로 규칙에 따라 그린 각기둥에 대한 설명입니다. 6번 학생이 그린 각기둥의 모서리의 수를 구해 보세요.

번호	학생	각기둥에 대한 설명
1번	윤하	한 밑면의 변의 수는 5입니다.
2번	준우	꼭짓점의 수는 12입니다.
3번	은주	모서리의 수는 21입니다.
4번	현서	면의 수는 10입니다.
……	……	……

( )

8 다음과 같은 규칙으로 각뿔과 각기둥을 번갈아 가며 놓으려고 합니다. 9번째 입체도형의 꼭짓점의 수를 구해 보세요.

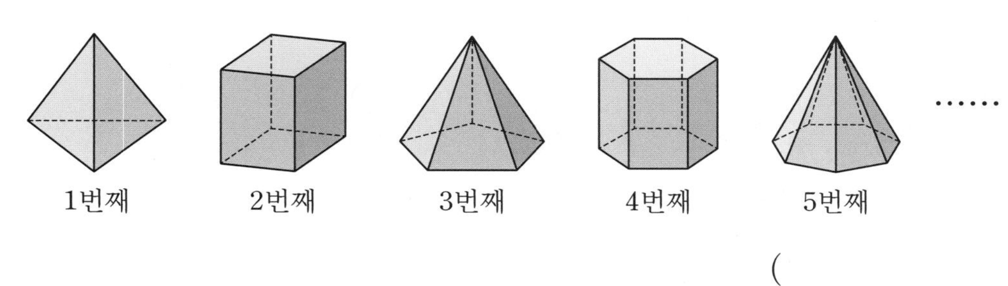

( )

9 그림은 삼각수와 삼각뿔수를 나타내고 있습니다. 6단계 삼각뿔수를 구해 보세요.

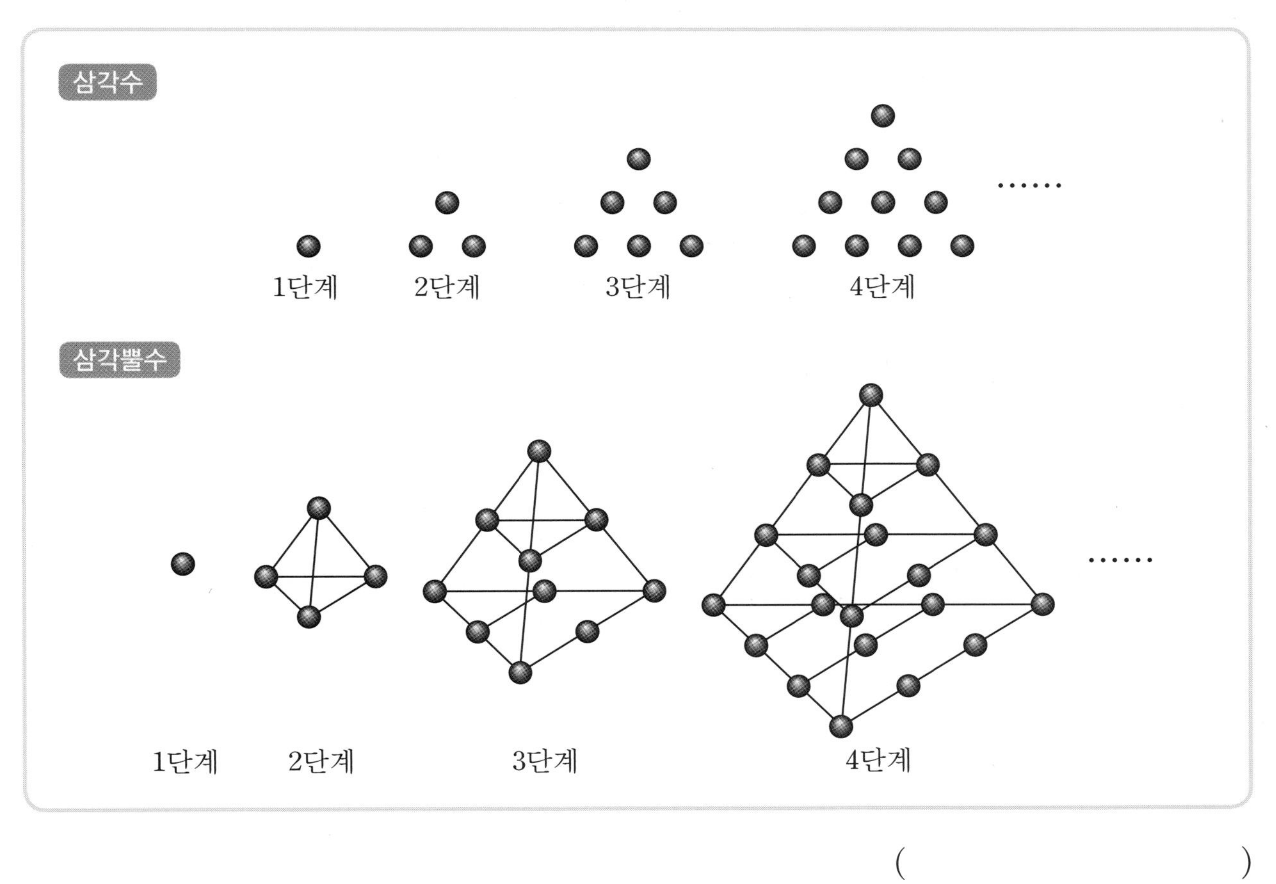

( )

10 그림은 사각뿔수를 나타내고 있습니다. 7단계 사각뿔수를 구해 보세요.

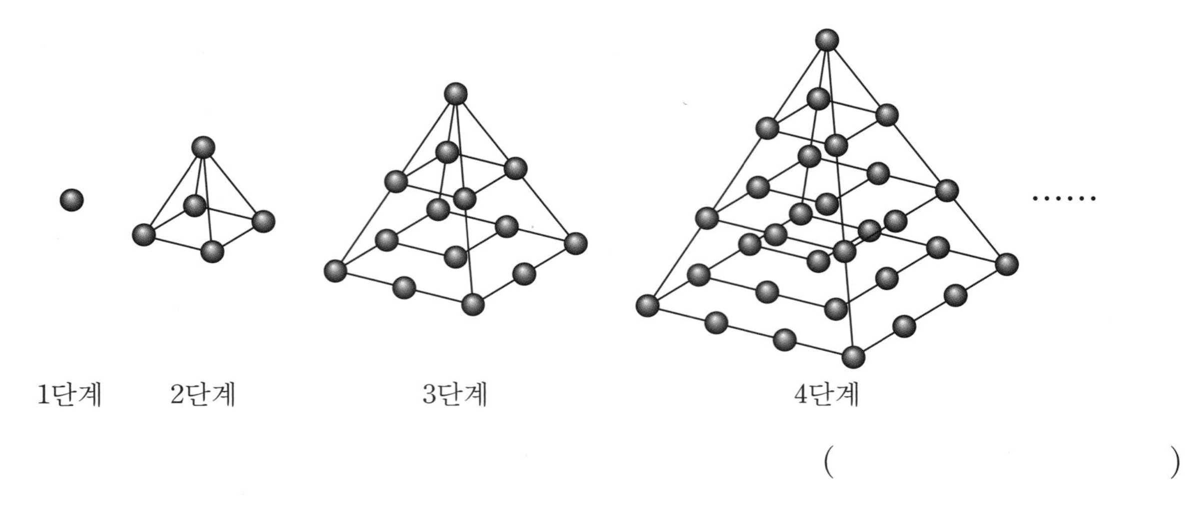

(　　　　　　　　)

11 다음 6장의 색종이를 이용하여 만들 수 있는 사각기둥의 전개도를 그리려고 합니다. 전개도의 둘레가 가장 짧을 때의 둘레를 구해 보세요.

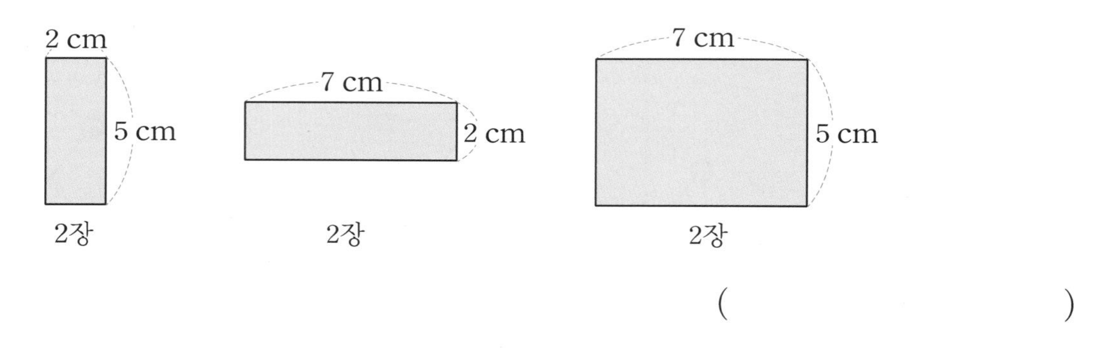

(　　　　　　　　)

3 소수의 나눗셈

자연수의 나눗셈을 이용한 (소수)÷(자연수)

$462 \div 2 = 231$

$\frac{1}{10}$배 ↓ $\frac{1}{10}$배

$46.2 \div 2 = 23.1$

$\frac{1}{100}$배 ↓ $\frac{1}{100}$배

$4.62 \div 2 = 2.31$

나누어지는 수가 $\frac{1}{10}$배, $\frac{1}{100}$배가 되면 몫도 $\frac{1}{10}$배, $\frac{1}{100}$배가 되므로 몫의 소수점이 왼쪽으로 한 칸, 두 칸 이동합니다.

각 자리에서 나누어떨어지지 않는 (소수)÷(자연수)

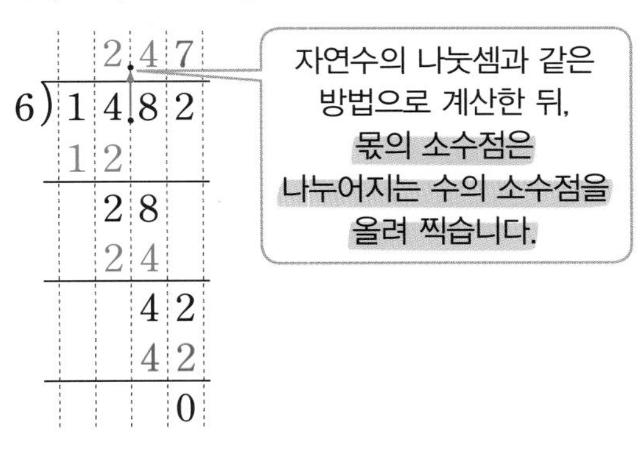

2.47
6)14.82
12
28
24
42
42
0
자연수의 나눗셈과 같은 방법으로 계산한 뒤, 몫의 소수점은 나누어지는 수의 소수점을 올려 찍습니다.

몫이 1보다 작은 (소수)÷(자연수)

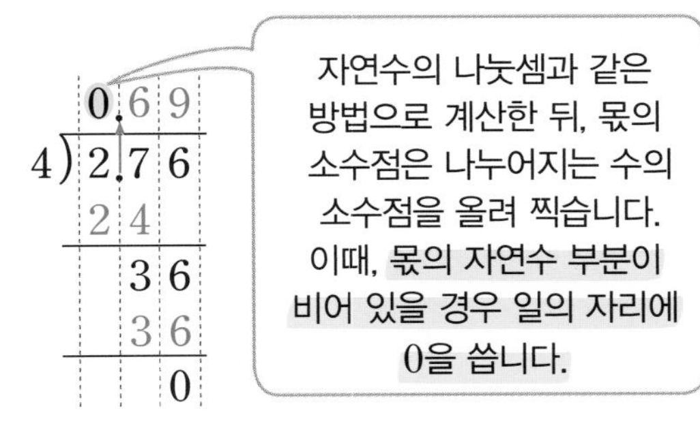

0.69
4)2.76
24
36
36
0
자연수의 나눗셈과 같은 방법으로 계산한 뒤, 몫의 소수점은 나누어지는 수의 소수점을 올려 찍습니다. 이때, 몫의 자연수 부분이 비어 있을 경우 일의 자리에 0을 씁니다.

소수점 아래 0을 내려 계산해야 하는 (소수)÷(자연수)

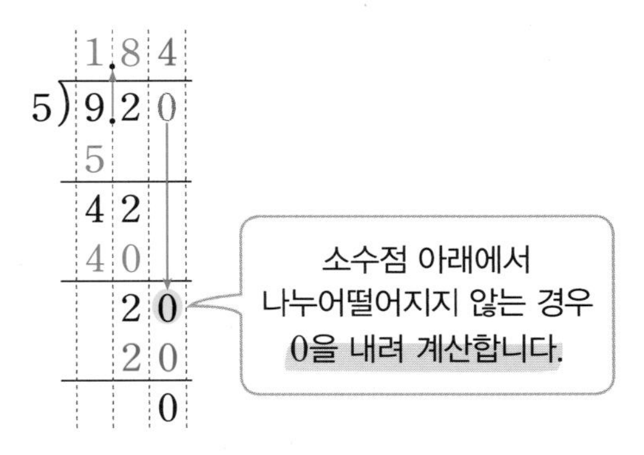

1.84
5)9.20
5
42
40
20
20
0
소수점 아래에서 나누어떨어지지 않는 경우 0을 내려 계산합니다.

몫의 소수 첫째 자리에 0이 있는 (소수)÷(자연수)

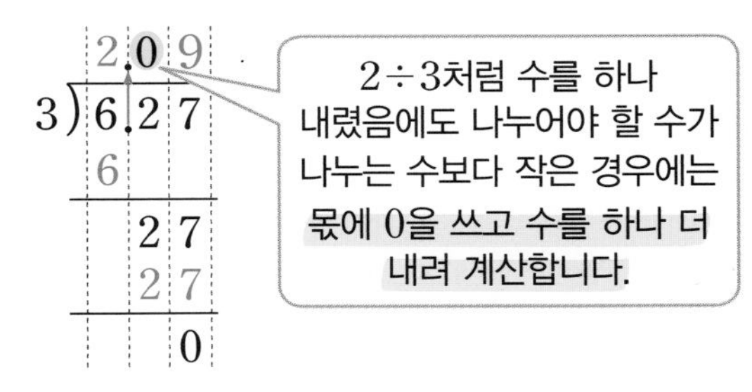

2.09
3)6.27
6
27
27
0
2÷3처럼 수를 하나 내렸음에도 나누어야 할 수가 나누는 수보다 작은 경우에는 몫에 0을 쓰고 수를 하나 더 내려 계산합니다.

(자연수)÷(자연수)의 몫을 소수로 나타내기

$$
\begin{array}{r}
0.75 \\
4\overline{)3.00} \\
2\,8 \\
\hline
20 \\
20 \\
\hline
0
\end{array}
$$

3은 3.00과 같습니다.
몫의 소수점은 자연수 바로 뒤에서 올려서 찍고 더 이상 계산할 수 없을 때까지 내림을 하고, 내릴 수가 없는 경우 0을 내려 계산합니다.

순서도

코딩

1 순서도는 어떤 문제를 해결하기 위한 과정을 알기 쉽게 기호와 그림으로 나타낸 것입니다. 순서도의 기호를 보고 오른쪽 순서도의 답을 구해 보세요.

기호	설명
(모서리가 둥근 사각형)	시작과 끝
(직사각형)	계산 처리
(마름모)	어느 것을 택할 것인지를 판단
(아래가 물결 모양인 사각형)	선택한 값의 인쇄

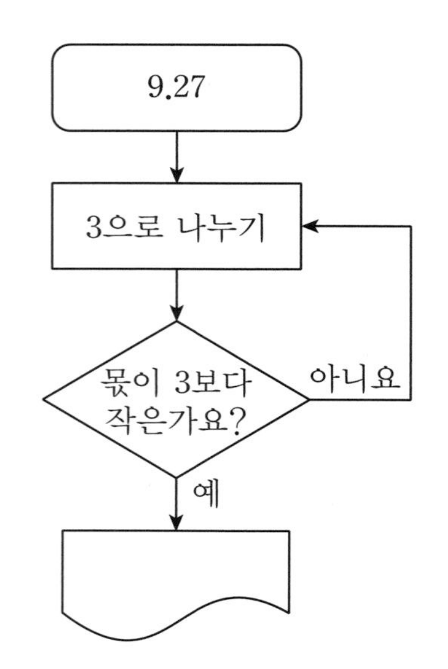

❶ 위의 오른쪽 순서도에서 [직사각형]를 처음 계산한 결과를 구해 보세요.

( )

❷ ❶의 결과를 가지고 [마름모]에서 선택한 결과에 맞게 ○표 하세요.

(예 , 아니요)

❸ ❷에서 선택한 결과에 맞게 처리하여 [인쇄 기호]에 들어갈 답을 구해 보세요.

( )

2 순서도에서 [ ]에 알맞은 답을 써넣으세요.

(1)

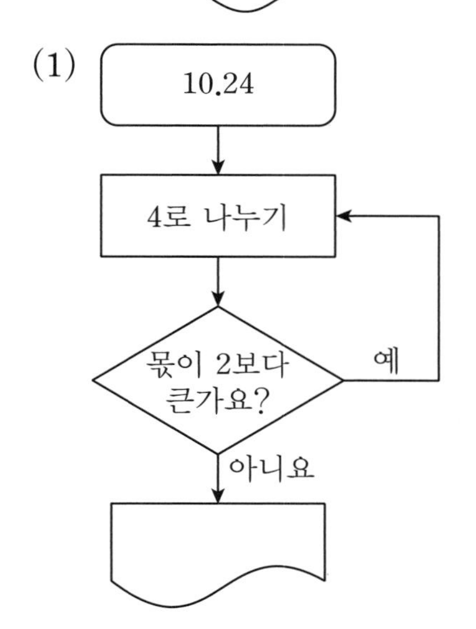

(2)

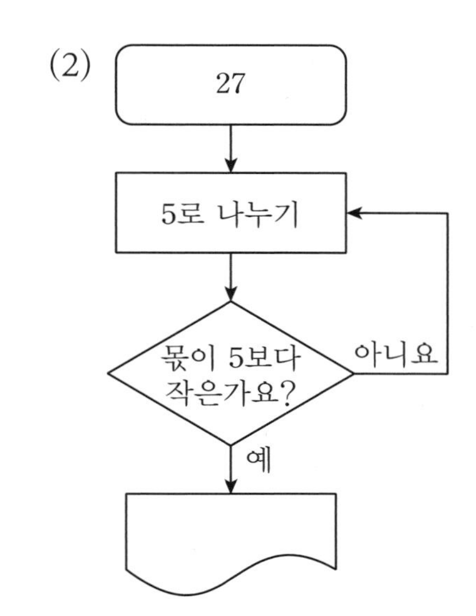

3 수 카드 [2], [8], [1]을 한 번씩 모두 사용하여 만들 수 있는 가장 작은 소수 두 자리 수를 [ ]에 넣었을 때 [ ]에 들어갈 답을 구해 보세요.

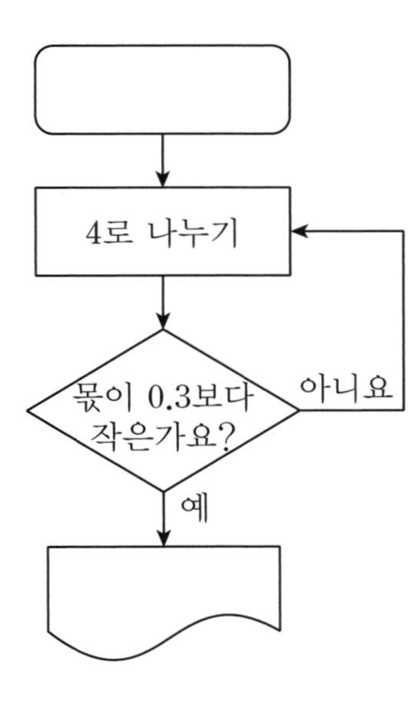

( )

유형 ② 어떤 수 문제

문제 해결

1 민기와 예지의 대화를 보고 예지의 질문에 답해 보세요.

어떤 수에 4를 곱했더니 26.88이 나왔어.
어떤 수를 6으로 나누면 얼마일까?
민기
예지

❶ 어떤 수를 □라 하고 민기가 계산한 곱셈식을 써 보세요.

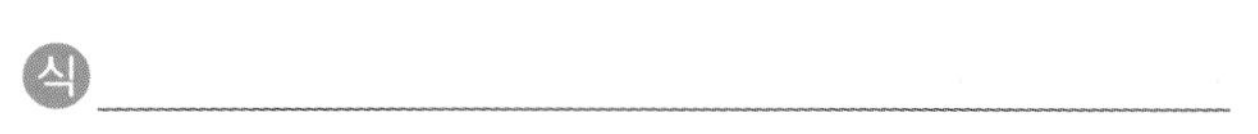

식 ______________________

❷ 어떤 수를 구할 때 필요한 곱셈과 나눗셈의 관계에 ○표 하세요.

(　　　　　)　　　(　　　　　)

❸ ❷에서 찾은 관계를 이용하여 어떤 수를 구해 보세요.

(　　　　　　　　)

❹ 예지의 질문에 대한 답을 구해 보세요.

(　　　　　　　　)

2 어떤 수 문제를 풀려고 합니다. 다음 문제의 답을 구해 보세요.

어떤 수에 8을 곱했더니 43.6이 나왔습니다. 어떤 수를 5로 나눈 몫은 얼마일까요?

( )

3 어떤 수를 2로 나누어야 할 것을 잘못하여 곱했더니 14.88이 나왔습니다. 바르게 계산한 값을 구해 보세요.

( )

4 어떤 수를 4로 나누어야 할 것을 잘못하여 6으로 나누었더니 몫이 2.16이 되었습니다. 바르게 계산한 값을 구해 보세요.

( )

유형 3 수직선에서 나타내는 수 구하기

추론

1
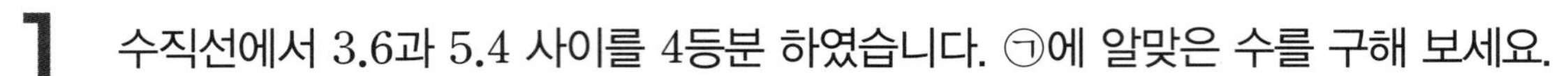

수직선에서 3.6과 5.4 사이를 4등분 하였습니다. ㉠에 알맞은 수를 구해 보세요.

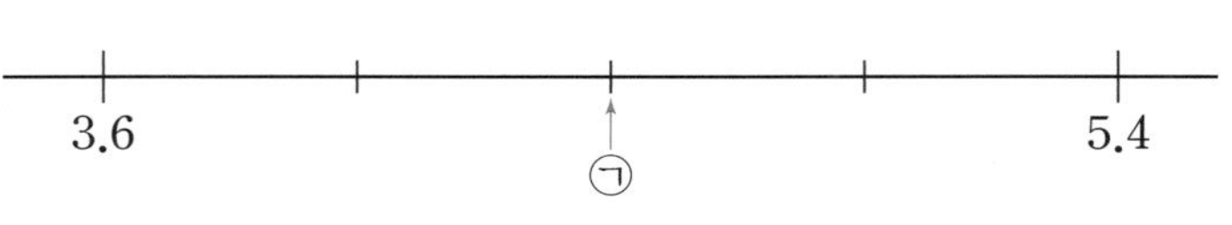

❶ 3.6과 5.4 사이의 크기를 구해 보세요.

(　　　　　　　　　　)

❷ 눈금 한 칸의 크기를 구해 보세요.

(　　　　　　　　　　)

❸ 3.6과 ㉠ 사이의 크기를 구해 보세요.

(　　　　　　　　　　)

❹ ㉠에 알맞은 수를 구해 보세요.

(　　　　　　　　　　)

2 수직선에서 4.5와 8.25 사이를 5등분 하였습니다. ㉠에 알맞은 수를 구해 보세요.

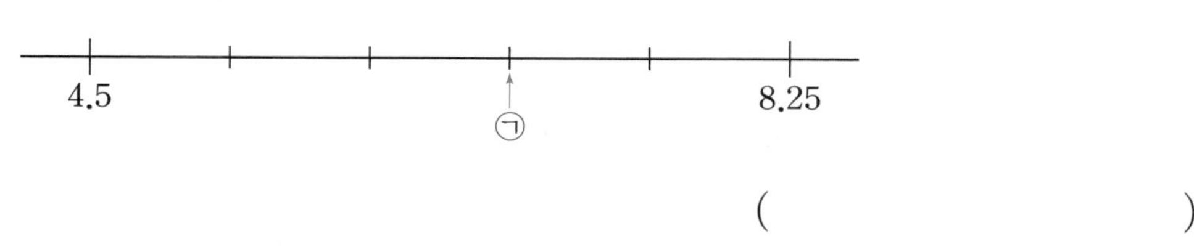

( )

3 수직선에서 0.98과 7.4 사이를 6등분 하였습니다. ㉠에 알맞은 수를 구해 보세요.

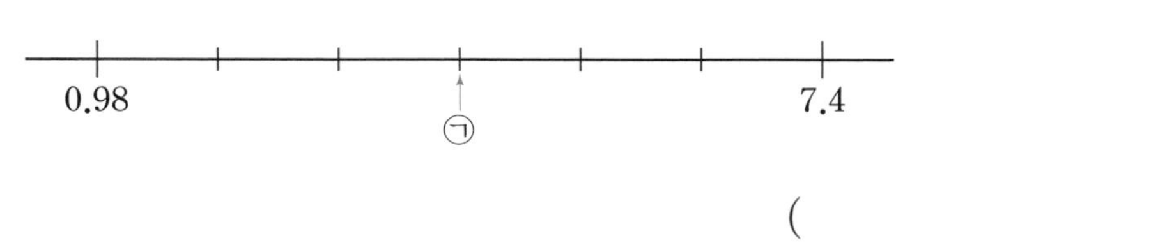

( )

4 수직선 가는 0과 10 사이를 5등분 한 것이고, 수직선 나는 ▲와 ● 사이를 8등분 한 것입니다. 수직선 나에서 □ 안에 알맞은 수를 구해 보세요. (단, 두 수직선에서 같은 모양은 같은 수를 나타냅니다.)

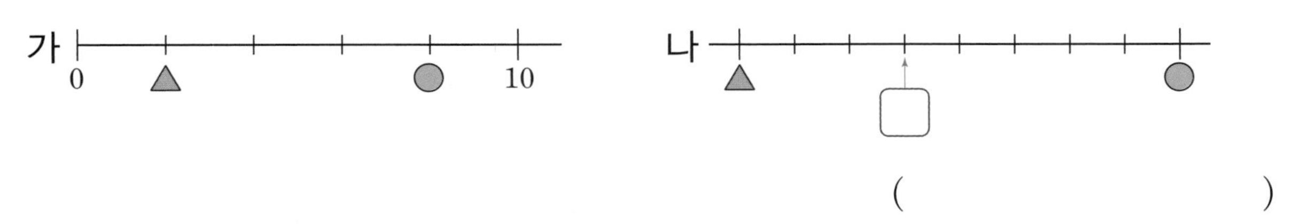

( )

유형 4 몫의 소수점 아래 규칙

추론

1 다음과 같이 계산기 버튼을 차례로 눌렀습니다. 몫의 소수 30번째 자리 숫자를 구해 보세요.

1 6 ÷ 2 7 =

❶ $16 \div 27$의 몫을 소수 6번째 자리까지 구해 보세요.

(　　　　　　　　　　)

❷ 몫의 소수점 아래 반복되는 숫자를 모두 써 보세요.

(　　　　　　　　　　)

❸ □ 안에 알맞은 수를 써넣으세요.

> 몫의 소수점 아래 반복되는 숫자가 □개이므로 몫의 소수점 아래 3번째 자리 숫자와 □번째 자리 숫자는 서로 같습니다.

❹ 몫의 소수 30번째 자리 숫자를 구해 보세요.

(　　　　　　　　　　)

2 다음과 같이 계산기 버튼을 차례로 눌렀습니다. 몫의 소수 25번째 자리 숫자를 구해 보세요.

( )

3 다음과 같이 계산기 버튼을 차례로 눌렀습니다. 몫의 소수 40번째 자리 숫자를 구해 보세요.

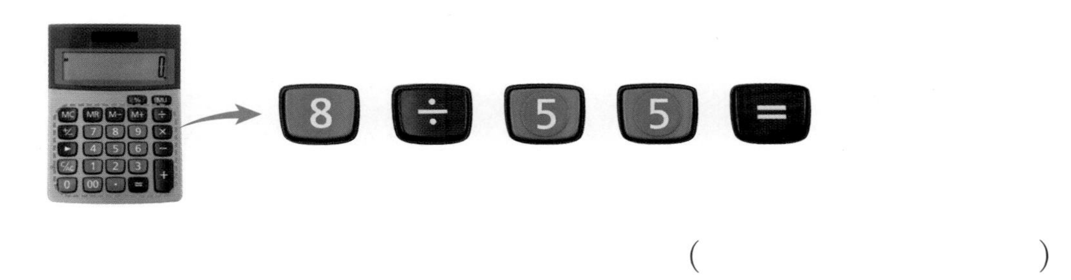

( )

4 분수 $3\frac{7}{11}$을 소수로 나타내었을 때 소수 50번째 자리 숫자를 구해 보세요.

( )

유형 5 도형에서 길이 구하기

문제 해결

1 강호와 서희는 각각 길이가 같은 끈을 겹치지 않게 모두 사용하여 정다각형을 1개씩 만들었습니다. 서희가 만든 도형의 한 변의 길이는 몇 cm인지 구해 보세요.

강호	각이 모두 7개이고, 한 변의 길이는 6.9 cm인 도형을 만들었어.
서희	변이 모두 6개인 도형을 만들었어.

❶ 강호가 만든 도형의 이름을 써 보세요.

( )

❷ 강호가 만든 도형의 둘레는 몇 cm인지 구해 보세요.

( )

❸ 서희가 만든 도형의 이름을 써 보세요.

( )

❹ 서희가 만든 도형의 한 변의 길이는 몇 cm인지 구해 보세요.

( )

2 근우와 가은이는 각각 길이가 같은 끈을 겹치지 않게 모두 사용하여 정다각형을 1개씩 만들었습니다. 가은이가 만든 도형의 한 변의 길이는 몇 cm인지 구해 보세요.

> 근우: 변이 모두 8개이고, 한 변의 길이는 4.2 cm인 도형을 만들었어.
> 가은: 각이 모두 5개인 도형을 만들었어.

(　　　　　　　　)

3 정사각형 가와 평행사변형 나의 넓이는 같습니다. 평행사변형 나의 높이는 몇 cm인지 구해 보세요.

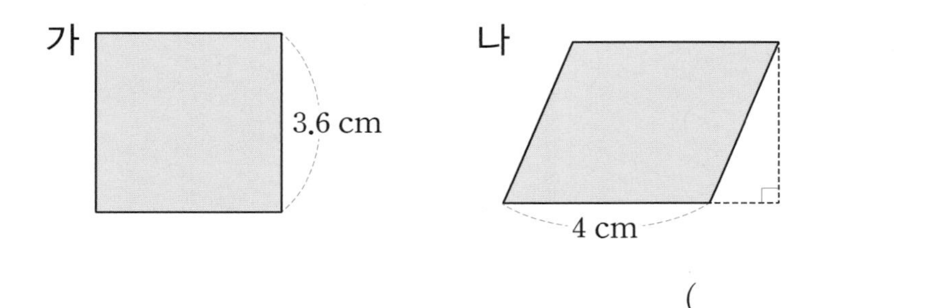

(　　　　　　　　)

4 삼각형에서 ㉠의 길이는 몇 cm인지 구해 보세요.

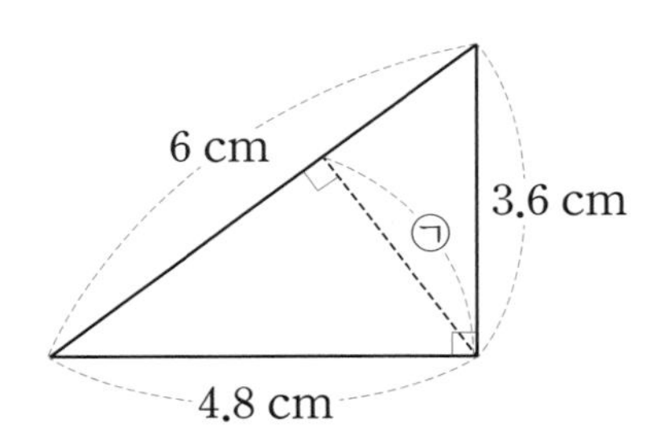

(　　　　　　　　)

유형 6 일정한 빠르기로 갈 수 있는 거리 구하기

문제 해결

1 자동차와 기차는 각각 일정한 빠르기로 갑니다. 자동차와 기차가 동시에 출발한다면 20분 후에는 어느 것이 몇 km 더 많이 가는지 구해 보세요.

12분 동안
19.8 km를
갑니다.

14분 동안
25.9 km를
갑니다.

❶ 자동차는 1분 동안 몇 km 가는지 구해 보세요.

(　　　　　　　　)

❷ 기차는 1분 동안 몇 km 가는지 구해 보세요.

(　　　　　　　　)

❸ 1분 동안 가는 거리가 더 긴 것은 자동차와 기차 중 어느 것일까요?

(　　　　　　　　)

❹ 20분 후에는 어느 것이 몇 km 더 많이 가는지 차례로 구해 보세요.

(　　　　　　　　), (　　　　　　　　)

2 자동차 A는 일정한 빠르기로 15분 동안 32.4 km를 가고, 자동차 B는 일정한 빠르기로 20분 동안 47.6 km를 간다고 합니다. 자동차 A와 B가 같은 곳에서 반대 방향으로 동시에 출발한다면 35분 후에 자동차 A와 B 사이의 거리는 몇 km가 되는지 구해 보세요.

( )

3 현서와 은주는 각자 일정한 빠르기로 걷는다고 합니다. 길이가 399.5 m인 운동장의 둘레를 돌려고 합니다. 현서와 은주가 같은 곳에서 반대 방향으로 동시에 출발한다면 두 사람은 출발한지 몇 분 후에 처음으로 만나게 되는지 구해 보세요.

난 8분 동안
196 m를 걸어.
난 12분 동안
270 m를 걸어.
현서
은주

( )

사고력 종합 평가

1 규칙에 따라 수를 차례로 쓰고 있습니다. ㉠에 알맞은 수를 구해 보세요.

29.97 — 9.99 — 3.33 — ㉠

( )

2 가⊙나를 다음과 같이 약속하였습니다. 8.6⊙4를 계산해 보세요.

가⊙나=(가+나)÷나

( )

3 3장의 수 카드 [6], [4], [7]을 한 번씩 모두 사용하여 만들 수 있는 가장 큰 소수 두 자리 수를 [ ]에 넣었을 때 [ ]에 들어갈 답을 구해 보세요.

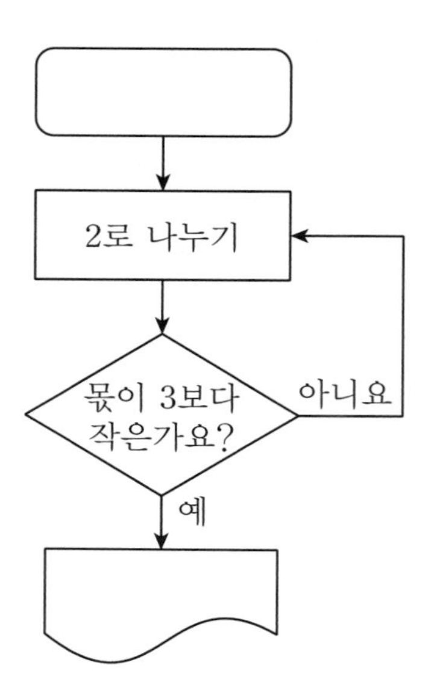

( )

4 다음과 같이 가장 큰 정사각형을 똑같은 크기의 작은 정사각형 16개로 나눈 후 색칠하였습니다. 색칠한 부분의 넓이가 $9.72\ \text{cm}^2$일 때 작은 정사각형 한 개의 넓이는 몇 cm^2인지 구해 보세요.

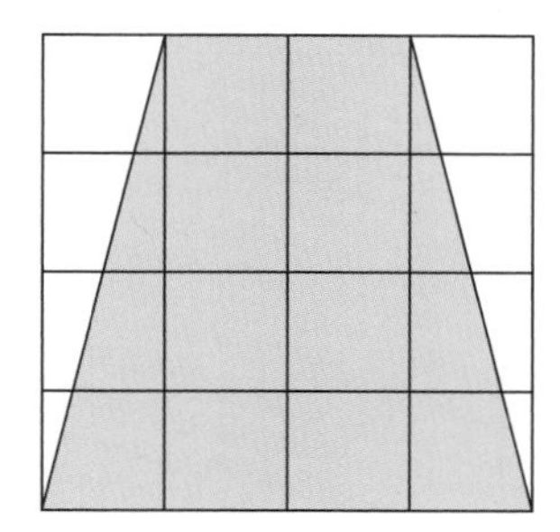

( )

5 어떤 수에 6을 곱했더니 55.2가 나왔습니다. 어떤 수를 8로 나눈 몫을 구해 보세요.

( )

6 다음과 같이 계산기 버튼을 차례로 눌렀습니다. 몫의 소수 35번째 자리 숫자를 구해 보세요.

( )

7 수직선에서 2.16과 9.02 사이를 7등분 하였습니다. ㉠에 알맞은 수를 구해 보세요.

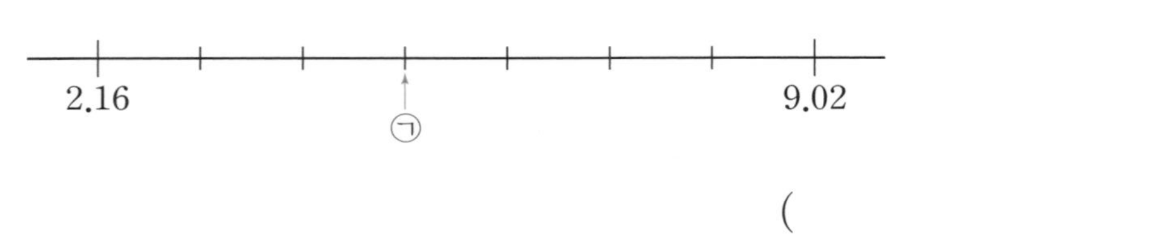

( )

8 준우와 윤하는 각각 길이가 같은 끈을 겹치지 않게 모두 사용하여 정다각형을 1개씩 만들었습니다. 윤하가 만든 도형의 한 변의 길이는 몇 cm인지 구해 보세요.

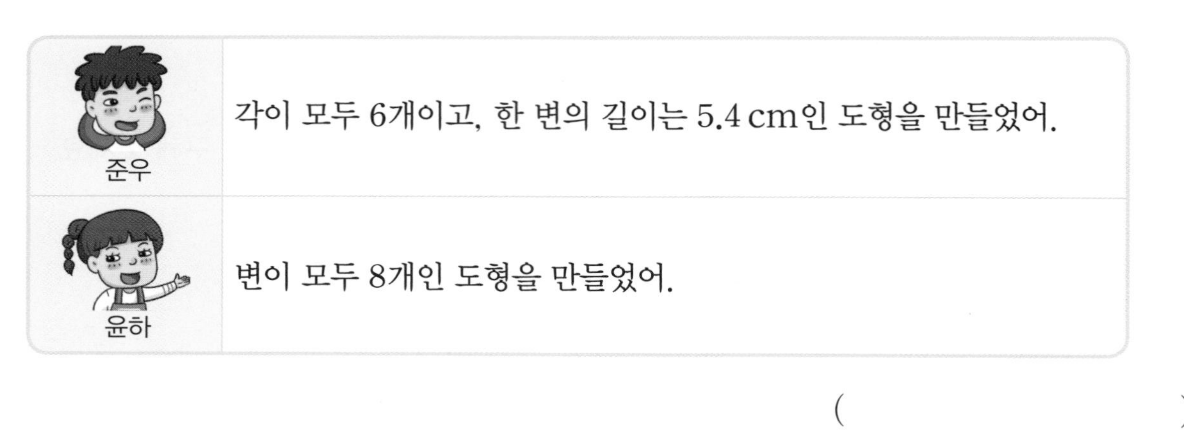

준우
각이 모두 6개이고, 한 변의 길이는 5.4 cm인 도형을 만들었어.
윤하
변이 모두 8개인 도형을 만들었어.

( )

9 길이가 102.85 m인 길의 양쪽에 나무 36그루를 같은 간격으로 심으려고 합니다. 길의 처음과 끝에도 나무를 심는다면 나무와 나무 사이의 간격은 몇 m로 해야 하는지 구해 보세요. (단, 나무의 굵기는 생각하지 않습니다.)

( )

10 분수 $1\frac{15}{22}$를 소수로 나타내었을 때 소수 25번째 자리 숫자를 구해 보세요.

(　　　　　　　　)

11 삼각형 가와 마름모 나의 넓이가 같습니다. 마름모 나에서 ㉠의 길이는 몇 cm인지 구해 보세요.

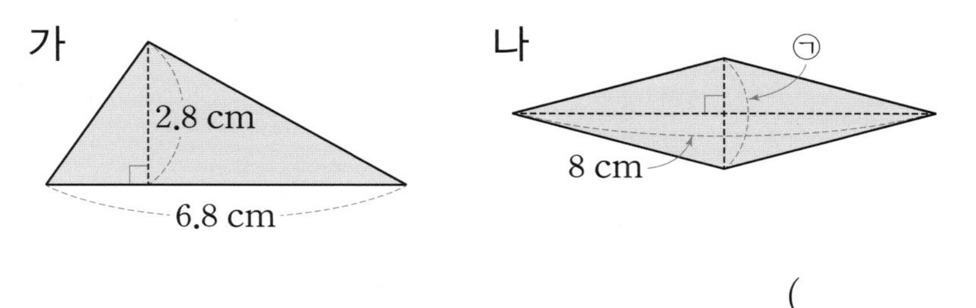

(　　　　　　　　)

3 단원

12 상자를 열 수 있는 비밀번호는 상자에 각각 적혀 있는 나눗셈의 몫입니다. A 상자와 B 상자 중 한 상자에만 보물이 들어 있고, ㉮, ㉯, ㉰ 중 한 가지만 옳습니다. 보물이 들어 있는 상자의 비밀번호를 구해 보세요.

㉮ B 상자에 보물이 들어 있습니다.
㉯ A 상자에 보물이 들어 있지 않습니다.
㉰ B 상자에 보물이 들어 있지 않습니다.

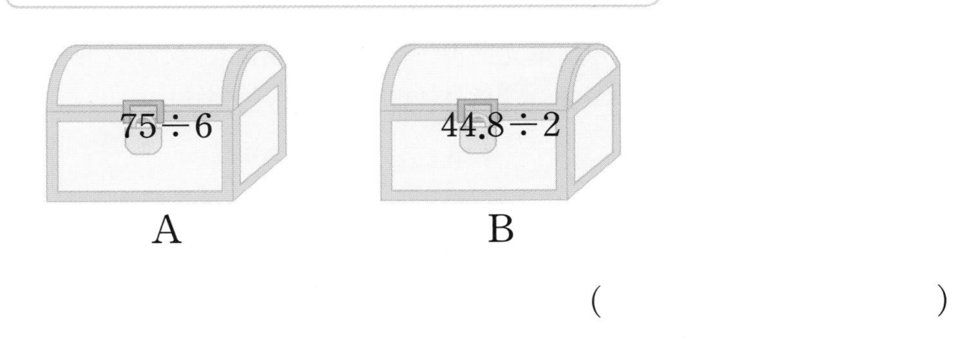

(　　　　　　　　)

13 ●는 18 이상 21 이하의 어떤 수이고 ▲는 4 이상 8 이하의 어떤 수입니다. ● ÷ ▲의 몫이 가장 클 때의 값과 가장 작을 때의 값의 합을 구해 보세요.

( )

14 어떤 수의 소수점을 오른쪽으로 한 자리 옮긴 수와 어떤 수의 차가 219.15입니다. 어떤 수를 5로 나눈 몫을 구해 보세요. (선생님의 도움말을 보고 문제를 해결해 보세요.)

어떤 수를 □라 하면 어떤 수의 소수점을 오른쪽으로 한 자리 옮긴 수는 □ × 10입니다.

( )

15 정호는 일정한 빠르기로 6분 동안 165 m를 걷고, 윤지는 일정한 빠르기로 8분 동안 188 m를 걷는다고 합니다. 길이가 484.5 m인 공원의 둘레를 돌려고 합니다. 오후 1시에 정호와 윤지가 같은 곳에서 반대 방향으로 동시에 출발했습니다. 두 사람이 출발한 후 처음으로 만나게 되는 시각은 오후 몇 시 몇 분 몇 초인지 구해 보세요.

( )

4 비와 비율

✲ 비 알아보기

3 : 2
- 3 대 2
- 3과 2의 비
- 3의 2에 대한 비
- 2에 대한 3의 비

✲ 비율 알아보기

● : ▲

비교하는 양 (●), 기준량 (▲)

• 비율: 기준량에 대한 비교하는 양의 크기

➔ $(\text{비율})=\frac{(\text{비교하는 양})}{(\text{기준량})}=\frac{●}{▲}$

예 비 1 : 2를 비율로 나타내면 $\frac{1}{2}$ 또는 0.5 입니다.
$\frac{1}{2}=\frac{5}{10}=0.5$

✲ 비율이 사용되는 경우를 알아보기

1. 걸린 시간에 대한 간 거리의 비율

➔ $(\text{비율})=\frac{(\text{간 거리})}{(\text{걸린 시간})}$

2. 넓이에 대한 인구의 비율

➔ $(\text{비율})=\frac{(\text{인구})}{(\text{넓이})}$

3. 흰색 물감 양에 대한 검은색 물감 양의 비율

➔ $(\text{비율})=\frac{(\text{검은색 물감 양})}{(\text{흰색 물감 양})}$

✲ 백분율 알아보기

• 백분율: 기준량을 100으로 할 때의 비율
기호 %를 사용하여 나타냅니다.

$\frac{75}{100}$ ➔ [쓰기] 75 % [읽기] 75 퍼센트

• 비율을 백분율로 나타내기

방법1 기준량이 100인 비율($\frac{■}{100}$)로 나타내어 백분율(■ %)로 나타냅니다.

방법2 비율에 100을 곱해서 나온 값에 기호 %를 붙입니다.

예 $\frac{7}{10}$ ➔
- $\frac{7}{10}=\frac{70}{100}$ ➔ 70 %
- $\frac{7}{10}\times 100=70\,(\%)$

✲ 백분율이 사용되는 경우를 알아보기

1. 할인율: 원래 가격에 대한 할인 금액의 비율

➔ $(\text{할인율})=\frac{(\text{할인 금액})}{(\text{원래 가격})}\times 100$

2. 득표율: 전체 투표수에 대한 해당 후보의 득표수의 비율

➔ $(\text{득표율})=\frac{(\text{득표수})}{(\text{전체 투표수})}\times 100$

3. 소금물의 진하기: 소금물 양에 대한 소금 양의 비율

➔ $(\text{소금물의 진하기})=\frac{(\text{소금 양})}{(\text{소금물 양})}\times 100$

유형 1 폴리오미노

창의 · 융합

1 크기가 같은 작은 정사각형을 변끼리 맞닿도록 이어 붙여 만든 모양을 폴리오미노라고 합니다. 이어 붙이는 정사각형의 수에 따라 폴리오미노를 다음과 같이 구분할 수 있습니다. 트로미노 모양을 모두 만드는 데 필요한 모노미노 수에 대한 도미노 모양을 모두 만드는 데 필요한 모노미노 수의 비율을 구해 보세요.

폴리오미노	설명	만들 수 있는 모양
모노미노	폴리오미노를 만드는 가장 작은 정사각형 1개	
도미노	모노미노 2개를 변끼리 맞닿도록 이어 붙여 만든 모양	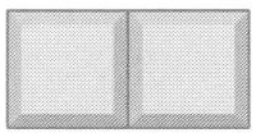
트로미노	모노미노 3개를 변끼리 맞닿도록 이어 붙여 만든 모양	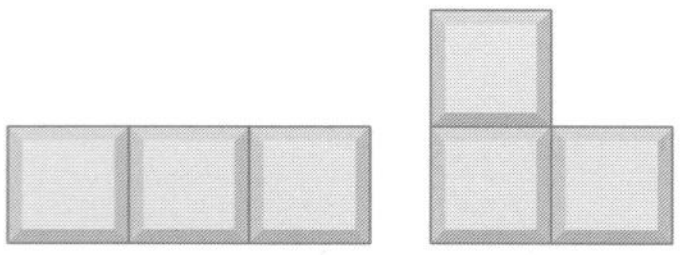

❶ 도미노와 트로미노 모양을 모두 만드는 데 각각 필요한 모노미노 수를 구해 보세요.

도미노 모양 (   )

트로미노 모양 (   )

❷ 트로미노 모양을 모두 만드는 데 필요한 모노미노 수에 대한 도미노 모양을 모두 만드는 데 필요한 모노미노 수의 비를 구해 보세요.

(   )

❸ 트로미노 모양을 모두 만드는 데 필요한 모노미노 수에 대한 도미노 모양을 모두 만드는 데 필요한 모노미노 수의 비율을 구해 보세요.

(   )

2 이어 붙이는 정사각형의 수에 따라 폴리오미노를 구분할 때 다음과 같이 모노미노 4개를 변끼리 맞닿도록 이어 붙여 만든 모양을 테트로미노라고 합니다. 테트로미노 모양을 모두 만드는 데 필요한 모노미노 수에 대한 트로미노 모양을 모두 만드는 데 필요한 모노미노 수의 비율을 구해 보세요.

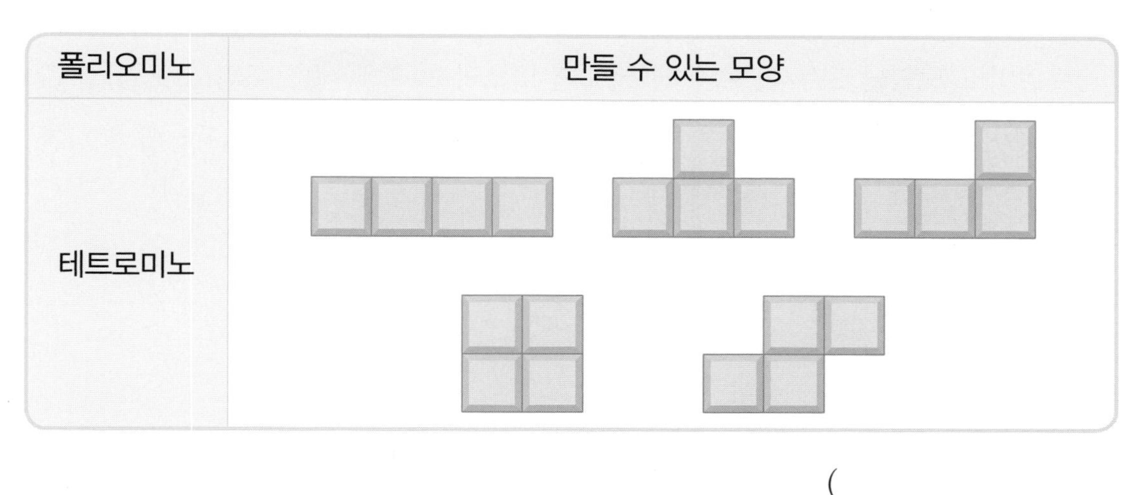

( )

3 한 변의 길이가 1 cm인 작은 정사각형을 변끼리 맞닿도록 이어 붙여 큰 정사각형을 만든 것입니다. 찾을 수 있는 크고 작은 정사각형 중에서 한 변의 길이가 2 cm인 정사각형 수에 대한 한 변의 길이가 3 cm인 정사각형 수의 비율을 구해 보세요.

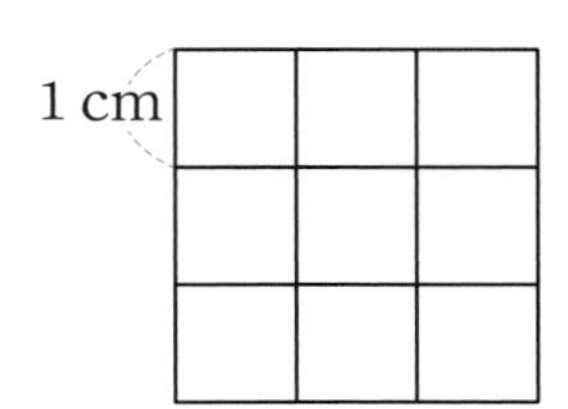

( )

유형 2 조건을 만족하는 비와 비율

문제 해결

1 서희와 강호가 말한 두 조건을 모두 만족하는 비를 구해 보세요.

비율로 나타내면
0.75입니다.
서희

기준량과 비교
하는 양의 차가
5입니다.
강호

❶ □ 안에 알맞은 말을 써넣으세요.

□에 대한 □의 크기를 비율이라고 합니다.

➔ (비율)$=$ □ $\div$ □

$=\frac{\square}{\square}$

❷ 비율 0.75를 기약분수로 나타내려고 합니다. □ 안에 알맞은 수를 써넣으세요.

$0.75=\frac{\square}{100}=\frac{\square}{\square}$

❸ ❷에서 구한 기약분수부터 시작하여 크기가 같은 분수를 분모가 작은 수부터 차례로 쓰려고 합니다. □ 안에 알맞은 수를 써넣으세요.

$\frac{\square}{\square}=\frac{\square}{\square}=\frac{\square}{\square}=\frac{\square}{\square}=\frac{\square}{\square}=\frac{\square}{\square}=\cdots\cdots$

❹ 서희와 강호가 말한 두 조건을 모두 만족하는 비를 구해 보세요.

(　　　　　　　　　　)

2 비교하는 양이 기준량보다 큰 비율이 적힌 카드를 왼쪽부터 차례로 모두 찾아 늘어놓으면 사자성어가 됩니다. 이 사자성어를 써 보세요.

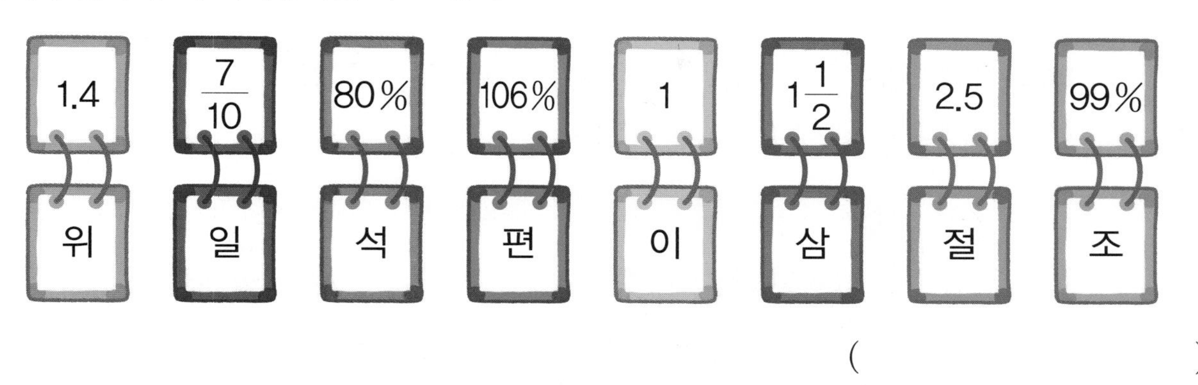

( )

4 단원

3 조건을 모두 만족하는 비를 구해 보세요.

- 비율로 나타내면 0.5입니다.
- 기준량이 비교하는 양보다 3 더 큽니다.

( )

4 조건을 모두 만족하는 비를 구해 보세요.

- 백분율로 나타내면 40 %입니다.
- 기준량과 비교하는 양의 차가 15입니다.

( )

유형 3 용액의 진하기

문제 해결

1 현수와 재영이는 물이 담긴 비커에 각각 설탕을 모두 녹여 설탕물을 만들려고 합니다. 누가 만든 설탕물이 더 진한지 구해 보세요.

❶ 현수가 만든 설탕물의 진하기는 몇 %인지 구하려고 합니다. □ 안에 알맞은 수를 써넣으세요.

$$\frac{\square}{\square}\times 100=\square(\%)$$

❷ 재영이가 만든 설탕물의 진하기는 몇 %인지 구해 보세요.

( )

❸ 누가 만든 설탕물이 더 진한지 구해 보세요.

( )

2 소금물의 진하기를 비교하여 ○ 안에 >, =, <를 알맞게 써넣으세요.

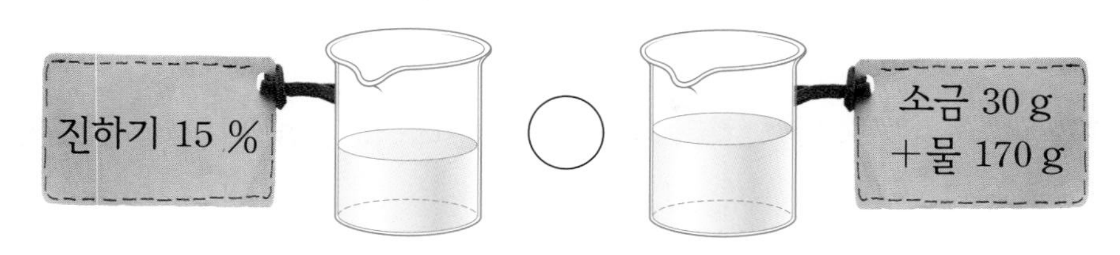

3 설탕물 2 kg에 설탕이 400 g 녹아 있습니다. 이 설탕물의 진하기는 몇 %인지 구해 보세요.

(   )

4 윤아는 진하기가 25 %인 소금물 600 g을 만들었고, 승주는 진하기가 30 %인 소금물 400 g을 만들었습니다. 누구의 소금물에 녹아 있는 소금의 양이 더 많은지 구해 보세요.

(   )

유형 ④ 할인율

1 어느 가게에서 가방, 인형, 로봇을 할인하여 판매하고 있습니다. 할인율이 다른 하나를 써 보세요.

① 가방의 할인율은 몇 %인지 구하려고 합니다. □ 안에 알맞은 수를 써넣으세요.

(가방의 할인 금액)=25000−□=□(원)

➔ (가방의 할인율)= $\frac{\square}{25000}$ ×100=□(%)

② 인형의 할인율은 몇 %인지 구해 보세요.

( )

③ 로봇의 할인율은 몇 %인지 구해 보세요.

( )

④ 가방, 인형, 로봇 중 할인율이 다른 하나를 써 보세요.

( )

2 원래 가격이 A 신발은 40000원, B 신발은 50000원입니다. 할인된 판매 가격이 A 신발은 32000원, B 신발은 45000원일 때 할인율이 더 높은 신발은 어느 것일까요?

( )

3 보미 마트에서는 다음과 같이 할인하여 판매하고 있습니다. 할인율이 높은 것부터 차례로 이름을 써 보세요.

	수박	멜론	참외
원래 가격(원)	14000	6000	800
할인된 판매 가격(원)	11200	5100	720

( )

4 어머니께서 지난주와 이번 주에 같은 가게에서 산 오이의 수와 지불한 금액입니다. 오이 한 개의 할인율은 몇 %인지 구해 보세요.

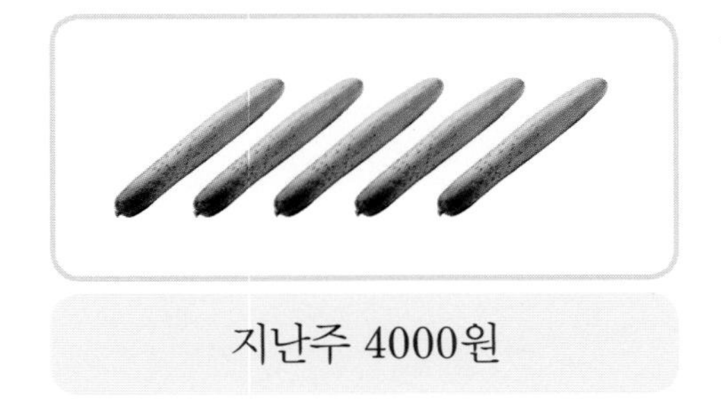

지난주 4000원

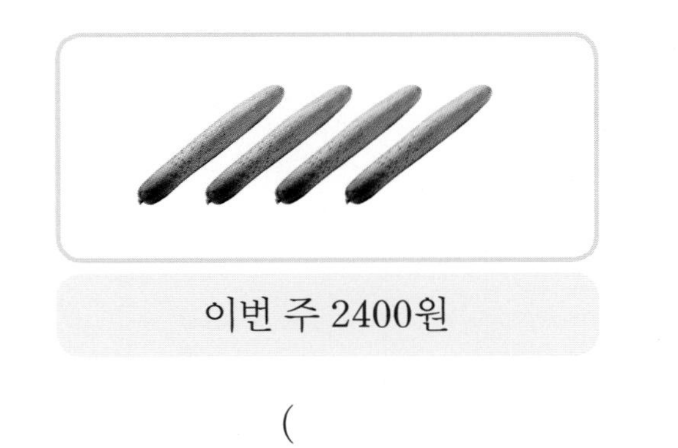

이번 주 2400원

( )

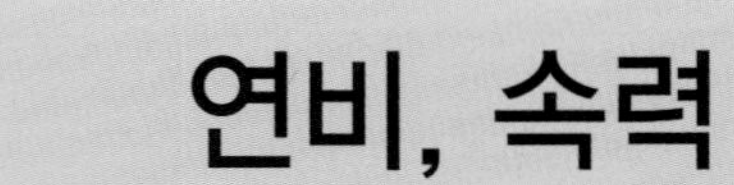

연비, 속력

문제 해결

1 연비는 자동차의 단위 연료(1 L)당 주행 거리(km)의 비율을 나타냅니다. 연비가 높을수록 같은 연료로 더 멀리 갈 수 있기 때문에 현정이의 아버지께서는 연비가 가장 높은 자동차를 선택하기로 하였습니다. 현정이의 아버지께서 선택한 자동차의 기호를 써 보세요.

자동차	가	나	다
연료(L)	30	32	35
주행 거리(km)	540	608	700

▲ 출처 © Ivengo shutterstock / © Rawpixel.com shutterstock

❶ 가 자동차의 연비를 구하려고 합니다. □ 안에 알맞은 수를 써넣으세요.

$$(\text{가 자동차의 연비})=\frac{\square}{\square}=\square\,(\text{km/L})$$

❷ 나 자동차의 연비를 구해 보세요.

( ) km/L

❸ 다 자동차의 연비를 구해 보세요.

( ) km/L

❹ 현정이의 아버지께서 선택한 자동차의 기호를 써 보세요.

( )

2 가와 나 트럭 중에서 연비가 더 높은 트럭의 기호를 써 보세요.

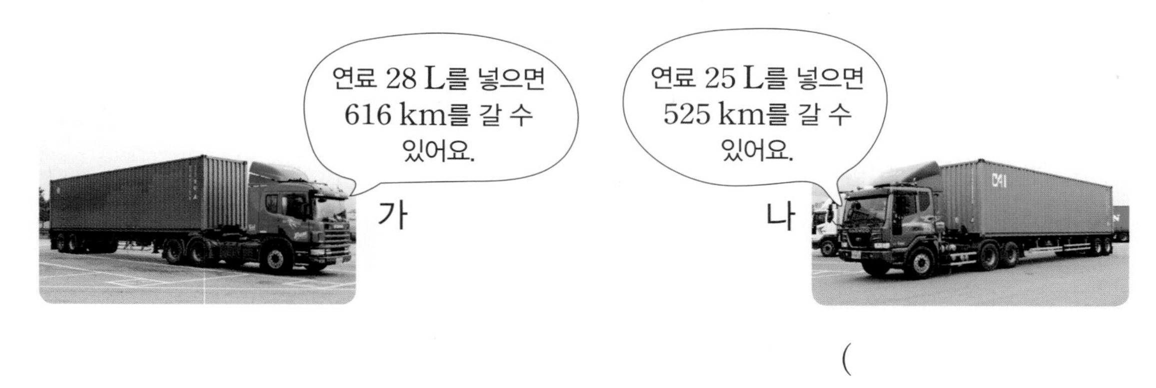

연료 28 L를 넣으면
616 km를 갈 수
있어요.
가
연료 25 L를 넣으면
525 km를 갈 수
있어요.
나

(　　　　　　　　　　)

3 속력은 단위 시간에 간 평균 거리를 나타냅니다. 1시간, 1분, 1초 동안에 가는 평균 거리를 각각 시속, 분속, 초속이라고 합니다. 예를 들어 1시간 동안 평균 60 km를 가는 속력을 60 km/시라 쓰고 시속 60 km라고 읽습니다. 예지의 말을 읽고 KTX의 속력을 구해 보세요.

450 km를
가는 데 3시간이
걸렸어요.
예지

(　　　　　　　　　　) km/시

4 무궁화호 열차를 타고 332 km를 가는 데 4시간이 걸렸습니다. 무궁화호 열차의 속력을 구해 보세요.

(　　　　　　　　　　) km/시

유형 6 확대, 축소

추론

1 그림과 같은 직사각형 모양 사진의 각 변의 길이를 120 %로 확대하려고 합니다. 확대한 사진의 넓이를 구해 보세요.

❶ 확대한 사진의 가로의 길이를 구하려고 합니다. □ 안에 알맞은 수를 써넣으세요.

처음 사진의 가로의 길이: 50 cm

➡ (확대하였을 때 더 늘어난 가로의 길이)$=50\times\frac{\square}{100}=\square$(cm)

➡ (확대한 사진의 가로의 길이)$=50+\square=\square$(cm)

❷ 확대한 사진의 세로의 길이를 구하려고 합니다. □ 안에 알맞은 수를 써넣으세요.

처음 사진의 세로의 길이: 30 cm

➡ (확대하였을 때 더 늘어난 세로의 길이)$=30\times\frac{\square}{100}=\square$(cm)

➡ (확대한 사진의 세로의 길이)$=30+\square=\square$(cm)

❸ 확대한 사진의 넓이는 몇 cm^2일까요?

(　　　　　　　　)

2 정사각형 모양 사진의 각 변의 길이를 90 %로 축소하려고 합니다. 축소한 사진의 넓이를 구해 보세요.

( )

3 평행사변형에서 밑변은 30 % 늘이고, 높이는 10 % 늘여서 새로운 평행사변형을 만들려고 합니다. 새로 만든 평행사변형의 넓이는 몇 cm^2일까요?

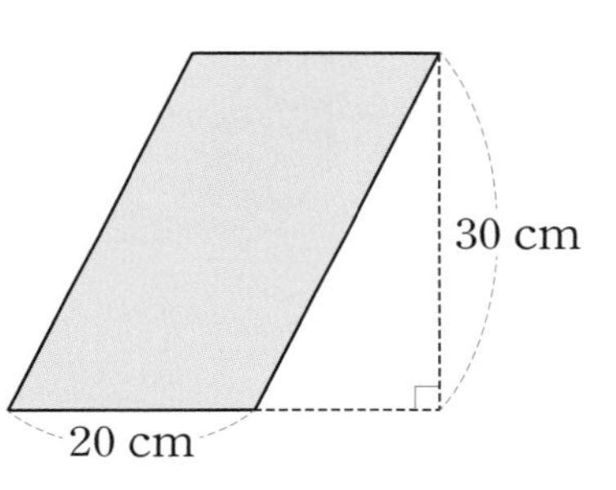

( )

4 삼각형에서 밑변은 20 % 줄이고, 높이는 15 % 늘여서 새로운 삼각형을 만들려고 합니다. 새로 만든 삼각형의 넓이는 몇 cm^2일까요?

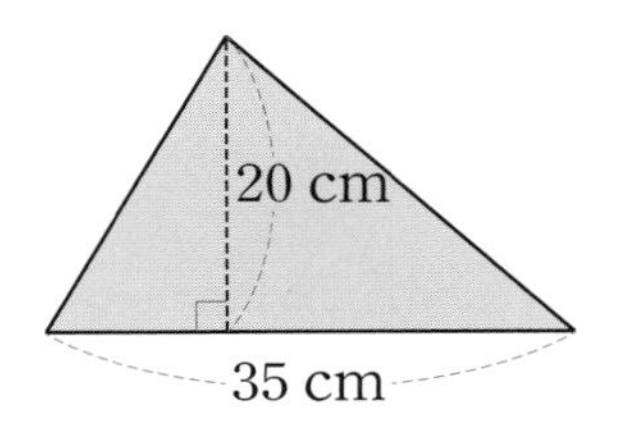

( )

사고력 종합 평가

1 ㉠과 ㉡ 중에서 비율이 더 큰 것의 기호를 써 보세요.

㉠ 15에 대한 12의 비　　　　㉡ 20의 15에 대한 비

(　　　　　　　　)

2 각기둥에서 모서리의 수에 대한 꼭짓점의 수의 비율을 구해 보세요.

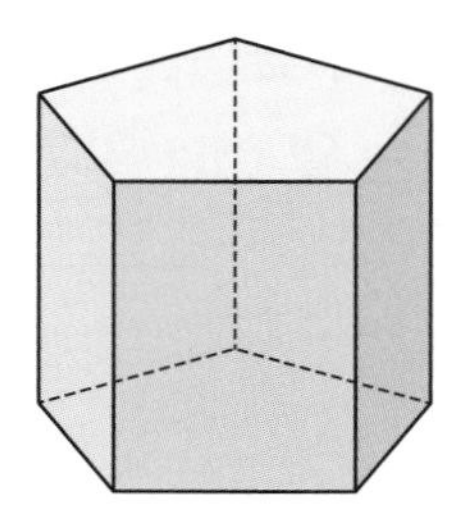

(　　　　　　　　)

3 한 변의 길이가 1 cm인 작은 정삼각형을 변끼리 맞닿도록 이어 붙여 큰 정삼각형을 만든 것입니다. 찾을 수 있는 크고 작은 정삼각형 중에서 한 변의 길이가 2 cm인 정삼각형 수에 대한 한 변의 길이가 3 cm인 정삼각형 수의 비율을 구해 보세요.

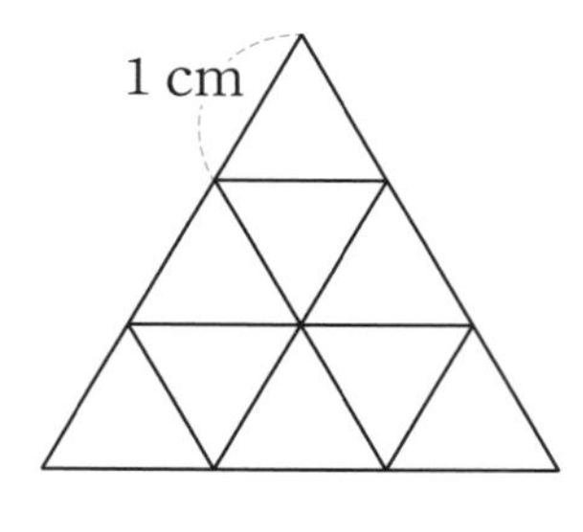

(　　　　　　　　)

4 비교하는 양이 기준량보다 작은 비율이 적힌 카드를 왼쪽부터 차례로 모두 찾아 늘어놓으면 영어 단어가 됩니다. 이 영어 단어를 써 보세요.

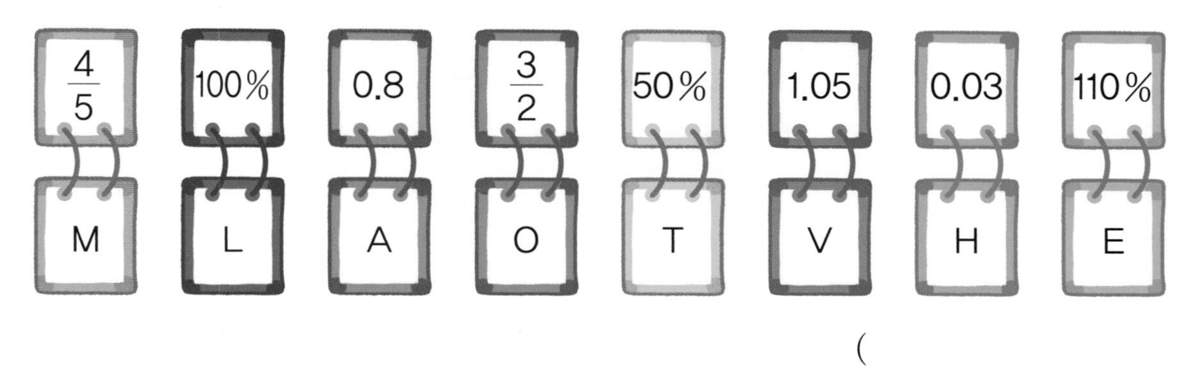

( )

4 단원

5 기준량이 비교하는 양보다 10 더 큰 비가 되도록 □ 안에 알맞은 수를 써넣으세요.

(1) 5 대 □

(2) □와/과 20의 비

(3) □에 대한 6의 비

(4) □의 17에 대한 비

6 대화를 읽고 더 진한 설탕물을 만든 사람의 이름을 써 보세요.

설탕 84 g을 녹여
설탕물 600 g을
만들었어요.
서희

설탕 52 g을 녹여
설탕물 400 g을
만들었어요.
강호

( )

7 조건을 모두 만족하는 비를 구해 보세요.

- 비율로 나타내면 1.25입니다.
- 기준량과 비교하는 양의 합이 36입니다.

( )

8 진하기가 10 %인 소금물 500 g을 만든 것입니다. 소금의 양과 물의 양을 구해 □ 안에 알맞은 수를 써넣으세요.

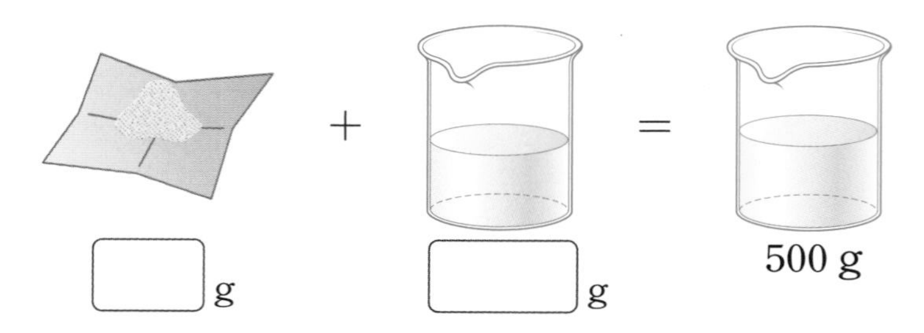

9 장난감 가게에서 장난감 자동차를 할인하여 판매하고 있습니다. 할인율이 더 높은 장난감 자동차의 기호를 써 보세요.

장난감 자동차	가	나
원래 가격(원)	8000	10000
할인된 판매 가격(원)	6000	8000

( )

10 재영이는 문구점에서 지난주에 연필 6자루를 3000원에 샀는데 이번 주에는 연필 5자루를 2000원에 샀습니다. 연필 한 자루의 할인율은 몇 %일까요?

( )

11 윤하, 준우, 은주가 각각의 집에 있는 자동차에 대해 설명한 것입니다. 연비가 가장 높은 자동차를 가지고 있는 집은 누구네 집일까요?

윤하	연료 31 L를 넣으면 372 km를 갈 수 있어요.
준우	연료 27 L를 넣으면 378 km를 갈 수 있어요.
은주	연료 29 L를 넣으면 377 km를 갈 수 있어요.

( )

12 1분 동안에 가는 평균 거리를 분속이라고 합니다. 예를 들어 1분 동안 평균 100 m를 가는 속력을 100 m/분이라 쓰고 분속 100 m라고 읽습니다. 드론의 속력은 몇 m/분일까요?

저 드론으로 18 km를 가는 데 20분이 걸렸어요.
속력을 구하려면 1 km=1000 m 이니까……
민기
예지

( ) m/분

13 1초 동안에 가는 평균 거리를 초속이라고 합니다. 예를 들어 1초 동안 평균 10 m를 가는 속력을 10 m/초라 쓰고 초속 10 m라고 읽습니다. 민경이의 100 m 달리기 기록이 20초일 때 민경이의 100 m 달리기 속력은 몇 m/초일까요?

( ) m/초

14 그림과 같은 직사각형 모양 사진의 각 변의 길이를 110 %로 확대하려고 합니다. 확대한 사진의 넓이는 몇 cm^2일까요?

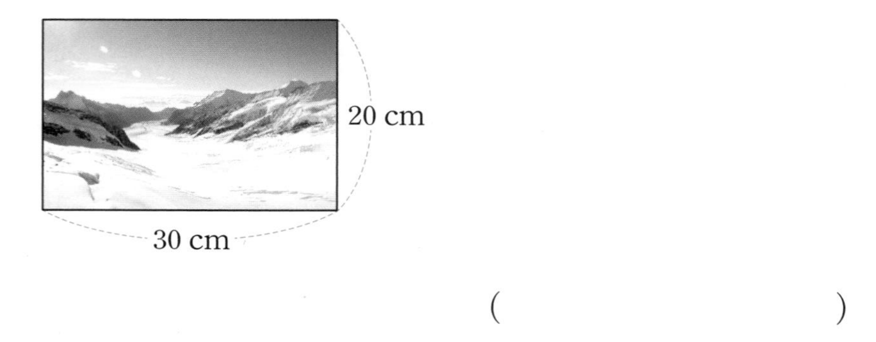

( )

15 삼각형에서 밑변은 12 % 늘이고, 높이는 20 % 줄여서 새로운 삼각형을 만들려고 합니다. 새로 만든 삼각형의 넓이는 몇 cm^2일까요?

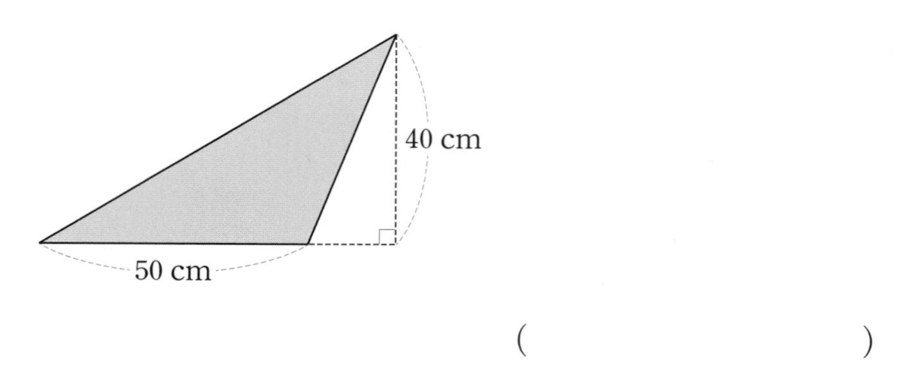

( )

5 여러 가지 그래프

✲ 그림그래프로 나타내기

마을별 딸기 생산량

마을	가	나	다	라
생산량(t)	5	8	20	12

마을별 딸기 생산량

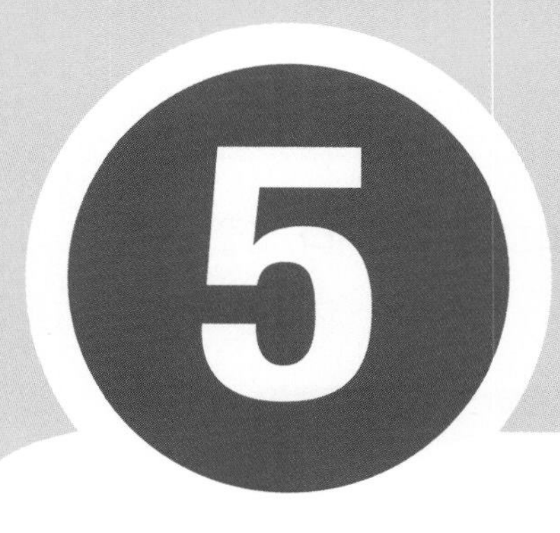

〈자료를 그림그래프로 나타내면 좋은 점〉

- 그림의 크기로 수량의 많고 적음을 알 수 있습니다.
- 복잡한 자료를 간단하게 보여 줍니다.

✲ 띠그래프 알아보고 그리기

띠그래프: 전체에 대한 각 부분의 비율을 띠 모양에 나타낸 그래프

태어난 계절별 학생 수

계절	봄	여름	가을	겨울	합계
학생 수(명)	4	5	6	5	20
백분율 (%)	20	25	30	25	100

태어난 계절별 학생 수

0 10 20 30 40 50 60 70 80 90 100(%)

봄 (20 %)	여름 (25 %)	가을 (30 %)	겨울 (25 %)

→ 각 항목이 차지하는 백분율의 크기만큼 선을 그어 띠를 나누고, 나눈 부분에 각 항목의 내용과 백분율을 씁니다.

✲ 원그래프 알아보고 그리기

원그래프: 전체에 대한 각 부분의 비율을 원 모양에 나타낸 그래프

좋아하는 과목별 학생 수

과목	국어	수학	과학	기타	합계
학생 수(명)	10	14	12	4	40
백분율 (%)	25	35	30	10	100

좋아하는 과목별 학생 수

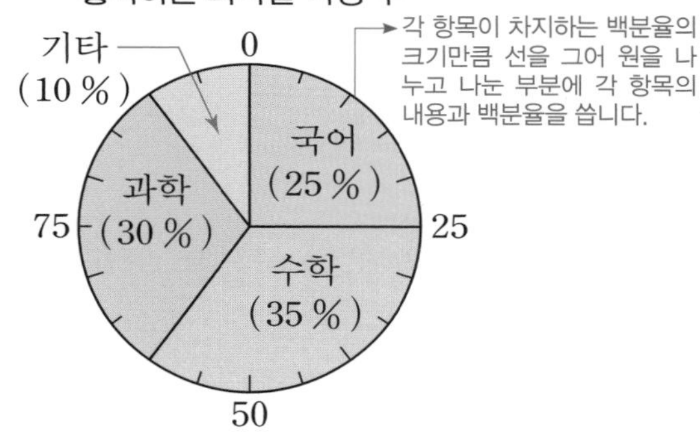

→ 각 항목이 차지하는 백분율의 크기만큼 선을 그어 원을 나누고 나눈 부분에 각 항목의 내용과 백분율을 씁니다.

✲ 그래프 해석하기

- 띠그래프에서 띠의 길이가 가장 긴 부분이 비율이 가장 높은 항목입니다.
- 원그래프에서 넓이가 가장 넓은 부분이 비율이 가장 높은 항목입니다.

✲ 여러 가지 그래프 비교하기

- 자료를 나타내기에 알맞은 그래프

지역별 쌀 생산량	그림그래프, 막대그래프, 띠그래프, 원그래프
연도별 키의 변화	꺾은선그래프

유형 1 항목의 비율 활용

창의·융합

1 다음은 정아네 집의 어느 해 5월의 생활비 지출 내역을 정리한 띠그래프입니다. 5월 생활비는 총 200만 원이라고 합니다. 물음에 답하세요.

◀ 5월 지출 통계 ▶

수입	지출

생활비 지출 내역별 금액

식품비 (35 %)	교육비	통신비 (20 %)	저축 (10 %)	기타 (15 %)

① 교육비의 비율은 전체의 몇 %인지 구해 보세요.

( )

② 교육비로 지출한 금액은 얼마인지 구해 보세요.

( )

③ 식품비 또는 교육비의 비율은 전체의 몇 %인지 구해 보세요.

( )

④ 교육비는 저축한 금액의 몇 배인지 구해 보세요.

( )

2

윤미는 어머니와 함께 마트에서 장을 본 후 카트에 담은 물건 금액의 비율을 띠그래프로 나타내었습니다. 카트에 담은 물건의 총 금액이 15만 원이고, 생필품과 고기의 비율은 같다고 합니다. 물음에 답하세요.

카드에 담은 물건 금액

과자 (20 %)	생필품	빵 (10 %)	고기	과일 (10 %)

(1) 생필품과 고기의 비율은 전체의 몇 %인지 각각 구해 보세요.

생필품 (　　　　　　　　)
고기 (　　　　　　　　)

(2) 고기를 산 금액은 얼마인지 구해 보세요.

(　　　　　　　　)

(3) 과자 또는 고기의 비율은 전체의 몇 %인지 구해 보세요.

(4) 생필품을 산 금액은 과일을 산 금액의 몇 배인지 구해 보세요.

(　　　　　　　　)

5 단원

유형 2 그래프 바꿔서 나타내기

문제 해결

1 다음은 진주네 마을 학생 40명이 기르고 싶어 하는 동물을 조사하여 나타낸 원그래프입니다. 물음에 답하세요. (단, 원그래프에서 각도의 합계는 360°입니다.)

기르고 싶어 하는 동물

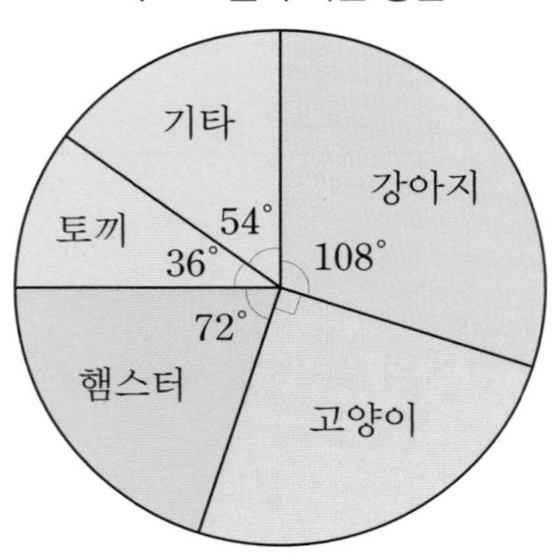

❶ 위 그래프를 보고 표를 완성해 보세요.

기르고 싶어 하는 동물

동물	강아지	고양이	햄스터	토끼	기타	합계
백분율(%)						

❷ ❶의 표를 보고 띠그래프로 나타내어 보세요.

기르고 싶어 하는 동물

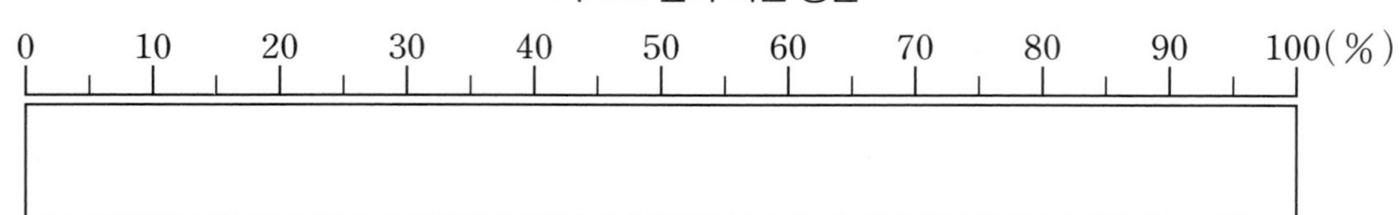

❸ 가장 많은 학생이 기르고 싶어 하는 동물은 무엇인지 써 보세요.

( )

❹ 고양이를 기르고 싶어 하는 학생은 몇 명인지 구해 보세요.

( )

2

다음은 수영이네 반 학생 20명이 태어난 계절을 조사하여 나타낸 원그래프입니다. 물음에 답하세요. (단, 원그래프에서 각도의 합계는 360°입니다.)

학생들이 태어난 계절

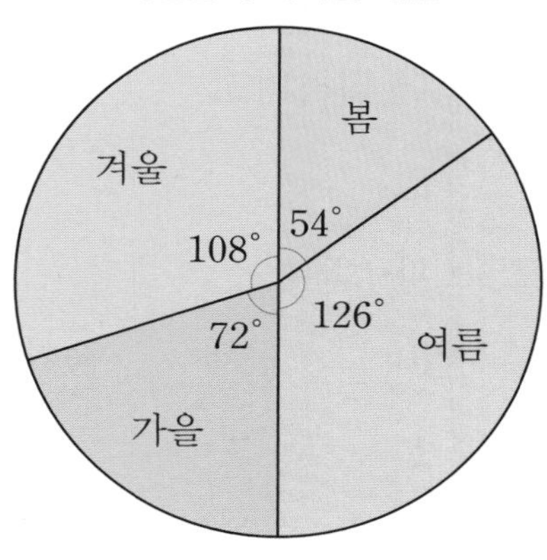

(1) 위 그래프를 보고 표를 완성해 보세요.

학생들이 태어난 계절

계절	봄	여름	가을	겨울	합계
백분율(%)					

(2) (1)의 표를 보고 띠그래프로 나타내어 보세요.

학생들이 태어난 계절

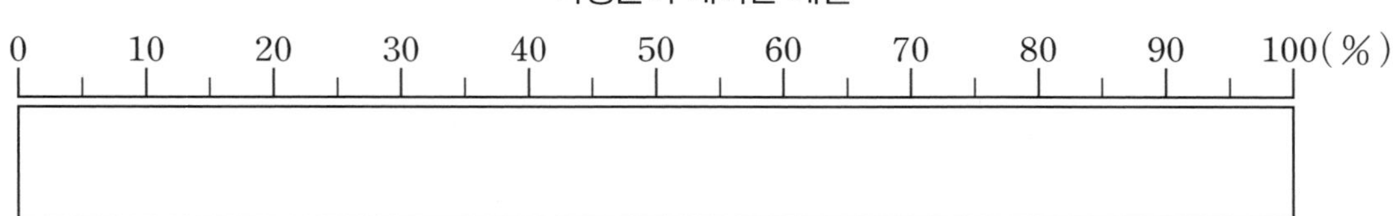

(3) 여름 또는 겨울에 태어난 학생의 비율은 전체의 몇 %인지 구해 보세요.

( )

(4) 가을에 태어난 학생은 몇 명인지 구해 보세요.

( )

유형 3 먹은 만큼 그래프로 나타내기

창의・융합

1 주아는 친구들과 함께 1 kg짜리 피자를 10조각으로 나누어 모두 먹었습니다. 주아와 친구들이 먹은 조각 수를 보고 물음에 답하세요.

친구들이 먹은 피자 조각 수

이름	주아	영미	윤재	승기
조각 수(개)	2	1	3	4

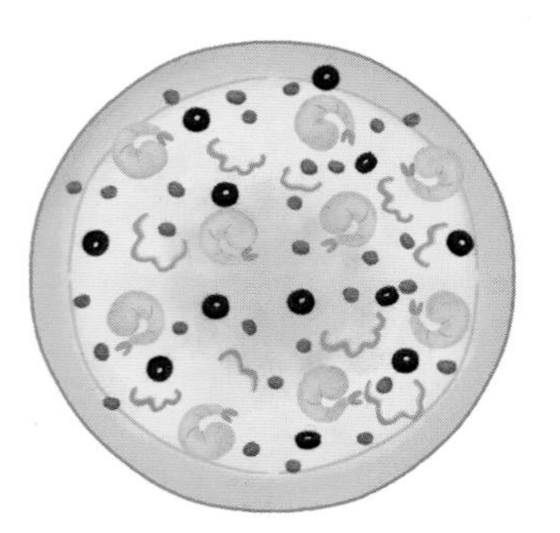

① 전체 조각 수에 대한 먹은 조각 수의 백분율을 구하여 표를 완성해 보세요.

친구들이 먹은 피자 조각 수

학생	주아	영미	윤재	승기	합계
백분율(%)					

② ①의 표를 보고 띠그래프로 나타내어 보세요.

친구들이 먹은 피자 조각 수

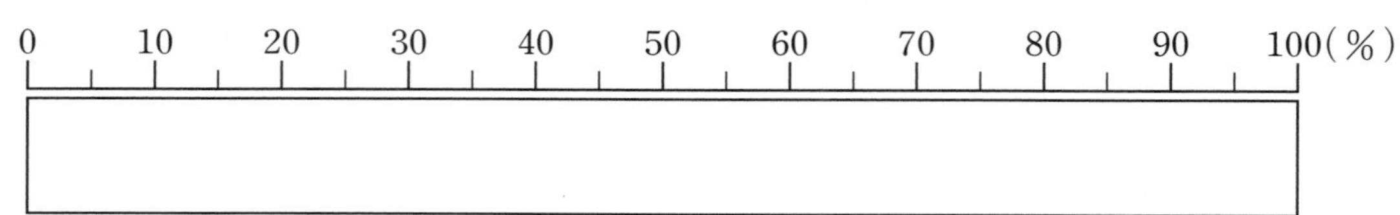

③ 피자를 많이 먹은 사람부터 차례로 이름을 써 보세요.

( )

④ 윤재가 먹은 피자의 무게는 몇 g인지 구해 보세요. (단, 각 피자 조각의 무게는 같습니다.)

( )

2 예서네 가족들이 1.5 kg짜리 피자를 8조각으로 나누어 모두 먹었습니다. 아빠와 동생이 먹은 조각 수는 같습니다. 가족들이 먹은 피자 조각 수를 보고 물음에 답하세요.

가족들이 먹은 피자 조각 수

가족	아빠	엄마	예서	동생
조각 수(개)		1	3	

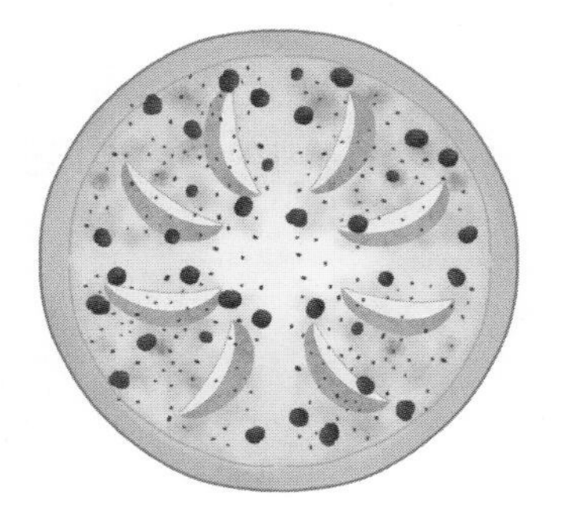

(1) 위 표를 완성해 보세요.

(2) 전체 조각 수에 대한 먹은 조각 수의 백분율을 구하여 표를 완성해 보세요.

가족들이 먹은 피자 조각 수

가족	아빠	엄마	예서	동생	합계
백분율(%)					

(3) (2)의 표를 보고 원그래프로 나타내어 보세요.

가족들이 먹은 피자 조각 수

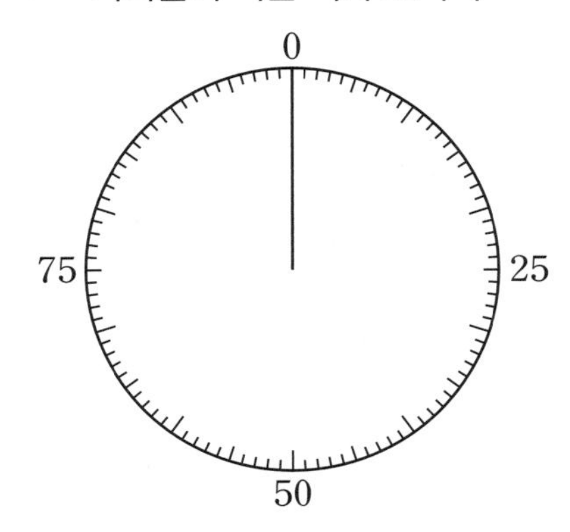

(4) 아빠가 먹은 피자의 무게는 몇 g인지 구해 보세요. (단, 각 피자 조각의 무게는 같습니다.)

( )

유형 4 그래프의 일부분을 다른 그래프로 나타내기

문제 해결

1 버스 이용자 2000명을 대상으로 만족 여부를 조사하여 나타낸 그래프와 불만족인 이용자를 대상으로 불만족 이유를 조사하여 나타낸 그래프입니다. 물음에 답하세요.

만족 여부

불만족	만족 (75 %)

불만족 이유

정시 미도착 (52 %)	비싼 요금	노선표 (15 %)	기타 (10 %)

❶ 버스가 불만족이라고 답한 사람은 전체의 몇 %인지 구해 보세요.

( )

❷ 버스가 불만족이라고 답한 사람은 몇 명인지 구해 보세요.

( )

❸ 불만족인 이유가 비싼 요금이라고 답한 사람은 불만족인 사람의 몇 %인지 구해 보세요.

( )

❹ 불만족인 이유가 노선표라고 답한 사람은 몇 명인지 구해 보세요.

( )

2 어느 지역의 토지 이용률과 농경지 면적 비율을 나타낸 그래프입니다. 이 지역의 토지 면적이 500 km^2일 때, 물음에 답하세요.

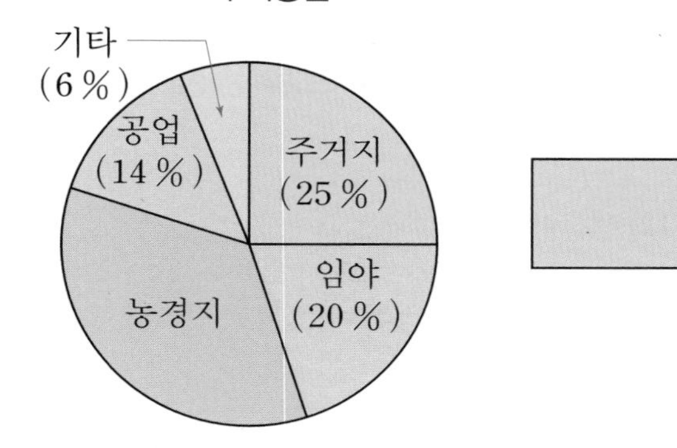

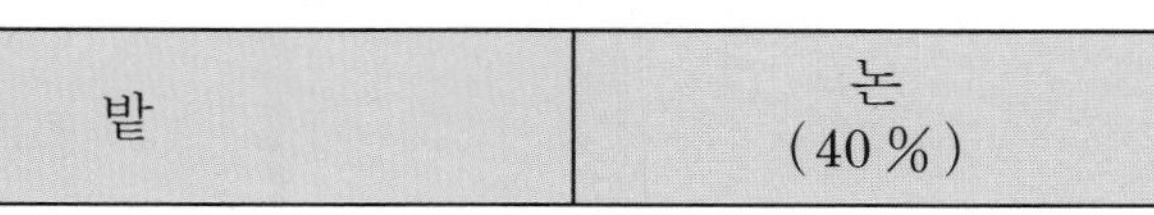

(1) 토지에서 농경지가 차지하는 비율은 전체의 몇 %인지 구해 보세요.

(　　　　　　　　)

(2) 농경지가 차지하는 면적은 몇 km^2인지 구해 보세요.

(　　　　　　　　)

(3) 밭이 차지하는 면적은 몇 km^2인지 구해 보세요.

(　　　　　　　　)

(4) 밭은 논보다 면적이 몇 km^2 더 넓은지 구해 보세요.

(　　　　　　　　)

5 단원

유형 5 그림그래프 완성하기

추론

1 지역별 사과 생산량을 조사하여 나타낸 그림그래프입니다. 네 지역의 평균 생산량은 27 t이고 가 지역의 생산량은 라 지역의 생산량의 2배일 때, 그림그래프를 완성하려고 합니다. 물음에 답하세요.

지역별 사과 생산량

가	나
	🍎🍎 🍏🍏🍏🍏🍏
다	**라**
🍎 🍏🍏🍏🍏🍏🍏🍏	

🍎 10 t　🍏 1 t

❶ 나와 다 지역의 생산량은 몇 t인지 각각 구해 보세요.

나 (　　　　　　)
다 (　　　　　　)

❷ 네 지역의 전체 생산량은 모두 몇 t인지 구해 보세요.

(　　　　　　)

❸ 라 지역의 생산량은 몇 t인지 구해 보세요.

(　　　　　　)

❹ 가 지역의 생산량은 몇 t인지 구해 보세요.

(　　　　　　)

❺ 위 그림그래프를 완성해 보세요.

2 농장별 돼지의 수를 조사하여 나타낸 그림그래프입니다. 네 농장의 평균 돼지 수가 3150마리이고 나 농장의 돼지 수는 다 농장의 돼지 수보다 800마리 더 많을 때, 그림그래프를 완성해 보세요.

농장별 돼지의 수

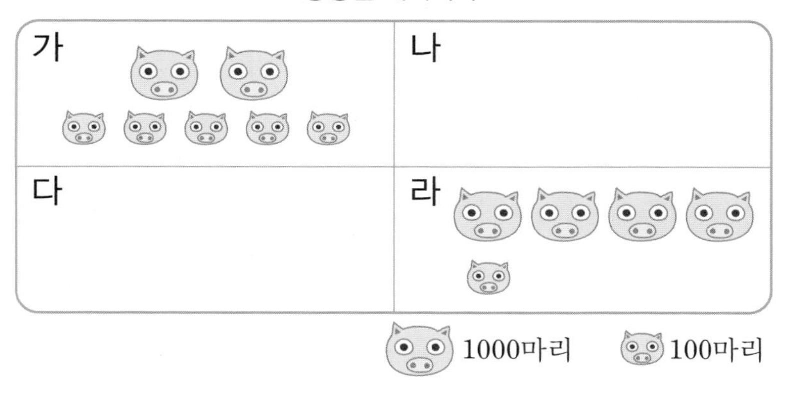

3 마을별 당근 생산량을 조사하여 나타낸 그림그래프입니다. 네 마을의 평균 생산량은 29 t이고, 나 마을의 생산량은 다 마을의 생산량의 3배일 때, 그림그래프를 완성해 보세요.

마을별 당근 생산량

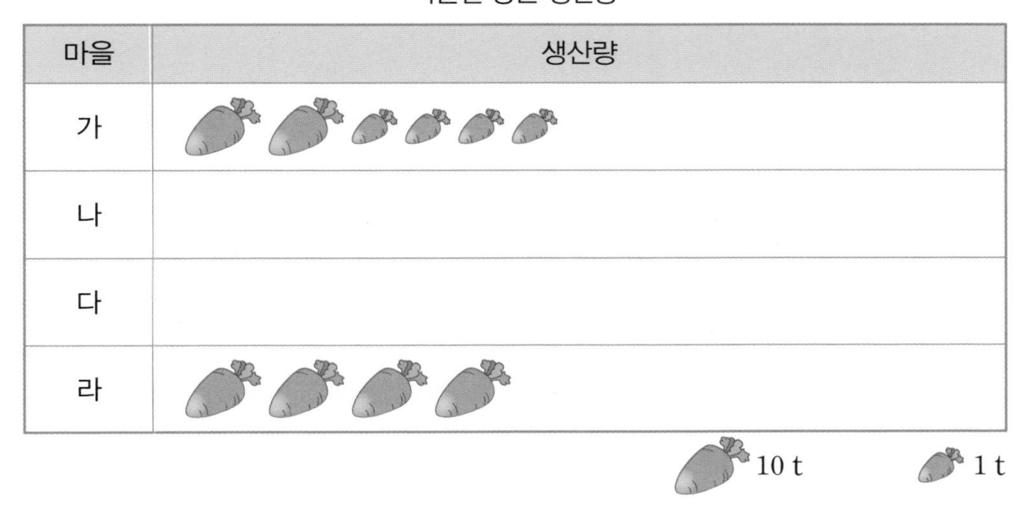

유형 6 길이가 정해진 띠그래프 그리기

1 승기네 학교 6학년 학생들이 좋아하는 과목을 조사하였더니 국어는 영어의 8배, 수학은 영어의 5배, 과학은 영어의 4배, 사회는 영어의 2배였습니다. 가장 많은 학생이 좋아하는 과목은 두 번째로 많은 학생이 좋아하는 과목보다 30명이 더 많습니다. 물음에 답하세요.

❶ 영어를 좋아하는 학생은 몇 명인지 구해 보세요.

(　　　　　　　　　)

❷ 표를 완성해 보세요.

학생들이 좋아하는 과목

과목	국어	수학	과학	사회	영어	합계
학생 수(명)						
백분율(%)						

❸ ❷의 표를 보고 전체 길이가 12 cm인 띠그래프로 나타내려고 합니다. □ 안에 알맞은 수를 써넣고 띠그래프에 항목과 길이를 나타내어 보세요.

• 국어: □ cm　• 수학: □ cm　• 과학: □ cm

• 사회: □ cm　• 영어: □ cm

학생들이 좋아하는 과목

12 cm

2 행복 농장에서 기르는 가축 수를 조사하였더니 닭은 오리의 7배, 돼지는 오리의 5배, 소는 오리의 4배, 염소는 오리의 3배였습니다. 가장 많은 가축은 네 번째로 많은 가축보다 60마리 더 많습니다. 물음에 답하세요.

(1) 행복 농장에서 기르는 오리는 몇 마리인지 구해 보세요.

( )

(2) 표를 완성해 보세요.

농장에서 기르는 가축별 수

가축	닭	돼지	소	염소	오리	합계
가축 수(마리)						
백분율 (%)						

5 단원

(3) (2)의 표를 보고 전체 길이가 14 cm인 띠그래프로 나타내려고 합니다. □ 안에 알맞은 수를 써넣고 띠그래프에 항목과 길이를 나타내어 보세요.

• 닭: □ cm • 돼지: □ cm • 소: □ cm
• 염소: □ cm • 오리: □ cm

농장에서 기르는 가축별 수

14 cm

사고력 종합 평가

1 가은이의 한 달 용돈 지출 항목을 나타낸 띠그래프입니다. 가은이의 한 달 용돈이 3만 원이라고 할 때, 물음에 답하세요.

가은이의 용돈 지출 항목

간식비 (30 %)	학용품 구입	책 구입 (15 %)	기타 (25 %)

(1) 학용품 구입 비율은 전체의 몇 %인지 구해 보세요.

(　　　　　　　　)

(2) 학용품을 구입하는 데 쓴 용돈은 얼마인지 구해 보세요.

(　　　　　　　　)

(3) 학용품을 구입하는 데 쓴 용돈은 책을 구입하는 데 쓴 용돈의 몇 배인지 구해 보세요.

(　　　　　　　　)

2 영수네 집에 있는 책을 조사하여 나타낸 띠그래프입니다. 위인전이 60권이라고 할 때, 물음에 답하세요.

영수네 집에 있는 책

학습 만화	위인전 (30 %)	동화책 (25 %)	과학책 (10 %)

(1) 영수네 집에 있는 책은 모두 몇 권인지 구해 보세요.

(　　　　　　　　)

(2) 학습 만화의 비율은 전체의 몇 %인지 구해 보세요.

(　　　　　　　　)

(3) 학습 만화는 몇 권인지 구해 보세요.

(　　　　　　　　)

3 명철이네 학교 학생 180명이 좋아하는 꽃을 조사하여 나타낸 원그래프입니다. 물음에 답하세요.
(단, 원그래프에서 각도의 합계는 360°입니다.)

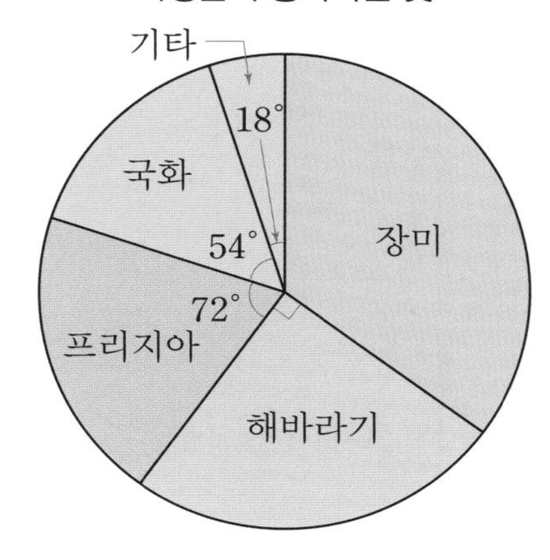

(1) 장미를 좋아하는 학생의 비율은 전체의 몇 %인지 구해 보세요.

( )

(2) 장미를 좋아하는 학생은 몇 명인지 구해 보세요.

( )

4 어느 과일에 들어 있는 영양소를 나타낸 원그래프입니다. 탄수화물이 단백질의 3배일 때, 이 과일 800 g에 들어 있는 탄수화물은 몇 g인지 구해 보세요.

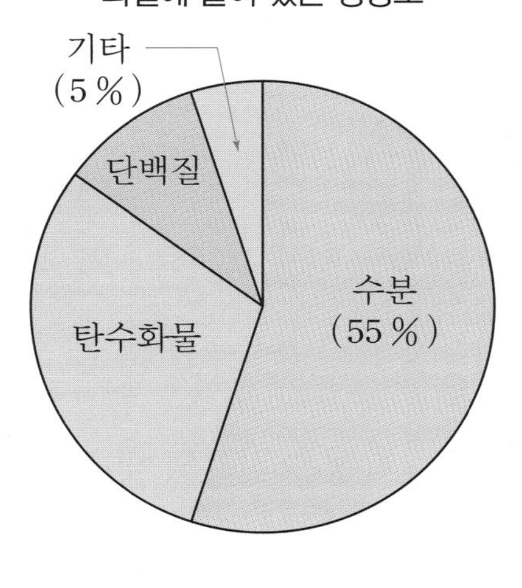

( )

5 채민이는 친구들과 함께 1800 g짜리 피자를 16조각으로 나누어 모두 먹었습니다. 채민이와 친구들이 먹은 조각 수를 보고 물음에 답하세요.

친구들이 먹은 피자 조각 수

이름	채민	명철	진주	영미
조각 수(개)		2	6	4

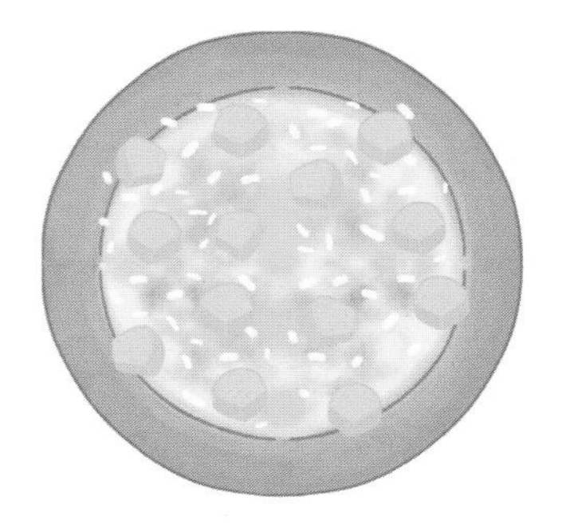

(1) 채민이가 먹은 피자의 비율은 전체의 몇 %인지 구해 보세요.

( )

(2) 채민이가 먹은 피자의 무게는 몇 g인지 구해 보세요. (단, 각 피자 조각의 무게는 같습니다.)

( )

6 영지네 반 학생 20명의 혈액형을 조사하여 나타낸 원그래프입니다. 화살표 방향으로 수혈이 가능하다고 할 때, 영지네 반 20명 중에서 A형에게 수혈을 할 수 있는 학생은 몇 명인지 구하려고 합니다. 물음에 답하세요.

혈액형별 학생 수

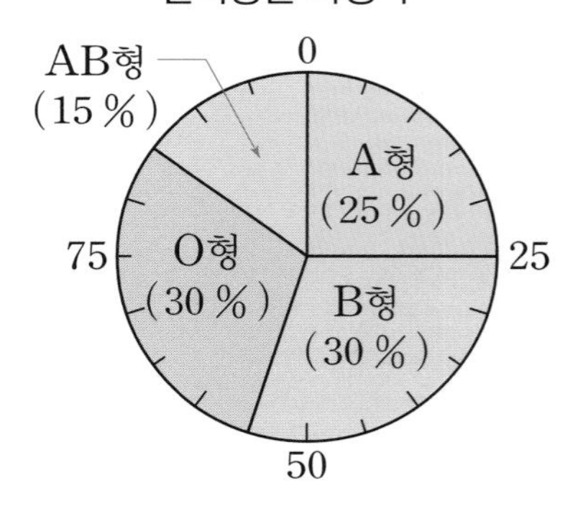

수혈 가능 혈액형

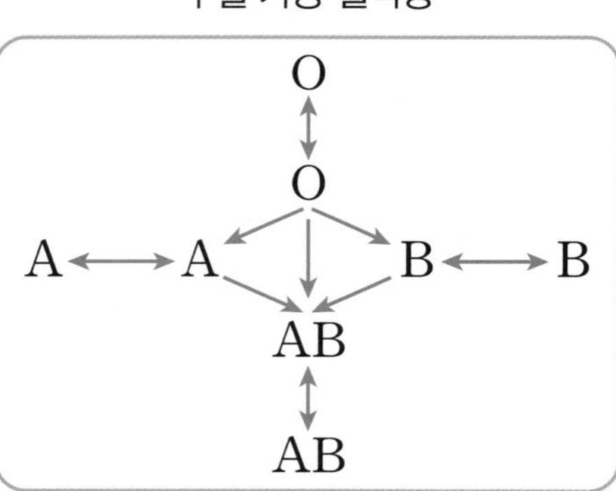

(1) A형에게 수혈을 할 수 있는 학생은 전체의 몇 %인지 구해 보세요.

( )

(2) A형에게 수혈을 할 수 있는 학생은 몇 명인지 구해 보세요.

( )

7 정아네 학교 학생 400명을 대상으로 취미 활동을 조사하여 나타낸 그래프와 운동이 취미 활동인 학생을 대상으로 운동 종류를 조사하여 나타낸 그래프입니다. 물음에 답하세요.

취미 활동별 학생 수

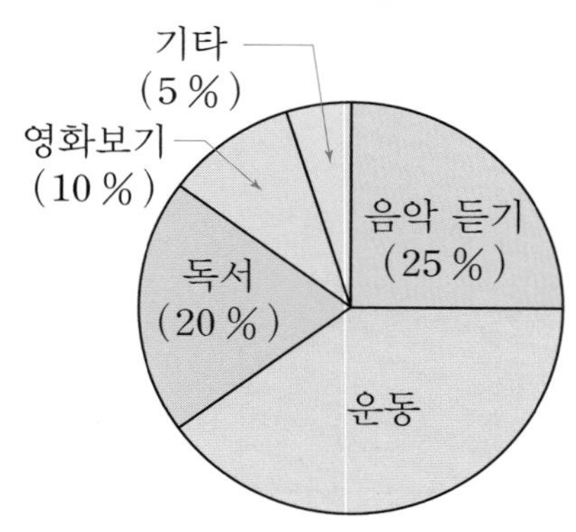

운동별 학생 수

축구 (35 %)	농구 (40 %)	기타 (25 %)

(1) 운동을 취미 활동으로 하는 학생은 몇 명인지 구해 보세요.

( )

(2) 축구가 취미 활동인 학생은 몇 명인지 구해 보세요.

( )

8 지역별 배 생산량을 조사하여 나타낸 그림그래프입니다. 네 지역의 전체 생산량이 120 t일 때, 그림그래프를 완성하고 생산량이 가장 많은 지역과 가장 적은 지역의 생산량의 합은 몇 t인지 구해 보세요.

지역별 배 생산량

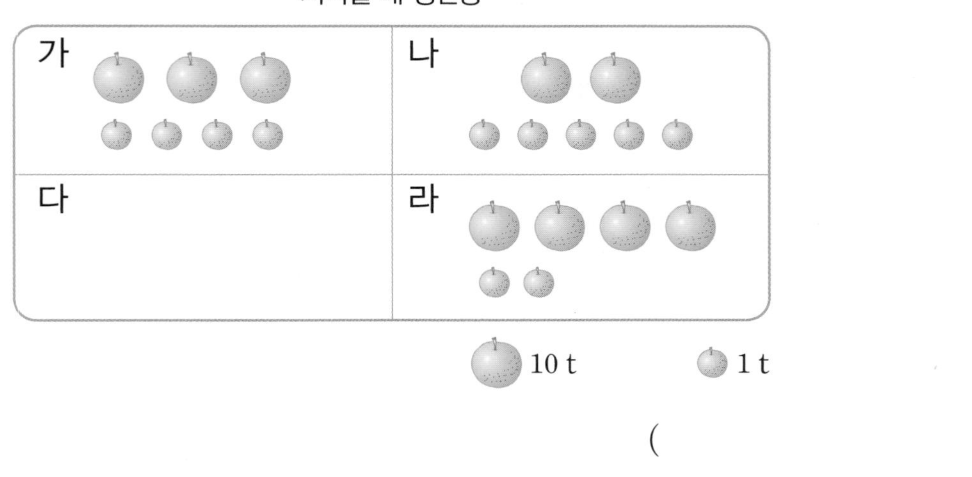

( )

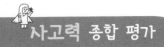

9 지역별 초등학생 수를 조사하여 나타낸 그림그래프입니다. 네 지역의 평균 초등학생 수가 25만 명일 때, 그림그래프를 완성해 보세요.

지역별 초등학생 수

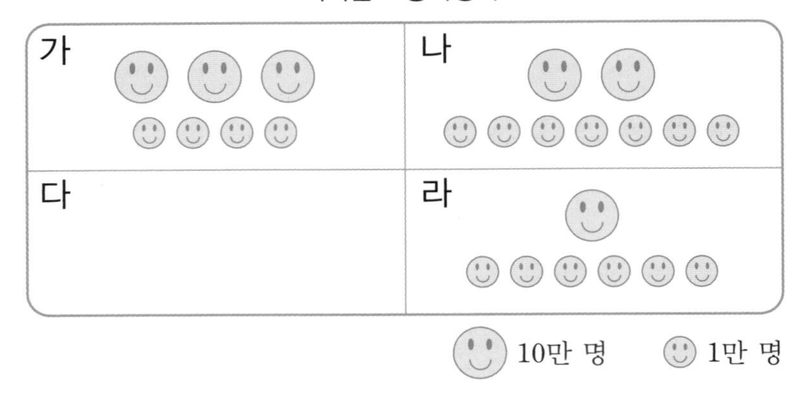

10 수하네 마을 사람들이 구독하는 신문을 조사하였더니 신문별 구독 비율이 각각 ㉮ 신문은 ㉱ 신문의 9배, ㉯ 신문은 ㉱ 신문의 4배, ㉰ 신문은 ㉱ 신문의 6배였습니다. 물음에 답하세요.

(1) 표를 완성해 보세요.

신문별 구독 가구 수

신문	㉮	㉯	㉰	㉱	합계
구독 가구 수(가구)					200
백분율 (%)					

(2) (1)의 표를 보고 원그래프로 나타내어 보세요.

신문별 구독 가구 수

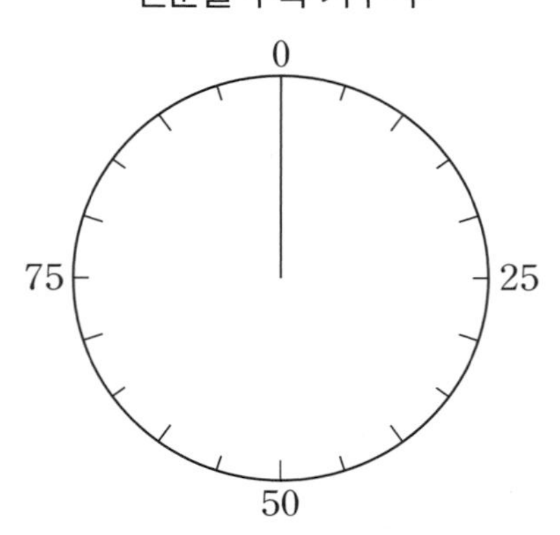

6 직육면체의 부피와 겉넓이

✲ 직육면체의 부피 비교하기

• 직접 맞대어 부피 비교하기

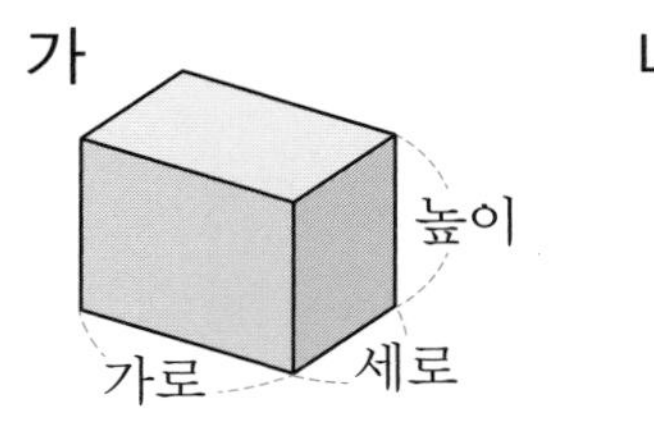

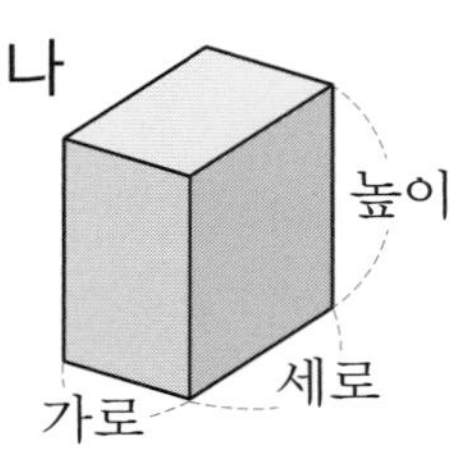

→ 가로: 가 > 나, 세로: 가 < 나, 높이: 가 < 나

가로, 세로, 높이는 각각 맞대어 비교할 수 있지만 어느 직육면체의 부피가 더 큰지 정확히 비교할 수 없습니다.

• 쌓기나무를 사용하여 부피 비교하기
쌓기나무 수를 비교하여 쌓기나무를 많이 사용한 것의 부피가 더 큽니다.

✲ 직육면체의 부피 구하기

• 1 cm^3(1 세제곱센티미터): 한 모서리의 길이가 1 cm인 정육면체의 부피

(직육면체의 부피)
=(가로)×(세로)×(높이)
=(밑면의 넓이)×(높이)

(정육면체의 부피)
=(한 모서리의 길이)×(한 모서리의 길이)
×(한 모서리의 길이)

✲ 부피의 큰 단위

• 1 m^3(1 세제곱미터): 한 모서리의 길이가 1 m인 정육면체의 부피

$$1\ m^3 = 1000000\ cm^3$$

✲ 직육면체의 겉넓이 구하기

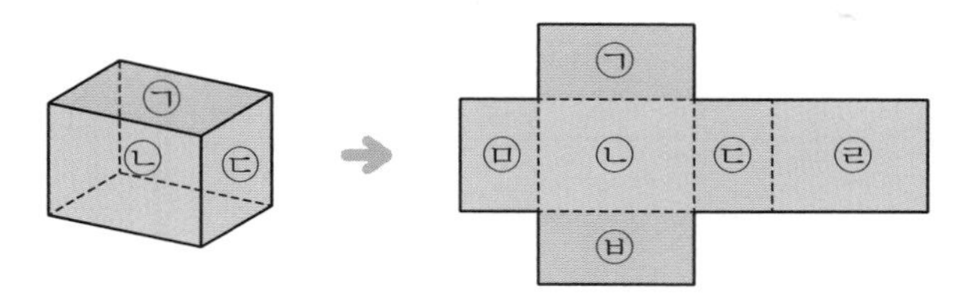

방법1 여섯 면의 넓이의 합으로 구하기
➔ ㉠+㉡+㉢+㉣+㉤+㉥

방법2 합동인 면이 3쌍이므로 세 면의 넓이(㉠, ㉡, ㉢)를 각각 2배 한 뒤 더하기
➔ ㉠×2+㉡×2+㉢×2

방법3 합동인 면이 3쌍이므로 세 면의 넓이(㉠, ㉡, ㉢)의 합을 2배 하기
➔ (㉠+㉡+㉢)×2

방법4 두 밑면의 넓이와 옆면의 넓이를 더하기
➔ (한 밑면의 넓이)×2+(옆면의 넓이)
=㉠×2+(㉤+㉡+㉢+㉣)

✲ 정육면체의 겉넓이 구하기

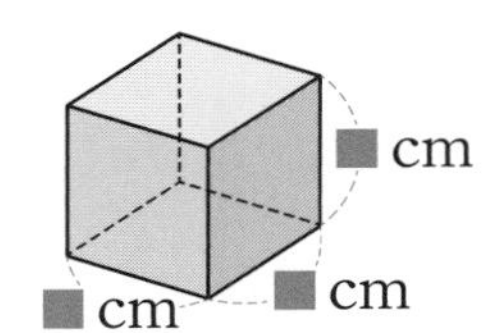

방법 한 면의 넓이를 6배 하기
➔ ■×■×6

유형 1 정투상도

창의 · 융합

1 물건의 모양을 평면 위에 그리는 것을 투상, 그린 그림을 투상도라고 합니다. 정투상은 정면도(앞에서 본 모양), 평면도(위에서 본 모양), 측면도(오른쪽 옆에서 본 모양)의 3개 면으로 나타내는 제3각법이 많이 사용되며 그 도면이 정투상도입니다. 직육면체의 정투상도를 그리기 위해 정면도, 평면도, 측면도를 나타낸 것입니다. 이 직육면체의 겉넓이를 구해 보세요.

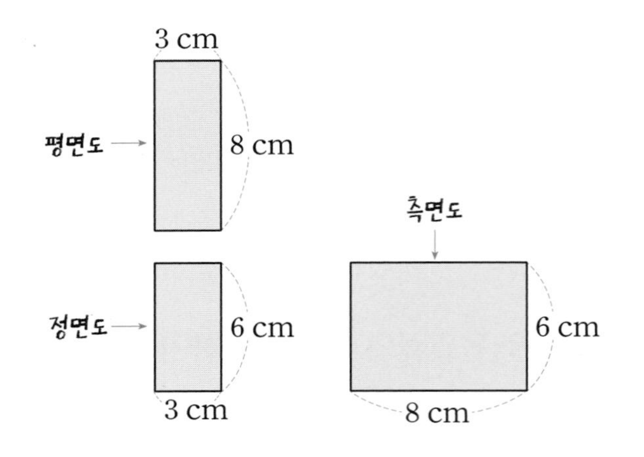

정투상도 제3각법 도면 그리기
정면도(앞에서 본 모양)를 중심에 그리고, 평면도(위에서 본 모양)를 위에, 측면도(오른쪽 옆에서 본 모양)를 오른쪽 옆에 나타냅니다.

❶ 직육면체의 정면도, 평면도, 측면도를 보고 직육면체의 겨냥도를 나타낸 것입니다. □ 안에 알맞은 수를 써넣으세요.

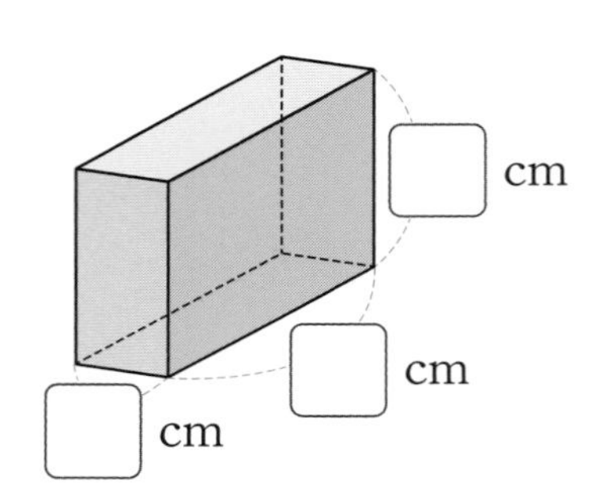

❷ 직육면체의 겉넓이를 구해 보세요.

(　　　　　　　　)

2 직육면체의 정면도와 평면도를 나타낸 것입니다. 빈 곳에 측면도를 그리고 직육면체의 겉넓이를 구해 보세요. (단, 측면도에 가로와 세로의 길이를 나타냅니다.)

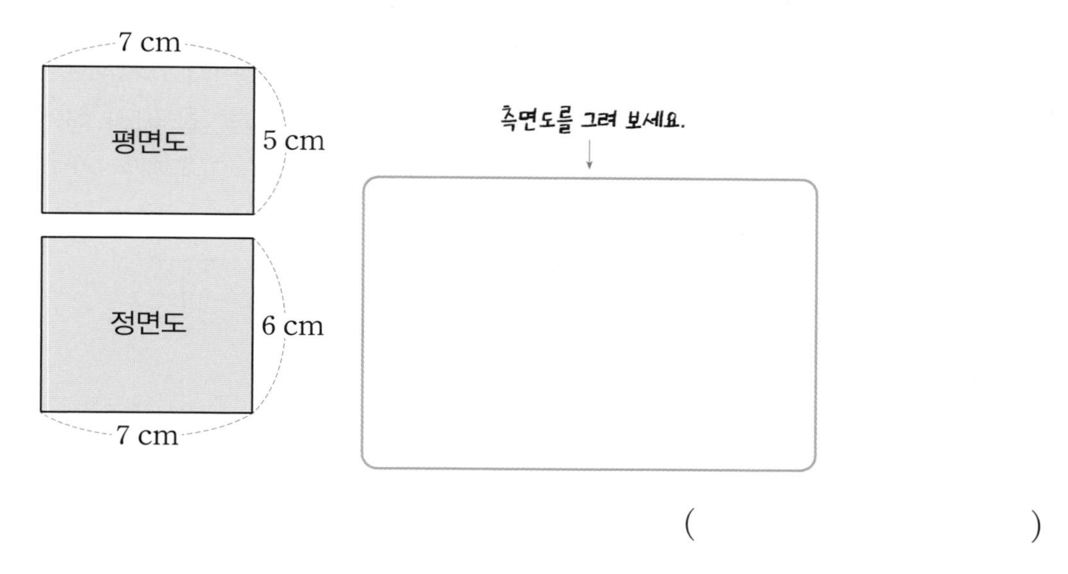

( )

3 직육면체의 정면도와 측면도를 나타낸 것입니다. 빈 곳에 평면도를 그리고 직육면체의 겉넓이를 구해 보세요. (단, 평면도에 가로와 세로의 길이를 나타냅니다.)

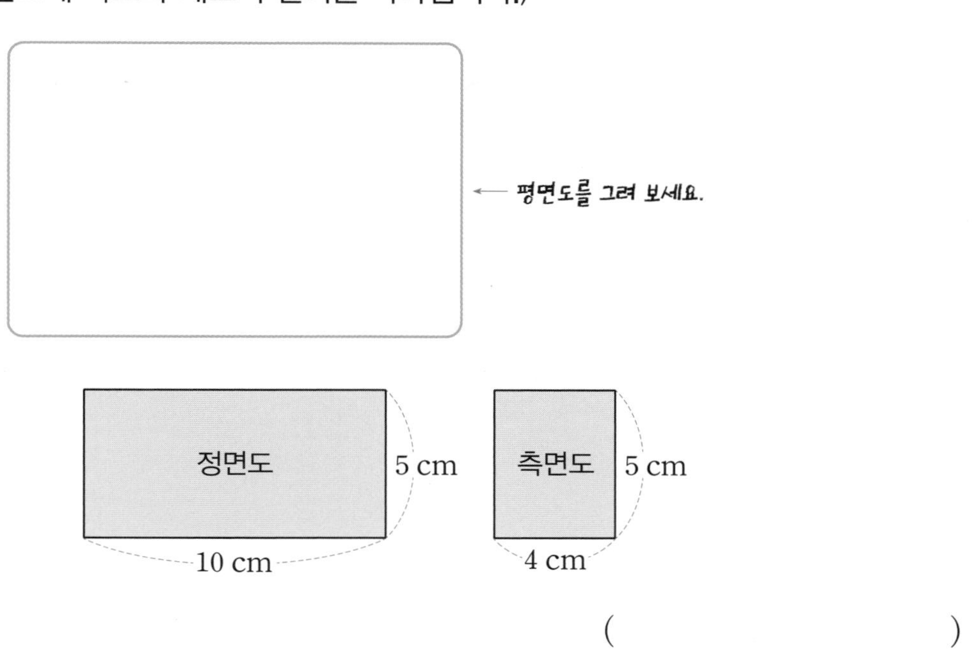

( )

6 단원

유형 ② 뚜껑이 없는 직육면체 모양

문제 해결

1 가로가 76 cm, 세로가 56 cm인 직사각형 모양의 종이가 있습니다. 그림과 같이 네 귀퉁이에서 한 변이 8 cm인 정사각형을 각각 오려 내고 점선을 따라 접어서 뚜껑이 없는 상자를 만들었습니다. 상자의 부피를 구해 보세요. (단, 종이의 두께는 생각하지 않습니다.)

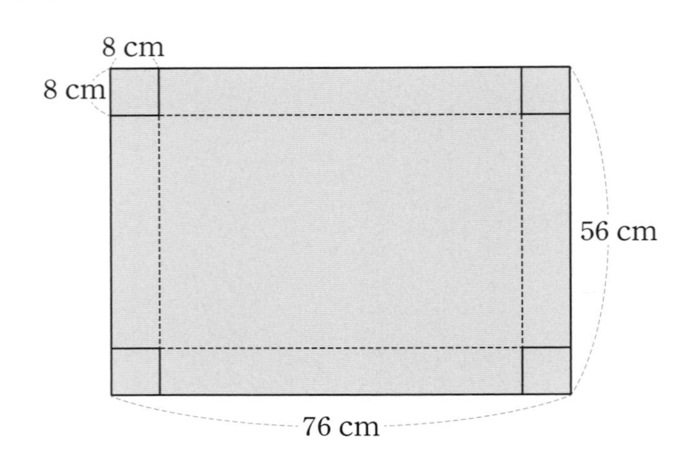

❶ 만든 상자의 가로의 길이는 몇 cm일까요?

( )

❷ 만든 상자의 세로의 길이는 몇 cm일까요?

( )

❸ 만든 상자의 높이는 몇 cm일까요?

( )

❹ 만든 상자의 부피는 몇 cm^3일까요?

( )

2 가로가 6 m, 세로가 4 m인 직사각형 모양의 철판이 있습니다. 그림과 같이 네 귀퉁이에서 한 변이 50 cm인 정사각형을 각각 오려 내고 점선을 따라 접어서 뚜껑이 없는 물탱크를 만들었습니다. 물탱크의 부피는 몇 m^3일까요? (단, 철판의 두께는 생각하지 않습니다.)

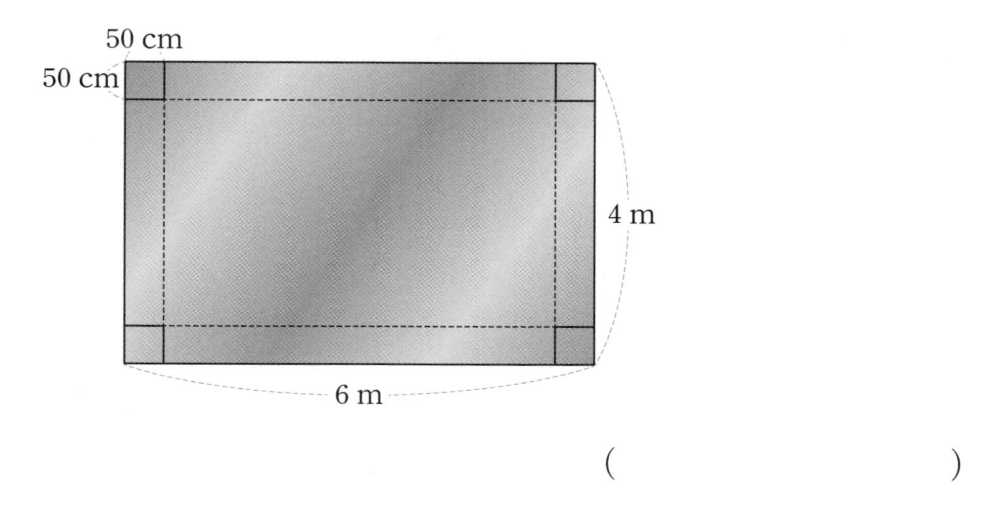

( )

3 가로가 72 cm, 세로가 51 cm인 직사각형 모양의 종이가 있습니다. 그림과 같이 네 귀퉁이에서 한 변이 6 cm인 정사각형을 각각 오려 내고 점선을 따라 접어서 뚜껑이 없는 상자를 만들었습니다. 이 상자 안에 한 모서리의 길이가 3 cm인 정육면체 모양의 쌓기나무를 몇 개까지 넣을 수 있을까요? (단, 종이의 두께는 생각하지 않습니다.)

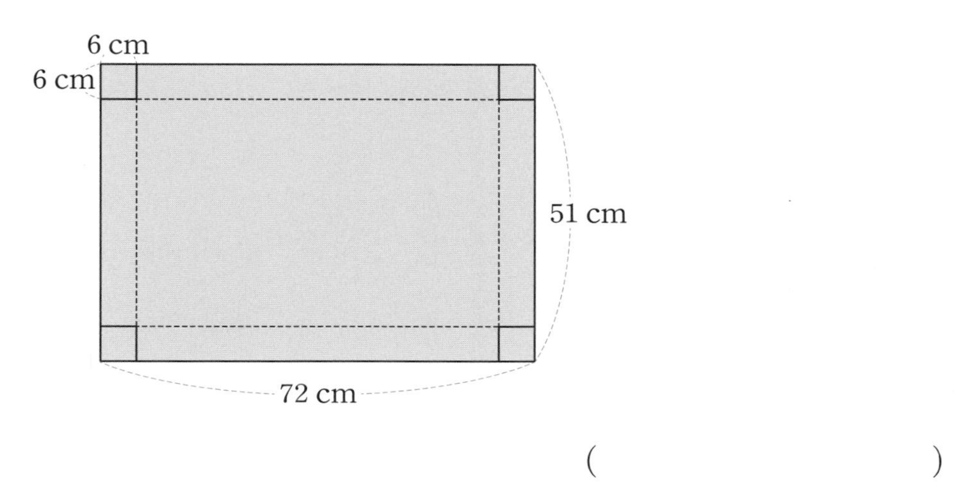

( )

유형 3 소마 큐브

창의 · 융합

1 그림과 같이 크기가 같은 정육면체 3개로 이루어진 한 개의 조각과 정육면체 4개로 이루어진 서로 다른 모양의 6개의 조각들이 있습니다. 이 7개의 조각을 한 번씩 모두 사용하여 만들어진 정육면체 모양의 큐브를 소마 큐브라고 합니다.

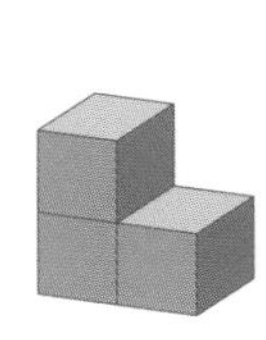  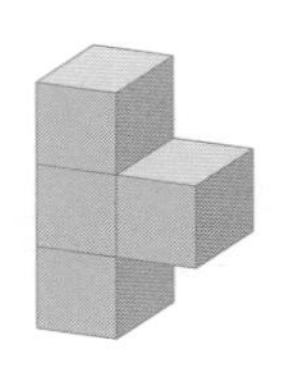 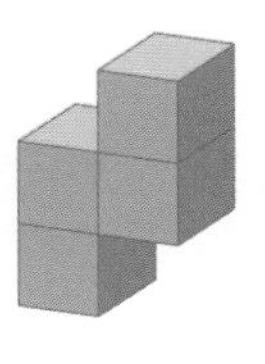 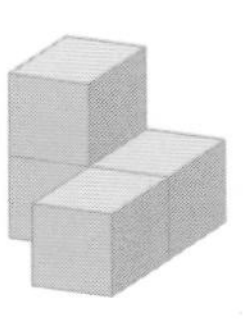  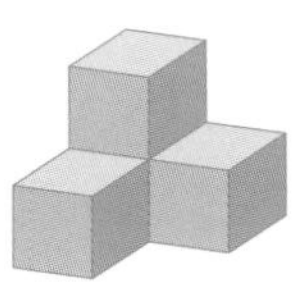

이 7개의 조각을 사용하여 소마 큐브를 만들 수 있는 방법은 뒤집거나 돌려서 같게 되는 경우를 생각했을 때 무려 240가지나 있다고 합니다. 그중 하나인 아래 모양의 겉넓이가 54 cm^2일 때 ㉠의 길이를 구해 보세요.

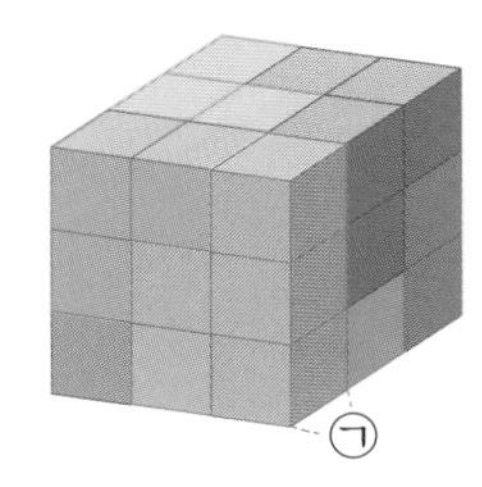

❶ □ 안에 알맞은 말이나 수를 써넣으세요.

(정육면체의 겉넓이)

$=$ □ $\times$ □ $\times$ □

❷ 위의 소마 큐브에서 한 모서리의 길이를 ㉠을 사용하여 식으로 나타내어 보세요.

 식 ______________________

❸ 위의 소마 큐브에서 ㉠의 길이는 몇 cm일까요?

(　　　　　　　　)

2 오른쪽 정육면체 모양의 쌓기나무 8개를 빈틈없이 쌓아 만든 큰 정육면체의 겉넓이는 몇 cm^2일까요?

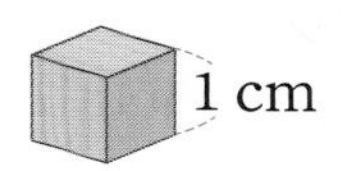

( )

3 크기가 같은 정육면체 모양의 쌓기나무를 쌓아 큰 정육면체를 만든 것입니다. 가장 큰 정육면체의 겉넓이가 216 cm^2일 때 쌓기나무 하나의 겉넓이는 몇 cm^2일까요?

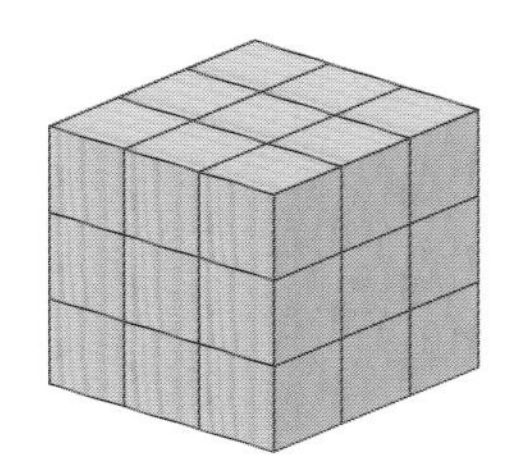

( )

4 그림과 같은 소마 큐브의 부피가 729 cm^3입니다. 이 소마 큐브의 겉넓이는 몇 cm^2일까요?

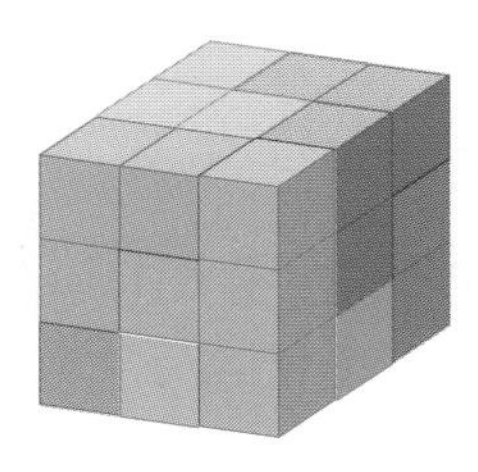

( )

유형 4 수조에 담긴 돌의 부피

문제 해결

1 그림과 같이 돌이 들어 있는 직육면체 모양의 수조에서 돌을 꺼냈더니 물의 높이가 돌이 들어 있을 때 물의 높이의 $\frac{3}{5}$이 되었습니다. 돌의 부피를 구해 보세요.

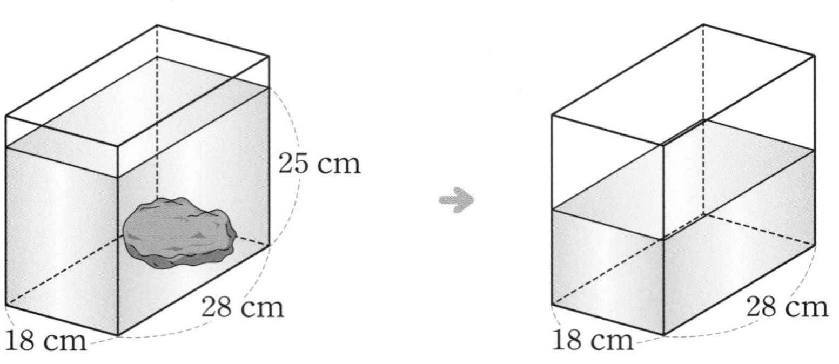

❶ 대화를 읽고 □ 안에 알맞은 말을 써넣으세요.

돌을 꺼냈더니 물의 높이가 낮아졌네.
줄어든 물의 부피는 □의 부피와 같아.
준우
윤하

❷ 돌을 꺼낸 후 수조에 남아 있는 물의 높이는 몇 cm일까요?

( )

❸ 돌을 꺼냈을 때 줄어든 물의 높이는 몇 cm일까요?

( )

❹ 돌의 부피는 몇 cm^3일까요?

( )

2 그림과 같이 물이 담겨 있는 직육면체 모양의 수조에 돌을 완전히 잠기도록 넣었더니 물의 높이가 높아졌습니다. 돌의 부피는 몇 cm^3일까요?

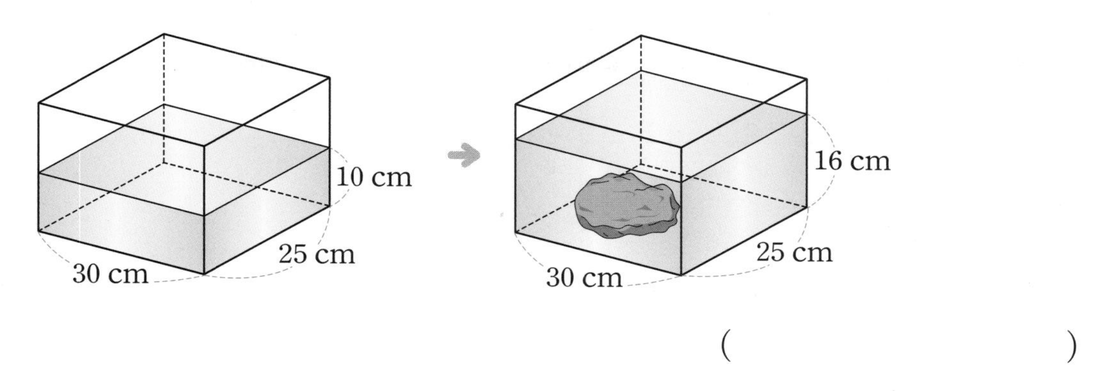

( )

3 직육면체 모양의 벽돌을 물이 담겨 있는 직육면체 모양의 수조에 완전히 잠기도록 넣으려고 합니다. 물의 높이는 몇 cm가 될까요?

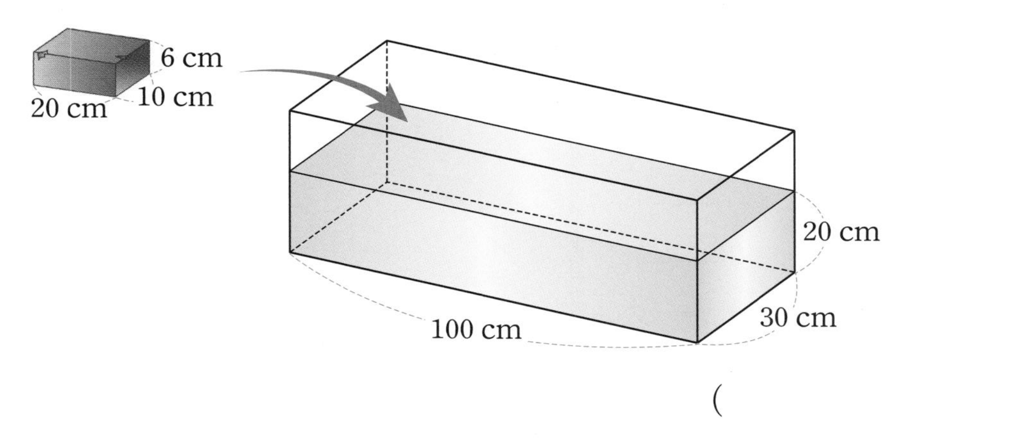

( )

6 단원

유형 5 뚫린 직육면체의 부피

1 대화를 보고 구멍을 뚫어 만든 치즈의 부피를 구해 보세요.

❶ 치즈에서 뚫린 부분을 나타낸 입체도형 모양입니다. □ 안에 알맞은 수를 써넣고 입체도형의 부피를 구해 보세요.

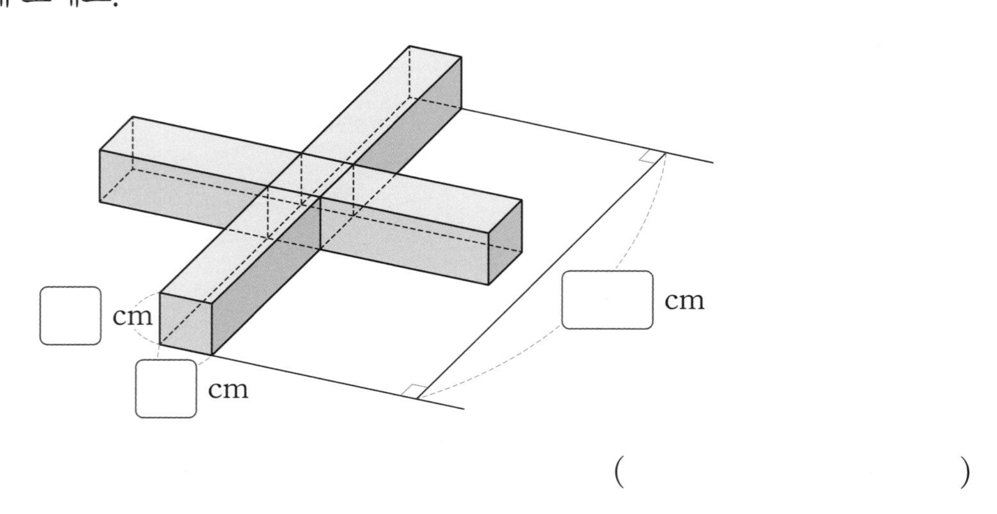

(　　　　　　　　　　)

❷ 구멍을 뚫어 만든 치즈의 부피는 몇 cm^3일까요?

(　　　　　　　　　　)

2 그림은 직육면체 모양 나무토막의 윗면의 가운데에 한 변의 길이가 9 cm인 정사각형 모양의 구멍을 뚫어 만든 입체도형입니다. 입체도형의 부피는 몇 cm^3일까요? (단, 구멍은 반대쪽 바닥면을 통과하도록 뚫었습니다.)

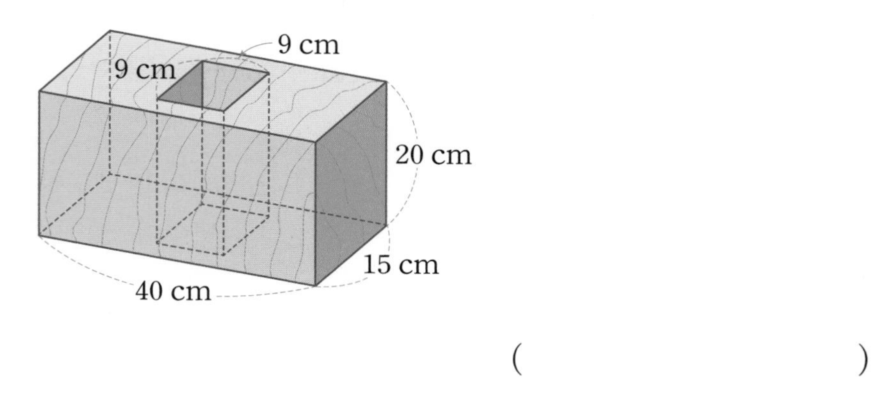

( )

3 그림은 정육면체 모양 나무토막의 각 면의 가운데에 한 변의 길이가 5 cm인 정사각형 모양의 구멍을 뚫어 만든 입체도형입니다. 입체도형의 부피는 몇 cm^3일까요? (단, 각 구멍은 반대쪽 면을 통과하도록 뚫었습니다.)

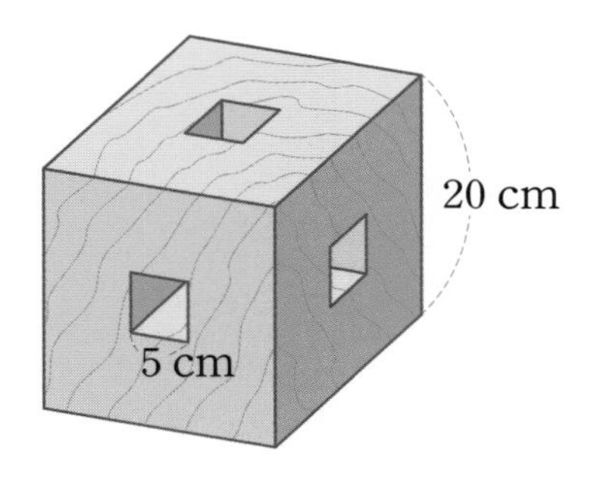

( )

유형 6 겉넓이가 가장 넓은 직육면체

추론

1 왼쪽과 같은 정육면체 모양의 쌓기나무 4개를 이용하여 오른쪽 두 조건을 모두 만족하는 직육면체를 만들려고 합니다. 만들 수 있는 직육면체의 겉넓이를 구해 보세요.

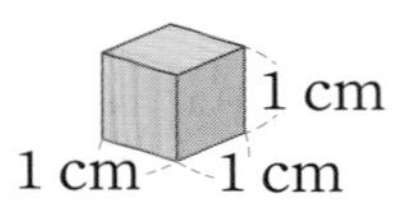

- 면끼리 맞닿도록 이어 붙여야 합니다.
- 겉넓이가 가장 넓어야 합니다.

❶ 쌓기나무 4개를 면끼리 맞닿도록 이어 붙여 만든 직육면체 모양은 2가지입니다. 나머지 하나를 그려 보세요. (단, 돌리거나 뒤집었을 때 같은 모양은 하나로 생각합니다.)

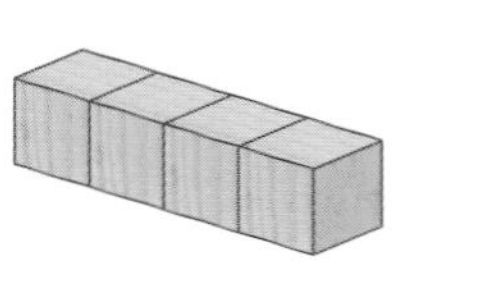

❷ ❶에서 만든 왼쪽 직육면체의 겉넓이는 몇 cm^2일까요?

(　　　　　　　　)

❸ ❶에서 그린 오른쪽 직육면체의 겉넓이는 몇 cm^2일까요?

(　　　　　　　　)

❹ 위의 두 조건을 모두 만족하는 직육면체의 겉넓이는 몇 cm^2일까요?

(　　　　　　　　)

2 한 모서리의 길이가 1 cm인 정육면체 모양의 쌓기나무 6개를 면끼리 맞닿도록 이어 붙여 직육면체를 만들려고 합니다. 만들 수 있는 직육면체 모양 2가지를 모두 그리고, 그중에서 겉넓이가 더 넓은 직육면체의 겉넓이를 구해 보세요. (단, 돌리거나 뒤집었을 때 같은 모양은 하나로 생각합니다.)

(　　　　　　　　　　)

3 한 모서리의 길이가 1 cm인 정육면체 모양의 쌓기나무 9개를 면끼리 맞닿도록 이어 붙여 직육면체를 만들려고 합니다. 만들 수 있는 직육면체 모양 2가지를 모두 그리고, 그중에서 겉넓이가 더 넓은 직육면체의 겉넓이를 구해 보세요. (단, 돌리거나 뒤집었을 때 같은 모양은 하나로 생각합니다.)

(　　　　　　　　　　)

사고력 종합 평가

1 한 모서리의 길이가 1 cm인 정육면체 모양의 쌓기나무 8개를 면끼리 맞닿도록 이어 붙여 만들 수 있는 직육면체 모양 3가지를 나타낸 것입니다. 겉넓이가 가장 넓은 직육면체의 기호를 써 보세요.

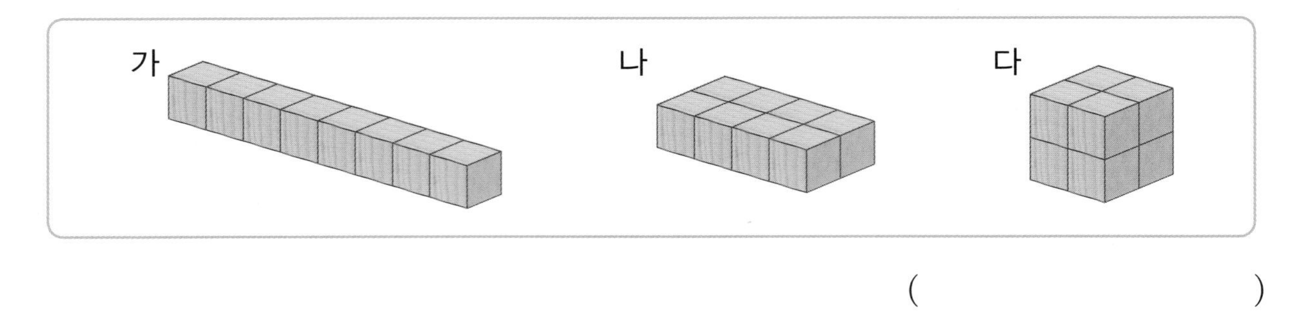

(　　　　　　　　)

2 직육면체의 정투상도를 그리기 위해 정면도(앞에서 본 모양), 평면도(위에서 본 모양), 측면도(오른쪽 옆에서 본 모양)를 나타낸 것입니다. 이 직육면체의 겉넓이는 몇 cm^2일까요?

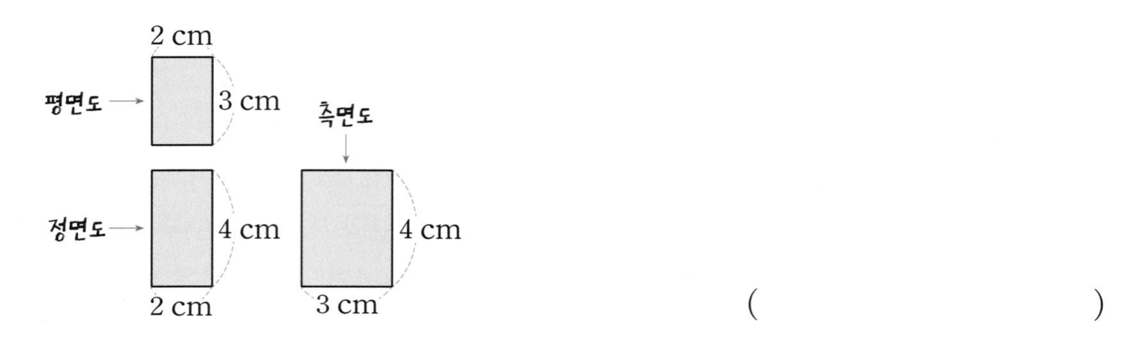

(　　　　　　　　)

3 가로가 54 cm, 세로가 34 cm인 직사각형 모양의 종이가 있습니다. 그림과 같이 네 귀퉁이에서 한 변이 7 cm인 정사각형을 각각 오려 내고 점선을 따라 접어서 뚜껑이 없는 상자를 만들었습니다. 상자의 부피는 몇 cm^3일까요? (단, 종이의 두께는 생각하지 않습니다.)

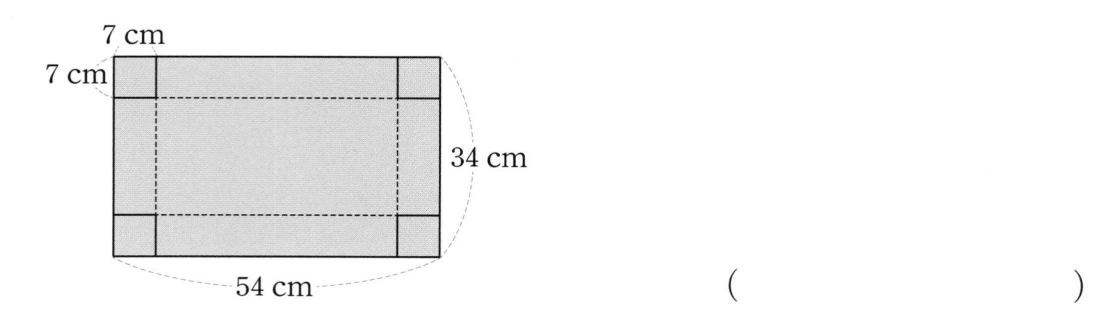

(　　　　　　　　)

4 직육면체의 정면도(앞에서 본 모양)와 평면도(위에서 본 모양)를 나타낸 것입니다. 이 직육면체의 부피는 몇 cm^3일까요?

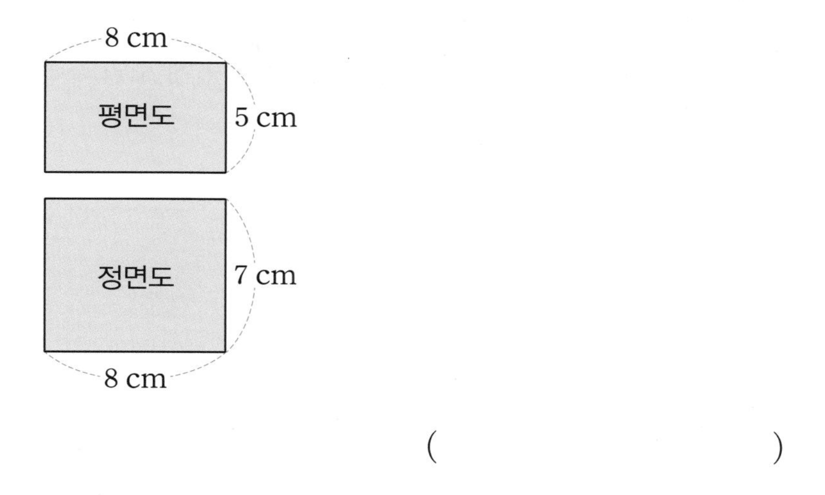

( )

5 크기가 같은 정육면체 모양의 쌓기나무를 쌓아 큰 정육면체를 만든 것입니다. 쌓기나무 하나의 겉넓이가 6 cm^2일 때 가장 큰 정육면체의 겉넓이는 몇 cm^2일까요?

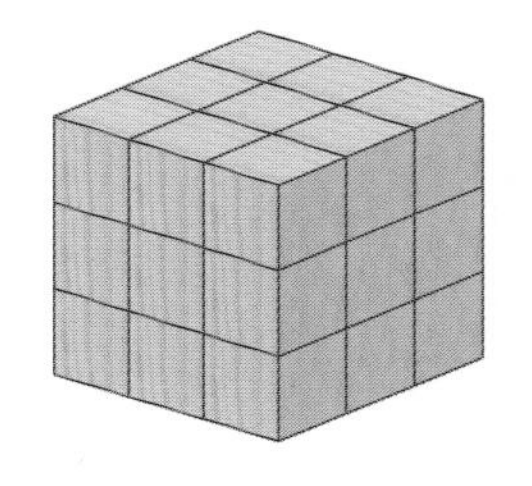

( )

6 그림과 같은 소마 큐브의 겉넓이가 486 cm^2입니다. 이 소마 큐브의 부피는 몇 cm^3일까요?

( )

7 가로가 70 cm, 세로가 40 cm인 직사각형 모양의 종이가 있습니다. 왼쪽 그림과 같이 네 귀퉁이에서 한 변이 5 cm인 정사각형을 각각 오려 내고 점선을 따라 접어서 뚜껑이 없는 상자를 만들었습니다. 이 상자 안에 오른쪽 직육면체 모양의 과자 상자를 몇 개까지 넣을 수 있을까요?

(단, 종이의 두께는 생각하지 않습니다.)

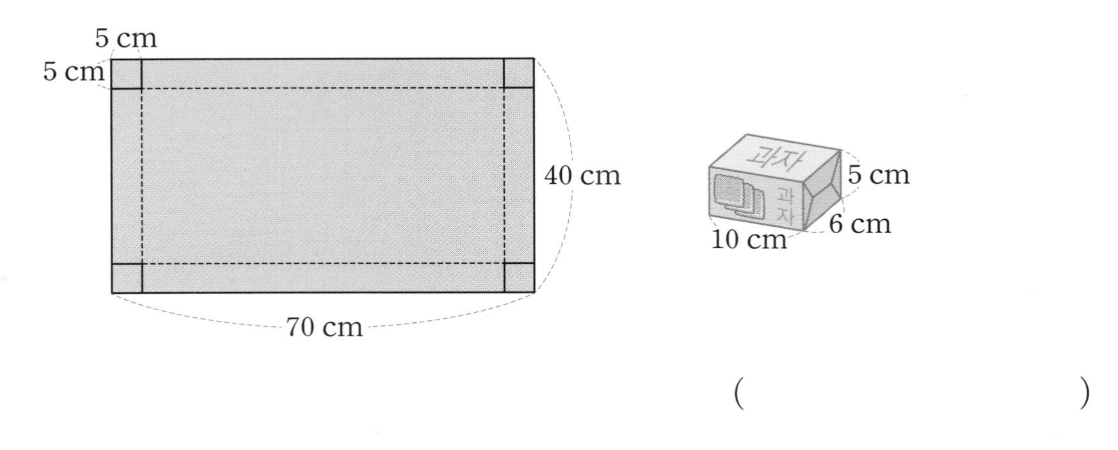

(　　　　　　　　)

8 그림은 물이 담겨 있던 직육면체 모양의 수조에 돌을 완전히 잠기도록 넣었더니 물의 높이가 7 cm만큼 더 높아진 것입니다. 처음 수조에 담겨 있던 물의 부피는 몇 cm^3일까요?

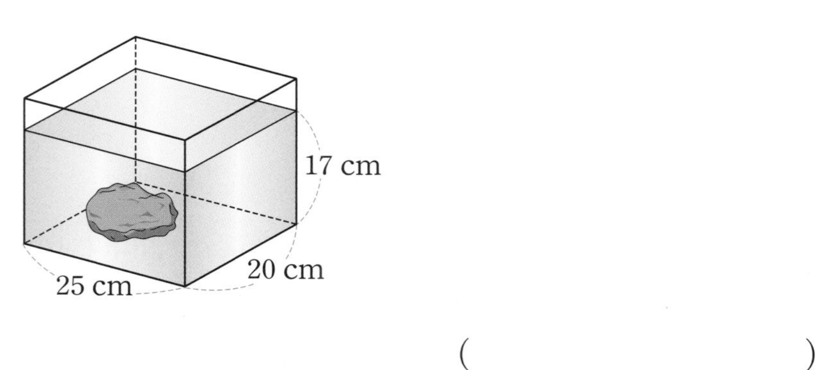

(　　　　　　　　)

9 그림과 같이 돌이 들어 있는 직육면체 모양의 수조에서 돌을 꺼냈더니 물의 높이가 돌이 들어 있을 때 물의 높이의 $\frac{5}{7}$가 되었습니다. 돌의 부피는 몇 cm^3일까요?

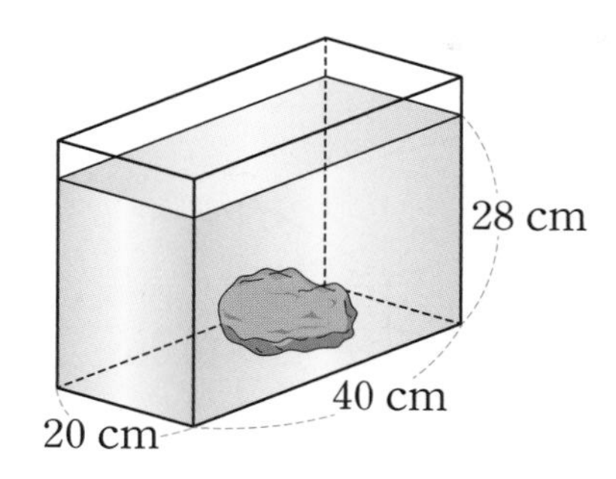

( )

10 그림은 직육면체 모양 나무토막의 윗면의 가운데에 한 변의 길이가 8 cm인 정사각형 모양의 구멍을 뚫어 만든 입체도형입니다. 입체도형의 부피는 몇 cm^3일까요? (단, 구멍은 반대쪽 바닥면을 통과하도록 뚫었습니다.)

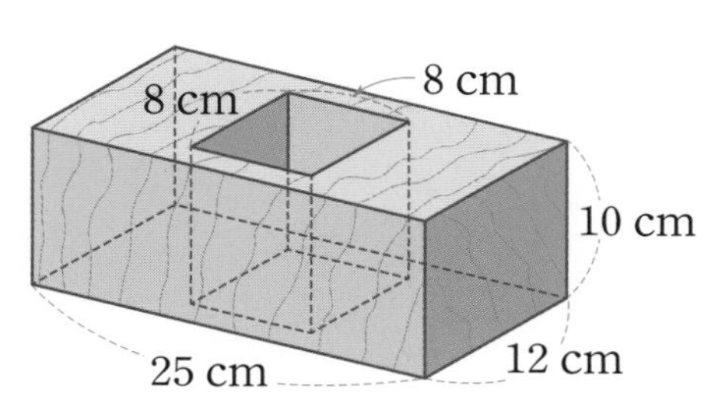

( )

11 정육면체 모양의 벽돌을 물이 담겨 있는 직육면체 모양의 수조에 완전히 잠기도록 넣으려고 합니다. 물의 높이는 몇 cm가 될까요?

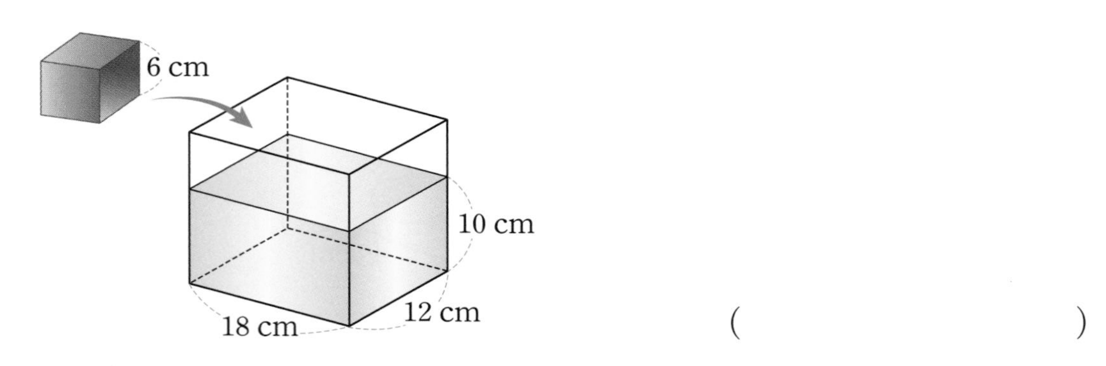

( )

12 그림은 정육면체 모양 나무토막의 각 면의 가운데에 한 변의 길이가 4 cm인 정사각형 모양의 구멍을 뚫어 만든 입체도형입니다. 입체도형의 부피는 몇 cm^3일까요? (단, 각 구멍은 반대쪽 면을 통과하도록 뚫었습니다.)

( )

13 한 모서리의 길이가 1 cm인 정육면체 모양의 쌓기나무 10개를 면끼리 맞닿도록 이어 붙여 직육면체를 만들려고 합니다. 만들 수 있는 직육면체 모양 중 겉넓이가 가장 넓은 직육면체의 겉넓이는 몇 cm^2일까요?

( )

Go!
매쓰

사고력 중심

교과서 GO! 사고력 GO!

GO! 매쓰

정답과 풀이 수학 6-1

열심히
풀었으니까,
한 번 맞춰 볼까?

유형 1 몫의 크기 비교하기 (문제 해결)

1 연료 1 L로 갈 수 있는 거리를 나타낸 값을 자동차의 연비라고 합니다. 자동차 A, B, C 중 어느 자동차의 연비가 가장 높은지 구해 보세요.

연료 5 L로 63 km 갑니다.
연료 9 L로 104 km 갑니다.
연료 7 L로 93 km 갑니다.
A
B
C

❶ 자동차 A가 연료 1 L로 갈 수 있는 거리는 몇 km인지 분수로 나타내어 보세요.

$\frac{63}{5}$ km $\left(=12\frac{3}{5}\text{ km}\right)$

✤ $63\div5=\frac{63}{5}=12\frac{3}{5}$ (km)

❷ 자동차 B가 연료 1 L로 갈 수 있는 거리는 몇 km인지 분수로 나타내어 보세요.

$\frac{104}{9}$ km $\left(=11\frac{5}{9}\text{ km}\right)$

✤ $104\div9=\frac{104}{9}=11\frac{5}{9}$ (km)

❸ 자동차 C가 연료 1 L로 갈 수 있는 거리는 몇 km인지 분수로 나타내어 보세요.

$\frac{93}{7}$ km $\left(=13\frac{2}{7}\text{ km}\right)$

✤ $93\div7=\frac{93}{7}=13\frac{2}{7}$ (km)

❹ 어느 자동차의 연비가 가장 높은지 구해 보세요.

(자동차 C)

✤ $13\frac{2}{7}>12\frac{3}{5}>11\frac{5}{9}$이므로 자동차 C의 연비가 가장 높습니다.

2 물 3 L는 병 4개에, 물 5 L는 병 7개에 남김없이 똑같이 나누어 담으려고 합니다. 나누어 담는 병의 모양과 크기가 같다면 가와 나 중 어느 병에 담길 물이 더 많은지 구해 보세요.

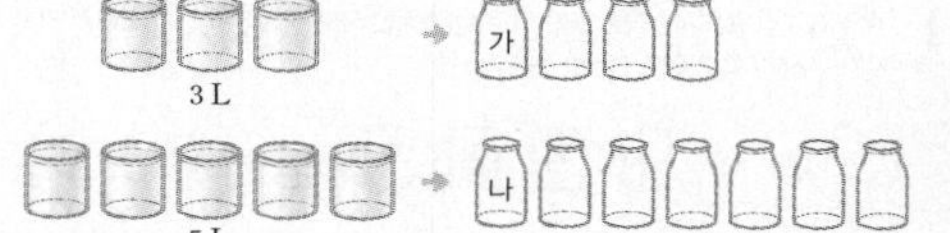

(병 가)

✤ 가에는 $3\div4=\frac{3}{4}$ (L), 나에는 $5\div7=\frac{5}{7}$ (L)가 담깁니다.
따라서 $\left(\frac{3}{4}, \frac{5}{7}\right)\to\left(\frac{21}{28}, \frac{20}{28}\right)\to\frac{21}{28}>\frac{20}{28}$이므로 병 가에 담길 물이 더 많습니다.

3 무게가 각각 같은 두 가지 색깔의 구슬이 있습니다. 1개의 무게가 더 무거운 구슬은 어떤 색 구슬인지 구해 보세요.

종류	개수	총 무게
빨간색 구슬	3개	$\frac{8}{7}$ kg
파란색 구슬	4개	$\frac{15}{7}$ kg

(파란색 구슬)

✤ (빨간색 구슬 1개의 무게)$=\frac{8}{7}\div3=\frac{8}{7}\times\frac{1}{3}=\frac{8}{21}$ (kg)
(파란색 구슬 1개의 무게)$=\frac{15}{7}\div4=\frac{15}{7}\times\frac{1}{4}=\frac{15}{28}$ (kg)
따라서 $\left(\frac{8}{21}, \frac{15}{28}\right)\to\left(\frac{32}{84}, \frac{45}{84}\right)\to\frac{32}{84}<\frac{45}{84}$이므로 파란색 구슬이 더 무겁습니다.

1 단원

유형 2 도형의 둘레 구하기 (추론)

1 모눈종이 위에 그린 L의 둘레가 $9\frac{3}{5}$ cm일 때 E의 둘레는 몇 cm인지 기약분수로 나타내어 보세요.

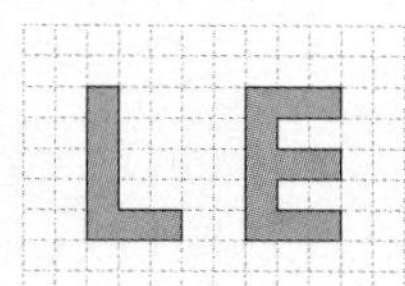

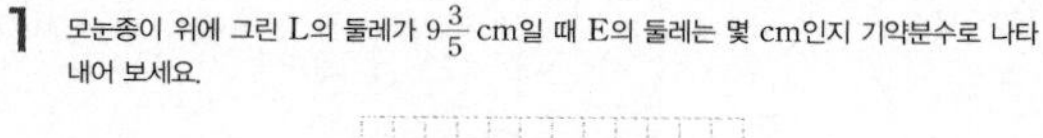

❶ L은 가장 작은 정사각형의 변 몇 개로 이루어져 있는지 구해 보세요.

(16개)

❷ 가장 작은 정사각형의 한 변은 몇 cm인지 기약분수로 나타내어 보세요.

($\frac{3}{5}$ cm)

✤ $9\frac{3}{5}\div16=\frac{48}{5}\div16=\frac{48\div16}{5}=\frac{3}{5}$ (cm)

❸ E는 가장 작은 정사각형의 변 몇 개로 이루어져 있는지 구해 보세요.

(24개)

❹ E의 둘레는 몇 cm인지 기약분수로 나타내어 보세요.

$\frac{72}{5}$ cm $\left(=14\frac{2}{5}\text{ cm}\right)$

✤ $\frac{3}{5}\times24=\frac{72}{5}=14\frac{2}{5}$ (cm)

2 모눈종이 위에 그린 F의 둘레가 $11\frac{3}{7}$ cm일 때 H의 둘레는 몇 cm인지 기약분수로 나타내어 보세요.

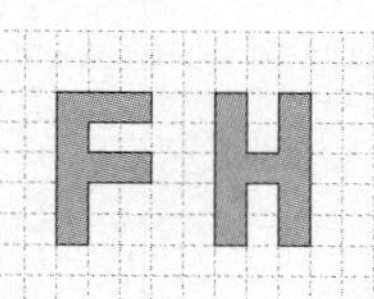

$\frac{96}{7}$ cm $\left(=13\frac{5}{7}\text{ cm}\right)$

✤ F는 가장 작은 정사각형의 변 20개로 이루어져 있습니다.
(가장 작은 정사각형의 한 변의 길이)$=11\frac{3}{7}\div20=\frac{80}{7}\div20=\frac{80\div20}{7}=\frac{4}{7}$ (cm)
H는 가장 작은 정사각형의 변 24개로 이루어져 있습니다.
→ (H의 둘레)$=\frac{4}{7}\times24=\frac{96}{7}=13\frac{5}{7}$ (cm)

3 둘레가 $\frac{10}{13}$ m인 정사각형을 똑같은 크기의 정사각형 25개로 나누었습니다. 가장 작은 정사각형 한 개의 둘레는 몇 m인지 기약분수로 나타내어 보세요.

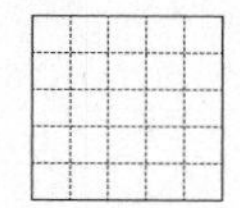

($\frac{2}{13}$ m)

✤ (처음 정사각형의 한 변의 길이)$=\frac{10}{13}\div4=\frac{\overset{5}{\cancel{10}}}{13}\times\frac{1}{\underset{2}{\cancel{4}}}=\frac{5}{26}$ (m)
(가장 작은 정사각형의 한 변의 길이)$=\frac{5}{26}\div5=\frac{5\div5}{26}=\frac{1}{26}$ (m)
→ (가장 작은 정사각형 한 개의 둘레)$=\frac{1}{\underset{13}{\cancel{26}}}\times\overset{2}{\cancel{4}}=\frac{2}{13}$ (m)

1 단원

유형 3 조건에 맞는 분수의 나눗셈 (추론)

1 수 카드 4장 중에서 3장을 골라 각각 한 번씩만 모두 사용하여 계산 결과가 가장 큰 (진분수)÷(자연수)를 만들고 계산해 보세요.

2 3 5 7 → □/□ ÷ □

① 알맞은 말에 ○표 하세요.

먼저 나누는 수에 가장 (큰 , (작은)) 수를 놓고, 나누어지는 수에 나머지 수로 만들 수 있는 진분수 중 가장 ((큰), 작은) 수를 놓아야 합니다.

② 나누는 수에 알맞은 수를 구해 보세요. (2)

✤ 가장 작은 수를 놓아야 하므로 2입니다.

③ ②에서 구한 수를 제외한 나머지 수로 만들 수 있는 진분수 중 가장 큰 수를 구해 보세요. ($\frac{5}{7}$)

✤ 나머지 3, 5, 7로 만들 수 있는 진분수는 $\frac{3}{5}$, $\frac{3}{7}$, $\frac{5}{7}$입니다.

$\frac{3}{5}>\frac{3}{7}$이고 $\frac{3}{5}\left(=\frac{21}{35}\right)<\frac{5}{7}\left(=\frac{25}{35}\right)$이므로 가장 큰 수는 $\frac{5}{7}$입니다.

④ 계산 결과가 가장 큰 (진분수)÷(자연수)를 만들고 계산해 보세요.

$\frac{5}{7}\div 2$ ($\frac{5}{14}$)

✤ $\frac{5}{7}\div 2=\frac{5}{7}\times\frac{1}{2}=\frac{5}{14}$

2 수 카드 4장 중에서 3장을 골라 각각 한 번씩만 모두 사용하여 계산 결과가 가장 큰 (진분수)÷(자연수)를 만들고 계산해 보세요.

3 4 7 9 → $\frac{7}{9}\div 3$ ($\frac{7}{27}$)

✤ 가장 작은 수인 3을 나누는 수로 합니다.

나머지 4, 7, 9로 만들 수 있는 진분수는 $\frac{4}{7}$, $\frac{4}{9}$, $\frac{7}{9}$입니다.

$\frac{4}{7}>\frac{4}{9}$이고 $\frac{4}{7}\left(=\frac{36}{63}\right)<\frac{7}{9}\left(=\frac{49}{63}\right)$이므로 가장 큰 수는 $\frac{7}{9}$입니다.

→ $\frac{7}{9}\div 3=\frac{7}{9}\times\frac{1}{3}=\frac{7}{27}$

3 수 카드 4장을 각각 한 번씩만 모두 사용하여 계산 결과가 가장 큰 (대분수)÷(자연수)를 만들고 계산해 보세요.

2 3 7 8 → $8\frac{3}{7}\div 2$ ($\frac{59}{14}\left(=4\frac{3}{14}\right)$)

✤ 가장 작은 수인 2를 나누는 수로 합니다.

나머지 3, 7, 8로 만들 수 있는 가장 큰 대분수는 $8\frac{3}{7}$입니다.

→ $8\frac{3}{7}\div 2=\frac{59}{7}\div 2=\frac{59}{7}\times\frac{1}{2}=\frac{59}{14}=4\frac{3}{14}$

4 수 카드 4장을 각각 한 번씩만 모두 사용하여 ▲, ■, ●, ★에 넣어 계산 결과가 가장 클 때의 값을 구해 보세요. (단, $\frac{▲}{■}$는 진분수, 가분수 중 어느 것도 될 수 있습니다.)

2 5 7 9 → $\frac{▲}{■}\div●\div★$ ($\frac{9}{70}$)

✤ $\frac{▲}{■}\div●\div★$는 $\frac{▲}{■}\times\frac{1}{●}\times\frac{1}{★}$로 계산할 수 있습니다.

나눗셈의 결과가 가장 클 때는 ■, ●, ★의 곱이 가장 작을 때입니다.

따라서 ▲에 가장 큰 수가 들어가고 ■, ●, ★에 나머지 수가 들어가야 합니다.

→ $\frac{9}{2}\div 5\div 7=\frac{9}{2}\times\frac{1}{5}\times\frac{1}{7}=\frac{9}{70}$

유형 4 색칠한 부분의 넓이 구하기 (문제 해결)

1 다음 그림은 직사각형의 네 변의 한가운데를 이어 그린 것입니다. 색칠한 부분의 넓이는 몇 cm²인지 기약분수로 나타내어 보세요.

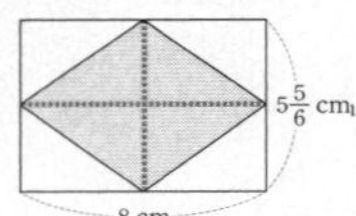

① 직사각형의 넓이는 몇 cm²인지 기약분수로 나타내어 보세요. $\frac{140}{3}$ cm² $\left(=46\frac{2}{3}\text{ cm}^2\right)$

✤ $8\times 5\frac{5}{6}=\overset{4}{\cancel{8}}\times\frac{35}{\underset{3}{\cancel{6}}}=\frac{140}{3}=46\frac{2}{3}$ (cm²)

② 직사각형의 네 변의 한가운데를 마주 보는 변끼리 점선으로 이어 보세요.

③ 색칠한 부분의 넓이는 몇 cm²인지 기약분수로 나타내어 보세요. $\frac{70}{3}$ cm² $\left(=23\frac{1}{3}\text{ cm}^2\right)$

✤ 색칠한 부분의 넓이는 직사각형 넓이의 반입니다.

→ $46\frac{2}{3}\div 2=\frac{140}{3}\div 2=\frac{140\div 2}{3}=\frac{70}{3}=23\frac{1}{3}$ (cm²)

2 다음 그림은 직사각형의 두 꼭짓점과 한 변의 한가운데를 이어 그린 것입니다. 색칠한 부분의 넓이는 몇 cm²인지 기약분수로 나타내어 보세요.

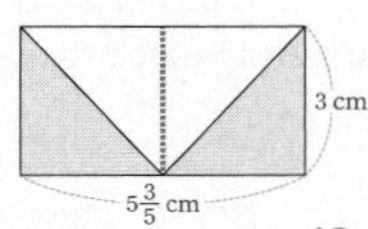

$\frac{42}{5}$ cm² $\left(=8\frac{2}{5}\text{ cm}^2\right)$

✤ (직사각형의 넓이) $=5\frac{3}{5}\times 3=\frac{28}{5}\times 3=\frac{84}{5}$ (cm²)

색칠한 부분의 넓이는 직사각형 넓이의 반입니다.

→ $\frac{84}{5}\div 2=\frac{84\div 2}{5}=\frac{42}{5}=8\frac{2}{5}$ (cm²)

3 다음 그림은 가장 큰 정사각형을 똑같은 크기의 작은 정사각형 9개로 나누어 그린 것입니다. 가장 큰 정사각형의 둘레가 $9\frac{3}{5}$ cm일 때 색칠한 부분의 넓이는 몇 cm²인지 기약분수로 나타내어 보세요.

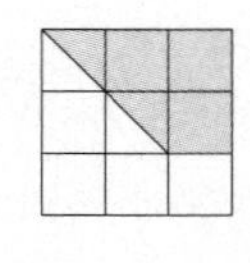

$\frac{64}{25}$ cm² $\left(=2\frac{14}{25}\text{ cm}^2\right)$

✤ (가장 큰 정사각형의 한 변)

$=9\frac{3}{5}\div 4=\frac{48}{5}\div 4$

$=\frac{48\div 4}{5}=\frac{12}{5}$ (cm)

(가장 큰 정사각형의 넓이) $=\frac{12}{5}\times\frac{12}{5}=\frac{144}{25}$ (cm²)

(작은 정사각형 1개의 넓이) $=\frac{144}{25}\div 9=\frac{144\div 9}{25}=\frac{16}{25}$ (cm²)

색칠한 부분의 넓이는 작은 정사각형 4개의 넓이와 같으므로

$\frac{16}{25}\times 4=\frac{64}{25}=2\frac{14}{25}$ (cm²)입니다.

유형 5 일의 양 구하기 (문제 해결)

정답과 풀이 3쪽

1 어떤 일을 하는 데 강호와 윤하가 일하는 양은 다음과 같습니다. 두 사람이 함께 일을 시작하면 일을 끝내는 데 며칠이 걸리는지 구해 보세요. (단, 두 사람이 하루에 일하는 양은 각각 일정합니다.)

난 3일 동안 전체 $\frac{3}{10}$을 해.
강호

난 4일 동안 전체 $\frac{2}{5}$를 해.
윤하

① 강호가 하루에 일하는 양을 기약분수로 나타내어 보세요. ($\frac{1}{10}$)

✤ $\frac{3}{10} \div 3 = \frac{3 \div 3}{10} = \frac{1}{10}$

② 윤하가 하루에 일하는 양을 기약분수로 나타내어 보세요. ($\frac{1}{10}$)

✤ $\frac{2}{5} \div 4 = \frac{\overset{1}{\cancel{2}}}{5} \times \frac{1}{\underset{2}{\cancel{4}}} = \frac{1}{10}$

③ 두 사람이 함께 일을 했을 때 하루에 일하는 양을 기약분수로 나타내어 보세요. ($\frac{1}{5}$)

✤ $\frac{1}{10} + \frac{1}{10} = \frac{2}{10} = \frac{1}{5}$

④ 두 사람이 함께 일을 시작하면 일을 끝내는 데 며칠이 걸리는지 구해 보세요. (5일)

✤ 하루에 전체의 $\frac{1}{5}$을 하므로 5일이 걸립니다.

2 어떤 일을 하는 데 현서와 은주가 일하는 양은 다음과 같습니다. 두 사람이 함께 일을 시작하면 일을 끝내는 데 며칠이 걸리는지 구해 보세요. (단, 두 사람이 하루에 일하는 양은 각각 일정합니다.)

난 3일 동안 전체의 $\frac{1}{4}$을 해.
난 4일 동안 전체의 $\frac{1}{6}$을 해.
현서
은주

(8일)

✤ (현서가 하루에 일하는 양) $= \frac{1}{4} \div 3 = \frac{1}{4} \times \frac{1}{3} = \frac{1}{12}$

(은주가 하루에 일하는 양) $= \frac{1}{6} \div 4 = \frac{1}{6} \times \frac{1}{4} = \frac{1}{24}$

(두 사람이 함께 일을 했을 때 하루에 일하는 양) $= \frac{1}{12} + \frac{1}{24} = \frac{2}{24} + \frac{1}{24} = \frac{3}{24} = \frac{1}{8}$

따라서 하루에 전체의 $\frac{1}{8}$을 하므로 8일이 걸립니다.

3 어떤 일을 하는 데 은정이는 3일 동안 전체의 $\frac{1}{3}$을 하고, 주헌이는 9일 동안 전체의 $\frac{1}{2}$을 합니다. 3일 동안 주헌이가 혼자서 일한 후 두 사람이 함께 일을 한다면 일을 시작하여 끝내는 데 모두 며칠이 걸리는지 구해 보세요. (단, 두 사람이 하루에 일하는 양은 각각 일정합니다.)

(8일)

✤ 은정: $\frac{1}{3} \div 3 = \frac{1}{9}$, 주헌: $\frac{1}{2} \div 9 = \frac{1}{18}$

(주헌이가 3일 동안 일하는 양) $= \frac{1}{\underset{6}{\cancel{18}}} \times \overset{1}{\cancel{3}} = \frac{1}{6}$

(두 사람이 함께 일을 했을 때 하루에 일하는 양) $= \frac{1}{9} + \frac{1}{18} = \frac{2}{18} + \frac{1}{18} = \frac{3}{18} = \frac{1}{6}$

3일 동안 주헌이가 혼자서 일한 후 남은 양은 전체의 $1 - \frac{1}{6} = \frac{5}{6}$이고 두 사람이 함께 하루에 전체의 $\frac{1}{6}$을 하므로 5일이 더 걸립니다.

따라서 모두 $3 + 5 = 8$(일)이 걸립니다.

유형 6 마주 보는 면에 있는 수 구하기 (추론)

정답과 풀이 3쪽

1 마주 보는 두 면에 있는 두 수의 곱이 일정하도록 정육면체의 전개도를 만들었습니다. 정육면체의 전개도를 보고 ㉠과 ㉡에 알맞은 수를 기약분수로 나타내어 보세요.

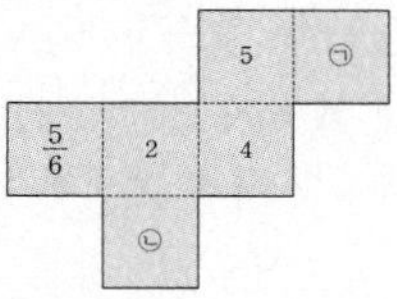

(전개도: 5, ㉠ / $\frac{5}{6}$, 2, 4 / ㉡)

① 마주 보는 두 면에 있는 두 수의 곱을 기약분수로 나타내어 보세요. ($\frac{10}{3}\left(=3\frac{1}{3}\right)$)

✤ $\frac{5}{\underset{3}{\cancel{6}}} \times \overset{2}{\cancel{4}} = \frac{10}{3} = 3\frac{1}{3}$

② ㉠에 알맞은 수를 기약분수로 나타내어 보세요. ($\frac{5}{3}\left(=1\frac{2}{3}\right)$)

✤ ㉠과 마주 보는 면에 있는 수는 2이므로 ㉠ $\times 2 = 3\frac{1}{3}$입니다.

㉠ $= 3\frac{1}{3} \div 2 = \frac{10}{3} \div 2 = \frac{10 \div 2}{3} = \frac{5}{3} = 1\frac{2}{3}$

③ ㉡에 알맞은 수를 기약분수로 나타내어 보세요. ($\frac{2}{3}$)

✤ ㉡과 마주 보는 면에 있는 수는 5이므로 ㉡ $\times 5 = 3\frac{1}{3}$입니다.

㉡ $= 3\frac{1}{3} \div 5 = \frac{10}{3} \div 5 = \frac{10 \div 5}{3} = \frac{2}{3}$

2 마주 보는 두 면에 있는 두 수의 곱이 일정하도록 정육면체의 전개도를 만들었습니다. 정육면체의 전개도를 보고 ㉠과 ㉡에 알맞은 수를 기약분수로 나타내어 보세요.

(1) (전개도: 9 / 7, ㉠, ㉡, 3 / $\frac{7}{12}$)

✤ 마주 보는 면에 있는 두 수의 곱은 $\frac{7}{\underset{4}{\cancel{12}}} \times \overset{3}{\cancel{9}} = \frac{21}{4}$입니다.

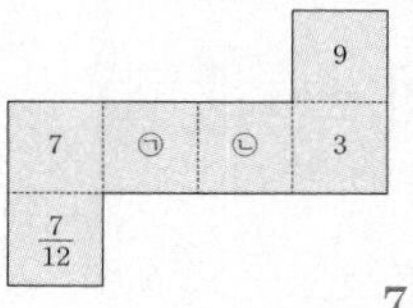

㉠ $\times 3 = \frac{21}{4}$이므로 ㉠ $= \frac{21}{4} \div 3 = \frac{21 \div 3}{4} = \frac{7}{4} = 1\frac{3}{4}$입니다.

㉠ ($\frac{7}{4}\left(=1\frac{3}{4}\right)$), ㉡ ($\frac{3}{4}$)

㉡ $\times 7 = \frac{21}{4}$이므로 ㉡ $= \frac{21}{4} \div 7 = \frac{21 \div 7}{4} = \frac{3}{4}$입니다.

(2) (전개도: $\frac{15}{16}$, ㉠, 8 / ㉡, 3, 5)

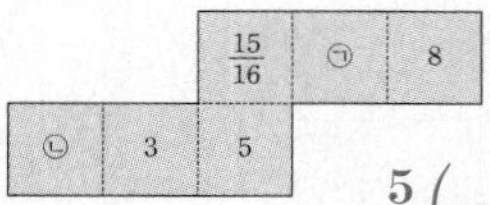

✤ 마주 보는 면에 있는 두 수의 곱은 $\frac{15}{\underset{2}{\cancel{16}}} \times \overset{1}{\cancel{8}} = \frac{15}{2}$입니다.

㉠ ($\frac{5}{2}\left(=2\frac{1}{2}\right)$), ㉡ ($\frac{3}{2}\left(=1\frac{1}{2}\right)$)

㉠ $\times 3 = \frac{15}{2}$이므로 ㉠ $= \frac{15}{2} \div 3 = \frac{15 \div 3}{2} = \frac{5}{2} = 2\frac{1}{2}$입니다.

㉡ $\times 5 = \frac{15}{2}$이므로 ㉡ $= \frac{15}{2} \div 5 = \frac{15 \div 5}{2} = \frac{3}{2} = 1\frac{1}{2}$입니다.

(3)

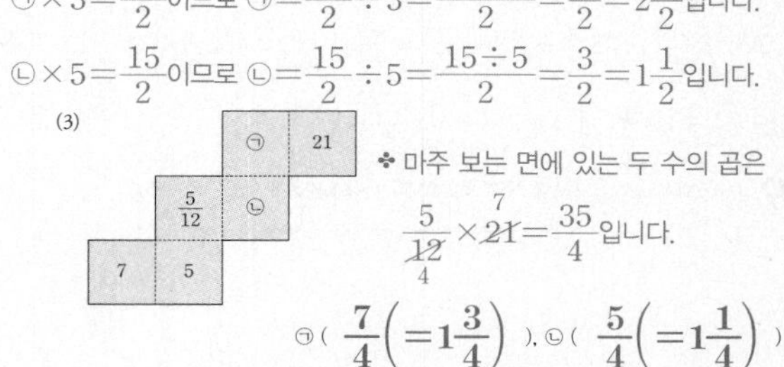

㉠
21
$\frac{5}{12}$
㉡
7
5

✤ 마주 보는 면에 있는 두 수의 곱은 $\frac{5}{\underset{4}{\cancel{12}}} \times \overset{7}{\cancel{21}} = \frac{35}{4}$입니다.

㉠ ($\frac{7}{4}\left(=1\frac{3}{4}\right)$), ㉡ ($\frac{5}{4}\left(=1\frac{1}{4}\right)$)

㉠ $\times 5 = \frac{35}{4}$이므로 ㉠ $= \frac{35}{4} \div 5 = \frac{35 \div 5}{4} = \frac{7}{4} = 1\frac{3}{4}$입니다.

㉡ $\times 7 = \frac{35}{4}$이므로 ㉡ $= \frac{35}{4} \div 7 = \frac{35 \div 7}{4} = \frac{5}{4} = 1\frac{1}{4}$입니다.

사고력 종합 평가

1 ▲에 알맞은 수를 기약분수로 나타내어 보세요. (단, 같은 모양은 같은 수를 나타냅니다.)

$■×9=7\frac{1}{5}$　　$■÷8=▲$

($\frac{1}{10}$)

✣ $■×9=7\frac{1}{5}$, $■=7\frac{1}{5}÷9=\frac{36}{5}÷9=\frac{36÷9}{5}=\frac{4}{5}$입니다.

따라서 $\frac{4}{5}÷8=▲$, $▲=\frac{\cancel{4}^{1}}{5}×\frac{1}{\cancel{8}_{2}}=\frac{1}{10}$입니다.

2 길이가 $\frac{15}{16}$ km인 도로의 한쪽에 처음부터 끝까지 같은 간격으로 가로수 21그루를 심으려고 합니다. 가로수 사이의 간격을 몇 km로 해야 하는지 기약분수로 나타내어 보세요. (단, 가로수의 굵기는 생각하지 않습니다.)

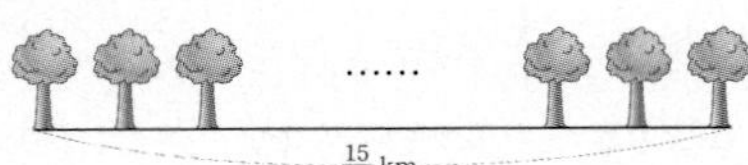

($\frac{3}{64}$ km)

✣ (가로수 사이의 간격의 수)=(가로수의 수)$-1=21-1=20$(군데)

(가로수 사이의 간격)$=\frac{15}{16}÷20=\frac{\cancel{15}^{3}}{16}×\frac{1}{\cancel{20}_{4}}=\frac{3}{64}$ (km)

3 모눈종이 위에 그린 T의 둘레가 $7\frac{1}{9}$ cm일 때 I의 둘레는 몇 cm인지 기약분수로 나타내어 보세요.

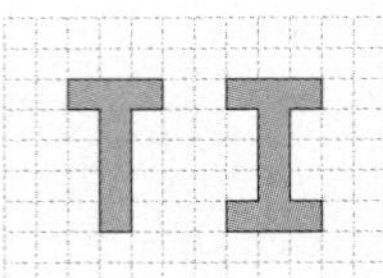

($\frac{80}{9}$ cm $\left(=8\frac{8}{9}\text{ cm}\right)$)

✣ T는 가장 작은 정사각형의 변 16개로 이루어져 있습니다.

(가장 작은 정사각형의 한 변의 길이)$=7\frac{1}{9}÷16=\frac{64}{9}÷16=\frac{64÷16}{9}=\frac{4}{9}$ (cm)

I는 가장 작은 정사각형의 변 20개로 이루어져 있습니다.

➜ (I의 둘레)$=\frac{4}{9}×20=\frac{80}{9}=8\frac{8}{9}$ (cm)

4 어떤 자연수를 8로 나누어야 할 것을 잘못하여 3으로 나누었더니 7이 되었습니다. 바르게 계산한 값을 분수로 나타내어 보세요.

($\frac{21}{8}\left(=2\frac{5}{8}\right)$)

✣ 어떤 자연수를 □라 하면 잘못 계산한 식은 □$÷3=7$이므로 □$=7×3=21$입니다.

따라서 바르게 계산하면 $21÷8=\frac{21}{8}=2\frac{5}{8}$입니다.

5 정오각형의 둘레와 정육각형의 둘레가 같습니다. 정육각형의 한 변의 길이는 몇 cm인지 분수로 나타내어 보세요.

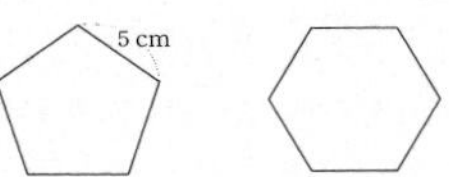

($\frac{25}{6}$ cm $\left(=4\frac{1}{6}\text{ cm}\right)$)

✣ 정오각형은 다섯 변의 길이가 같으므로 정오각형의 둘레는 $5×5=25$ (cm)입니다.

정육각형은 여섯 변의 길이가 같으므로 정육각형의 한 변의 길이는 $25÷6=\frac{25}{6}=4\frac{1}{6}$ (cm)입니다.

6 자동차 ㉠, ㉡, ㉢이 간 거리와 걸린 시간입니다. 자동차 ㉠, ㉡, ㉢ 중 어느 자동차가 1시간 동안 가장 먼 거리를 갔는지 구해 보세요. (단, 1시간 동안 간 거리는 각각 일정합니다.)

자동차	간 거리	걸린 시간
㉠	$134\frac{2}{3}$ km	2시간
㉡	$212\frac{1}{4}$ km	3시간
㉢	$273\frac{3}{5}$ km	4시간

(㉡)

✣ (㉠이 한 시간 동안 간 거리)$=134\frac{2}{3}÷2=\frac{404}{3}÷2=\frac{202}{3}=67\frac{1}{3}$ (km)

(㉡이 한 시간 동안 간 거리)$=212\frac{1}{4}÷3=\frac{849}{4}÷3=\frac{283}{4}=70\frac{3}{4}$ (km)

(㉢이 한 시간 동안 간 거리)$=273\frac{3}{5}÷4=\frac{1368}{5}÷4=\frac{342}{5}=68\frac{2}{5}$ (km)

➜ $70\frac{3}{4}>68\frac{2}{5}>67\frac{1}{3}$이므로 ㉡>㉢>㉠입니다.

사고력 종합 평가

7 수 카드 4장을 각각 한 번씩만 모두 사용하여 계산 결과가 가장 작은 (대분수)÷(자연수)를 만들고 계산해 보세요.

[1] [3] [5] [8] ➜ $1\frac{3}{5}÷8$

($\frac{1}{5}$)

✣ 가장 큰 수인 8을 나누는 수로 합니다.

나머지 1, 3, 5로 만들 수 있는 가장 작은 대분수는 $1\frac{3}{5}$입니다.

➜ $1\frac{3}{5}÷8=\frac{8}{5}÷8=\frac{8÷8}{5}=\frac{1}{5}$

8 둘레가 $\frac{14}{17}$ m인 정사각형을 똑같은 크기의 정사각형 49개로 나누었습니다. 가장 작은 정사각형 한 개의 둘레는 몇 m인지 기약분수로 나타내어 보세요.

($\frac{2}{17}$ m)

✣ (처음 정사각형의 한 변의 길이)

$=\frac{14}{17}÷4=\frac{\cancel{14}^{7}}{17}×\frac{1}{\cancel{4}_{2}}=\frac{7}{34}$ (m)

(가장 작은 정사각형의 한 변의 길이)$=\frac{7}{34}÷7=\frac{7÷7}{34}=\frac{1}{34}$ (m)

➜ (가장 작은 정사각형 한 개의 둘레)$=\frac{1}{\cancel{34}_{17}}×\cancel{4}^{2}=\frac{2}{17}$ (m)

9 수직선에서 $\frac{2}{3}$와 $\frac{6}{7}$ 사이를 3등분 하였습니다. ㉠에 알맞은 분수를 구해 보세요.

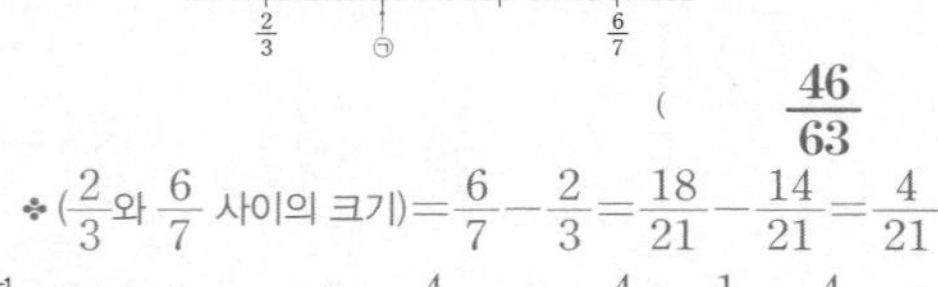

($\frac{46}{63}$)

✣ ($\frac{2}{3}$와 $\frac{6}{7}$ 사이의 크기)$=\frac{6}{7}-\frac{2}{3}=\frac{18}{21}-\frac{14}{21}=\frac{4}{21}$

(눈금 한 칸의 크기)$=\frac{4}{21}÷3=\frac{4}{21}×\frac{1}{3}=\frac{4}{63}$

➜ ㉠$=\frac{2}{3}+\frac{4}{63}=\frac{42}{63}+\frac{4}{63}=\frac{46}{63}$

10 수 카드 4장을 각각 한 번씩만 모두 사용하여 ▲, ■, ●, ★에 넣어 계산 결과가 가장 작을 때의 값을 구해 보세요. (단, $\frac{▲}{■}$는 진분수, 가분수 중 어느 것도 될 수 있습니다.)

[1] [3] [4] [6] ➜ $\frac{▲}{■}÷●÷★$

($\frac{1}{72}$)

✣ $\frac{▲}{■}÷●÷★$는 $\frac{▲}{■}×\frac{1}{●}×\frac{1}{★}$로 계산할 수 있습니다.

나눗셈의 결과가 가장 작을 때는 ■, ●, ★의 곱이 가장 클 때입니다.

따라서 ▲에 가장 작은 수가 들어가고 ■, ●, ★에 나머지 수가 들어가야 합니다.

➜ $\frac{1}{3}÷4÷6=\frac{1}{3}×\frac{1}{4}×\frac{1}{6}=\frac{1}{72}$

11 어떤 일을 하는 데 부길이는 3일 동안 전체의 $\frac{1}{8}$을 하고, 세현이는 4일 동안 전체의 $\frac{1}{6}$을 합니다. 두 사람이 함께 일을 시작하면 일을 끝내는 데 며칠이 걸리는지 구해 보세요. (단, 두 사람이 하루에 일하는 양은 각각 일정합니다.)

(12일)

✣ 부길: $\frac{1}{8}÷3=\frac{1}{24}$, 세현: $\frac{1}{6}÷4=\frac{1}{24}$

(두 사람이 함께 일을 했을 때 하루에 일하는 양)$=\frac{1}{24}+\frac{1}{24}=\frac{2}{24}=\frac{1}{12}$

따라서 하루에 전체의 $\frac{1}{12}$을 하므로 12일이 걸립니다.

12 마주 보는 두 면에 있는 두 수의 곱이 일정하도록 정육면체의 전개도를 만들었습니다. 정육면체의 전개도를 보고 ㉠과 ㉡에 알맞은 수를 기약분수로 나타내어 보세요.

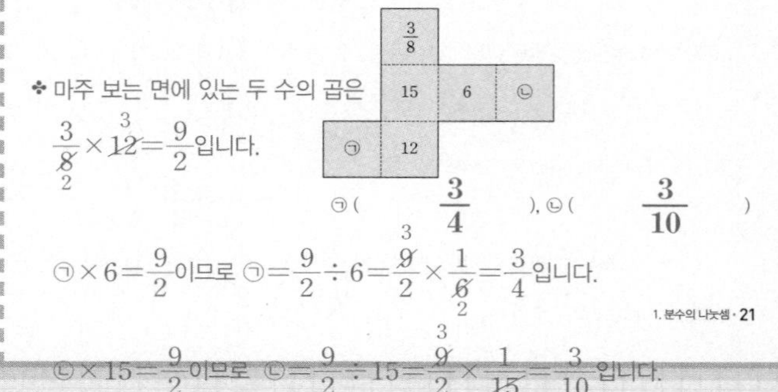

㉠ ($\frac{3}{4}$), ㉡ ($\frac{3}{10}$)

✣ 마주 보는 면에 있는 두 수의 곱은 $\frac{3}{\cancel{8}_{2}}×\cancel{12}^{3}=\frac{9}{2}$입니다.

㉠$×6=\frac{9}{2}$이므로 ㉠$=\frac{9}{2}÷6=\frac{\cancel{9}^{3}}{2}×\frac{1}{\cancel{6}_{2}}=\frac{3}{4}$입니다.

㉡$×15=\frac{9}{2}$이므로 ㉡$=\frac{9}{2}÷15=\frac{\cancel{9}^{3}}{2}×\frac{1}{\cancel{15}_{5}}=\frac{3}{10}$입니다.

사고력 종합 평가

정답과 풀이 5쪽

13 다음 그림은 큰 정사각형의 네 변의 한가운데를 이어서 작은 정사각형을 만드는 방법으로 정사각형 3개를 그린 것입니다. 색칠한 부분의 넓이는 몇 cm^2인지 기약분수로 나타내어 보세요.

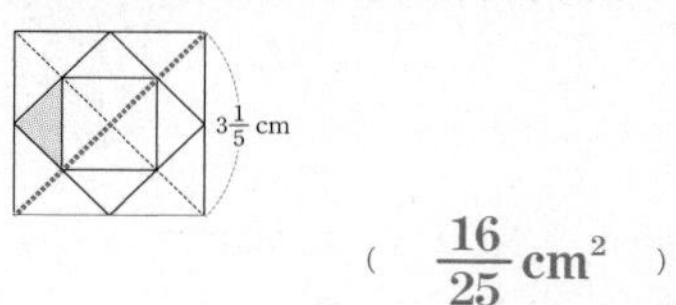

($\frac{16}{25}$ cm^2)

✤ (가장 큰 정사각형의 넓이)$=3\frac{1}{5}\times3\frac{1}{5}=\frac{16}{5}\times\frac{16}{5}=\frac{256}{25}(cm^2)$

색칠한 부분의 넓이는 가장 큰 정사각형을 똑같이 16으로 나눈 것 중의 1입니다.

➔ $\frac{256}{25}\div16=\frac{256\div16}{25}=\frac{16}{25}(cm^2)$

14 길이가 같은 색 테이프 3장을 $1\frac{1}{5}$ cm씩 겹치게 한 줄로 길게 이어 붙였더니 전체 길이가 6 cm가 되었습니다. 색 테이프 한 장의 길이는 몇 cm인지 기약분수로 나타내어 보세요.

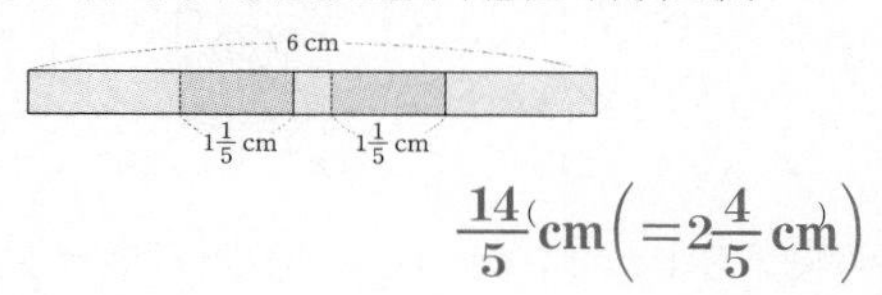

($\frac{14}{5}$ cm $\left(=2\frac{4}{5}\text{ cm}\right)$)

✤ (색 테이프 3장의 길이의 합)$=6+1\frac{1}{5}+1\frac{1}{5}=7\frac{1}{5}+1\frac{1}{5}=8\frac{2}{5}(cm)$

(색 테이프 한 장의 길이)$=8\frac{2}{5}\div3=\frac{42}{5}\div3=\frac{42\div3}{5}=\frac{14}{5}=2\frac{4}{5}(cm)$

15 칠판에 쓴 식을 이용하여 $\left(\frac{1}{6}+\frac{1}{12}+\frac{1}{20}\right)\div10$을 계산한 값을 기약분수로 나타내어 보세요.

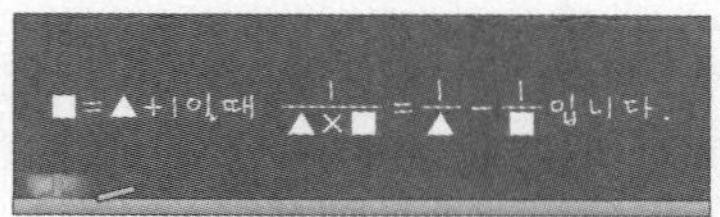

($\frac{3}{100}$)

✤ $\left(\frac{1}{6}+\frac{1}{12}+\frac{1}{20}\right)\div10=\left(\frac{1}{2\times3}+\frac{1}{3\times4}+\frac{1}{4\times5}\right)\div10$

$=\left\{\left(\frac{1}{2}-\frac{1}{3}\right)+\left(\frac{1}{3}-\frac{1}{4}\right)+\left(\frac{1}{4}-\frac{1}{5}\right)\right\}\div10$

$=\left(\frac{1}{2}-\frac{1}{5}\right)\div10=\left(\frac{5}{10}-\frac{2}{10}\right)\div10=\frac{3}{10}\div10=\frac{3}{10}\times\frac{1}{10}=\frac{3}{100}$

유형 1 입체도형 사다리 타기

창의 · 융합

정답과 풀이 5쪽

1 서유기에 등장하는 주인공 4명과 각기둥 모양의 보물 상자를 연결한 사다리 타기 게임을 완성하려고 합니다. 출발하는 주인공 이름과 도착하는 각기둥 이름의 □ 안에 들어갈 말이 같아지도록 가로선을 하나 더 그어 보세요.

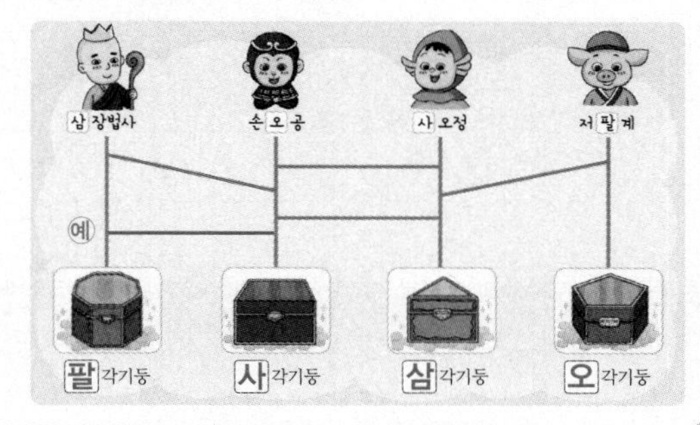

❶ 보물 상자를 보고 각기둥 이름의 □ 안에 알맞은 말을 써넣으세요.

✤ 각기둥은 밑면의 모양에 따라 이름이 정해집니다.

❷ 주어진 사다리를 타고 내려 가서 도착하는 곳에 있는 각기둥의 이름을 써 보세요.

출발하는 주인공	삼장법사	손오공	사오정	저팔계
각기둥의 이름	삼각기둥	오각기둥	팔각기둥	사각기둥

❸ 주인공 이름과 각기둥 이름의 □ 안에 들어갈 말이 같아지도록 가로선을 하나 더 그어 보세요.

✤ 사오정은 사각기둥, 저팔계는 팔각기둥에 도착하여야 하므로 사각기둥과 팔각기둥이 바뀔 수 있도록 가로선을 하나 긋습니다.

2 출발하는 곳의 각뿔과 도착하는 곳의 꼭짓점의 수가 맞도록 가로선을 하나 더 그어 보세요.

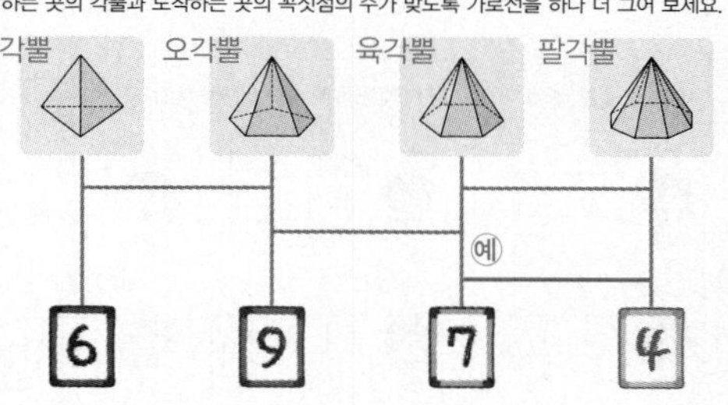

✤ ■각뿔의 꼭짓점의 수는 ■+1이므로 삼각뿔은 3+1=4, 오각뿔은 5+1=6, 육각뿔은 6+1=7, 팔각뿔은 8+1=9입니다.

➔ 주어진 사다리를 타고 내려 가면 삼각뿔은 7, 오각뿔은 6, 육각뿔은 4, 팔각뿔은 9에 도착하므로 7과 4가 바뀔 수 있도록 가로선을 하나 긋습니다.

2 단원

3 출발하는 곳의 전개도와 도착하는 곳의 각기둥이 맞도록 가로선을 3개 그어 보세요.

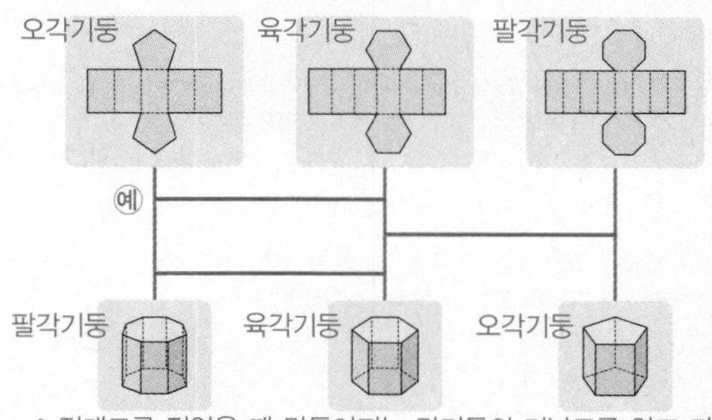

✤ 전개도를 접었을 때 만들어지는 각기둥의 겨냥도를 알고 가로선을 3개 긋습니다.

유형 ② 입체도형 자르기 (문제 해결)

정답과 풀이 6쪽

1 예지와 강호는 똑같은 각기둥을 가지고 있습니다. 그림과 같이 각기둥을 각각 서로 다른 방법으로 잘랐을 때 만들어진 두 입체도형의 면의 수의 합은 누가 얼마 더 큰지 구해 보세요.

① 예지와 강호가 자르기 전에 가지고 있던 각기둥의 이름을 써 보세요.

(삼각기둥)

✤ 밑면이 삼각형인 각기둥이므로 삼각기둥입니다.

② 예지와 강호가 잘랐을 때 만들어진 두 입체도형의 이름을 각각 써 보세요.

예지 (삼각기둥, 사각기둥)
강호 (삼각기둥, 삼각기둥)

✤ 예지: 밑면이 삼각형과 사각형으로 나누어지므로 삼각기둥과 사각기둥입니다.
강호: 밑면이 삼각형 2개로 나누어지므로 삼각기둥과 삼각기둥입니다.

③ 예지와 강호가 잘랐을 때 만들어진 두 입체도형의 면의 수의 합을 각각 구해 보세요.

예지 (11)
강호 (10)

✤ ■각기둥의 면의 수는 $■+2$입니다.
예지: 삼각기둥의 면의 수는 $3+2=5$,
사각기둥의 면의 수는 $4+2=6$이므로 합은 $5+6=11$입니다.
강호: 삼각기둥의 면의 수는 $3+2=5$이므로 합은 $5+5=10$입니다.

④ 예지와 강호가 잘랐을 때 만들어진 두 입체도형의 면의 수의 합은 누가 얼마 더 클까요?

(예지, 1)

✤ 잘랐을 때 만들어진 두 입체도형의 면의 수의 합은 예지가 강호보다 $11-10=1$ 더 큽니다.

2 그림과 같이 각기둥을 평면으로 잘랐을 때 만들어진 두 입체도형의 면의 수의 합을 구해 보세요.

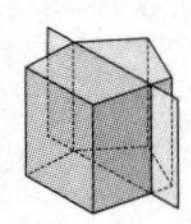

(12)

✤ 밑면이 사각형 2개로 나누어지므로 사각기둥이 2개 만들어집니다.
■각기둥의 면의 수는 $■+2$입니다.
➔ 사각기둥의 면의 수는 $4+2=6$이므로 합은 $6+6=12$입니다.

3 그림과 같이 각기둥을 평면으로 잘랐을 때 만들어진 두 입체도형의 꼭짓점의 수의 합을 구해 보세요.

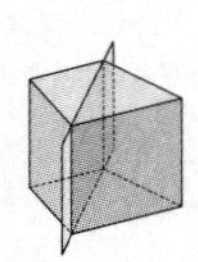

(12)

✤ 밑면이 삼각형 2개로 나누어지므로 삼각기둥이 2개 만들어집니다.
■각기둥의 꼭짓점의 수는 $■\times2$입니다.
➔ 삼각기둥의 꼭짓점의 수는 $3\times2=6$이므로 합은 $6+6=12$입니다.

4 그림과 같이 각기둥을 평면으로 잘랐을 때 만들어진 두 입체도형의 모서리의 수의 합을 구해 보세요.

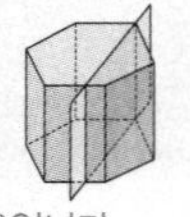

(27)

✤ 밑면이 사각형과 오각형으로 나누어지므로 사각기둥과 오각기둥이 만들어집니다.
■각기둥의 모서리의 수는 $■\times3$입니다.
➔ 사각기둥의 모서리의 수는 $4\times3=12$이고 오각기둥의 모서리의 수는 $5\times3=15$이므로 합은 $12+15=27$입니다.

유형 ③ 각기둥의 전개도 (추론)

정답과 풀이 6쪽

1 사각기둥의 전개도를 바르게 그린 학생을 모두 찾아 이름을 써 보세요.

서희 강호 민기 예지 은주 현서

맞닿는 선분의 길이가 다릅니다.

두 면이 겹칩니다.

① □ 안에 알맞은 수와 이름을 써넣으세요.

사각기둥의 밑면은 [2]개, 옆면은 [4]개이므로 전개도의 면은 모두 6개입니다.
면의 수를 비교해 보았을 때 사각기둥의 전개도를 잘못 그린 학생은 [강호]입니다.

② 전개도를 접었을 때 맞닿는 선분의 길이는 같습니다. 맞닿는 선분의 길이를 비교해 보았을 때 사각기둥의 전개도를 잘못 그린 학생은 누구일까요?

(민기)

③ 전개도를 접었을 때 겹치는 면은 없어야 합니다. 겹치는 면이 있는지를 비교해 보았을 때 사각기둥의 전개도를 잘못 그린 학생은 누구일까요?

(현서)

④ 사각기둥의 전개도를 바르게 그린 학생을 모두 찾아 이름을 써 보세요.

(서희, 예지, 은주)

2 각기둥의 전개도를 잘못 그린 것을 찾아 기호를 써 보세요.

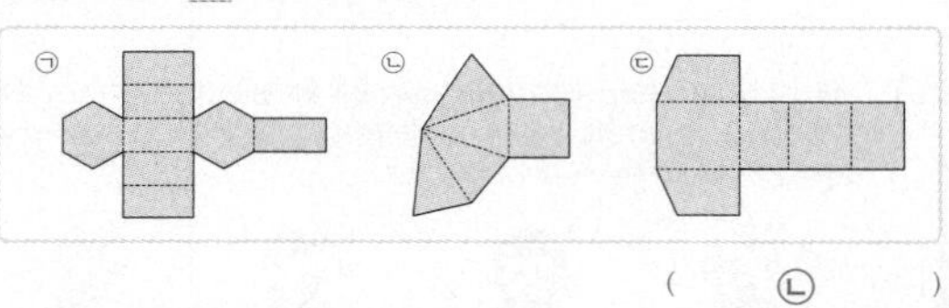

(㉡)

✤ 각기둥의 옆면은 모두 직사각형입니다.
㉠ 육각기둥, ㉡ 사각뿔, ㉢ 사각기둥

3 보기는 삼각기둥의 전개도를 나타낸 것입니다. 보기와 다른 모양의 삼각기둥의 전개도를 2개 그려 보세요.

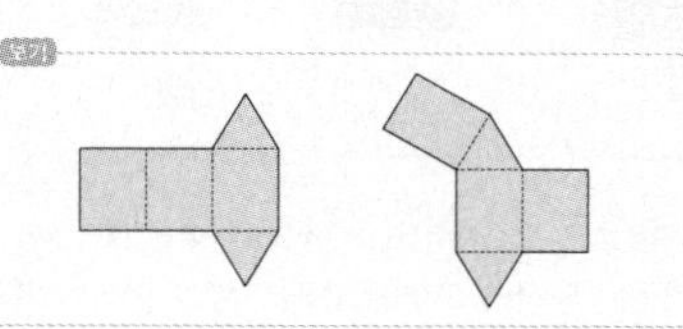

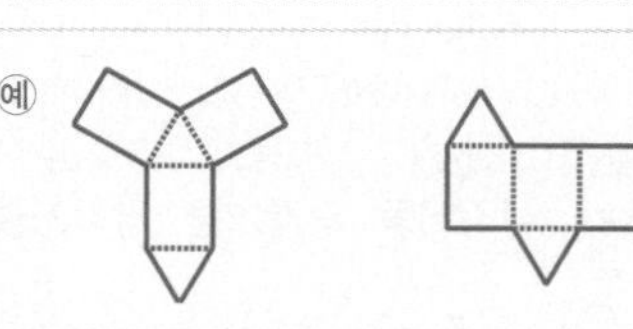

✤ 삼각기둥의 전개도를 그리려면 밑면인 삼각형 2개, 옆면인 직사각형 3개를 그려야 합니다.

유형 4 규칙적으로 나열한 입체도형 (추론)

1 십이지신[十二支神]은 12방위(方位)를 나타내는 신으로 얼굴은 각각 12마리의 동물 모습이며 몸은 사람과 같은 형상을 하고 있습니다. 12마리의 동물을 순서대로 쓰면 쥐, 소, 호랑이, 토끼, 용, 뱀, 말, 양, 원숭이, 닭, 개, 돼지입니다. 십이지신들이 순서대로 가지고 있는 각기둥의 규칙을 찾아 말의 얼굴을 한 신(神)이 가지고 있는 각기둥의 모서리의 수를 구해 보세요.

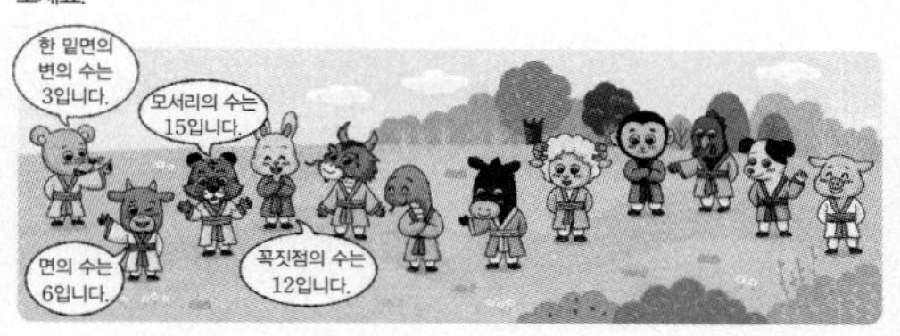

✤ ■각기둥: (면의 수)=■+2, (모서리의 수)=■×3, (꼭짓점의 수)=■×2

① 쥐, 소, 호랑이, 토끼의 얼굴을 한 신(神)이 가지고 있는 각기둥의 이름을 써 보세요.

얼굴	쥐	소	호랑이	토끼
각기둥의 이름	삼각기둥	사각기둥	오각기둥	육각기둥

쥐: 밑면이 삼각형이므로 삼각기둥 / 소: ■+2=6, ■=4이므로 사각기둥 / 호랑이: ■×3=15, ■=5이므로 오각기둥 / 토끼: ■×2=12, ■=6이므로 육각기둥

② □ 안에 알맞은 수를 써넣으세요.

쥐의 얼굴을 한 신(神)이 가지고 있는 각기둥부터 한 밑면의 변의 수를 차례로 써 보면 3, [4], [5], [6]……이므로 각기둥의 한 밑면의 변의 수가 [1]씩 커지는 규칙입니다.

③ 말의 얼굴을 한 신(神)이 가지고 있는 각기둥의 모서리의 수를 구해 보세요.

(27)

✤ 한 밑면의 변의 수는 6+1+1+1=9이므로 구각기둥입니다.
➔ (구각기둥의 모서리의 수)=9×3=27

✤ ■각뿔: (면의 수)=■+1, (모서리의 수)=■×2, (꼭짓점의 수)=■+1

2 서희네 반 학생들이 번호 순서대로 규칙에 따라 그린 각뿔에 대한 설명입니다. 8번 학생이 그린 각뿔의 모서리의 수를 구해 보세요.

번호	학생	각뿔에 대한 설명
1번	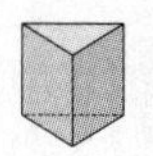 서희	밑면의 변의 수는 4입니다.
2번	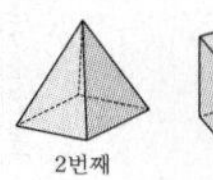 강호	면의 수는 6입니다.
3번	 예지	모서리의 수는 12입니다.
4번	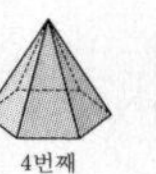 민기	꼭짓점의 수는 8입니다.
……	……	……

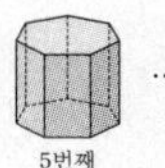

(22)

1번 서희: 밑면이 사각형이므로 사각뿔입니다.
2번 강호: ■+1=6, ■=5이므로 오각뿔입니다.
3번 예지: ■×2=12, ■=6이므로 육각뿔입니다.
4번 민기: ■+1=8, ■=7이므로 칠각뿔입니다.
8번 학생이 그린 각뿔의 밑면의 변의 수는 7+1+1+1+1=11이므로 (십일각뿔의 모서리의 수)=11×2=22입니다.

3 다음과 같은 규칙으로 각기둥과 각뿔을 번갈아 가며 놓으려고 합니다. 10번째 입체도형의 꼭짓점의 수를 구해 보세요.

1번째 2번째 3번째 4번째 5번째 ……

(13)

✤

순서(번째)	1	2	3	4	5	……
밑면의 모양	삼각형	사각형	오각형	육각형	칠각형	……
각기둥 / 각뿔	각기둥	각뿔	각기둥	각뿔	각기둥	……

➔ 밑면의 변의 수는 1씩 커지고, 홀수 번째는 각기둥, 짝수 번째는 각뿔입니다.
10번째 입체도형의 밑면의 모양은 십이각형이고 각뿔이므로 (십이각뿔의 꼭짓점의 수)=12+1=13입니다.

유형 5 도형수 (문제 해결)

1 어떤 도형의 모양을 잘 나타내도록 점을 규칙적으로 나열했을 때의 점의 개수를 도형수라 하고, 평면도형 모양 또는 입체도형 모양으로 배열한 점의 개수를 생각해 볼 수 있습니다.

평면도형 모양으로 배열한 점의 개수를 나타내는 수 가운데 대표적인 것은 다각수이고 정다각형의 모양에 따라 삼각수, 사각수, 오각수, 육각수 등이 있습니다.
예 삼각수: 정삼각형 모양을 이루는 점의 개수

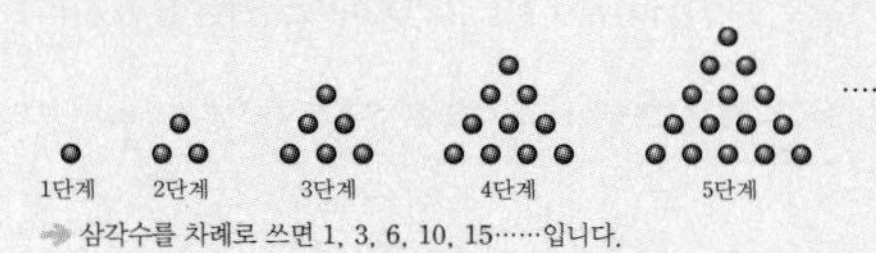

➔ 삼각수를 차례로 쓰면 1, 3, 6, 10, 15……입니다.

정다각형 모양의 배열로부터 다각수를 생각하는 것처럼 각뿔 모양의 배열로부터 각뿔수를 생각할 수 있습니다. 삼각뿔수를 나타내는 그림을 보고 5단계 삼각뿔수를 구해 보세요.

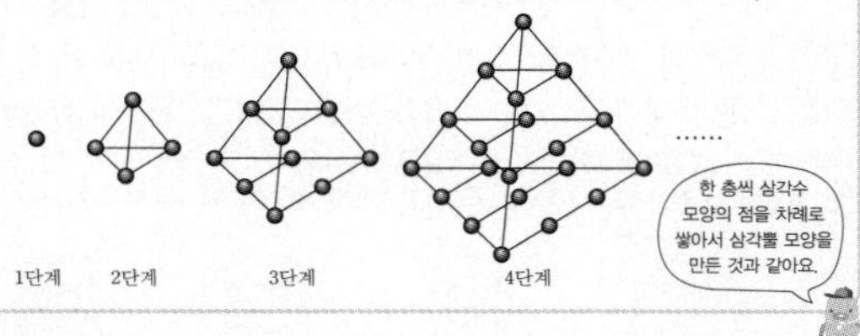

① 각 단계별 삼각뿔수를 세어 빈칸에 알맞은 수를 써넣으세요.

단계	1	2	3	4	……
삼각뿔수	1	4	10	20	……

✤ 1단계: 1, 2단계: 1+3=4, 3단계: 1+3+6=10, 4단계: 1+3+6+10=20

② 5단계 삼각뿔수를 구해 보세요.

(35)

✤ 5단계: 1+3+6+10+15=35

2 사각수와 사각뿔수를 나타내는 그림을 보고 5단계 사각뿔수를 구하려고 합니다. □ 안에 알맞은 수를 써넣으세요.

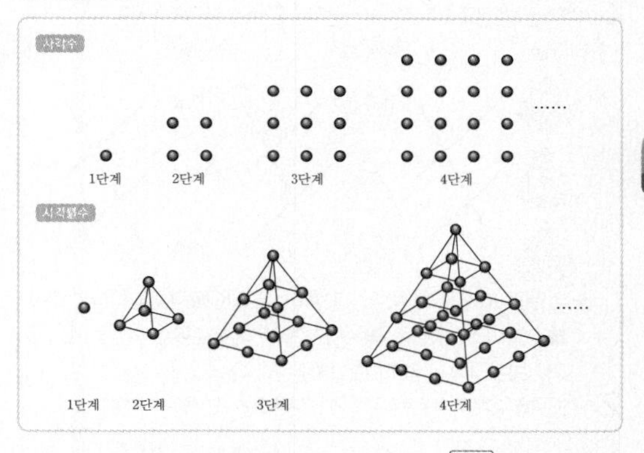

➔ 사각수를 1단계부터 4단계까지 차례로 구해 보면 1, 4, 9, [16]이므로 5단계 사각수는 [25]입니다. 따라서 사각뿔수를 1단계부터 4단계까지 차례로 구해 보면 1, 5, 14, [30]이므로 5단계 사각뿔수는 [55]입니다.

✤

단계	사각수	사각뿔수
1	1	1
2	1+3=4	1+4=5
3	1+3+5=9	1+4+9=14
4	1+3+5+7=16	1+4+9+16=30
5	1+3+5+7+9=25	1+4+9+16+25=55

3 2를 보고 6단계 사각뿔수를 구해 보세요.

(91)

✤ 6단계 사각수: 1+3+5+7+9+11=36
➔ 6단계 사각뿔수: 1+4+9+16+25+36=91

정답과 풀이 8쪽

유형 6 전개도의 둘레 (추론)

1 다음 6장의 색종이를 이용하여 만들 수 있는 사각기둥의 전개도를 그리려고 합니다. 전개도의 둘레가 가장 길 때와 가장 짧을 때의 둘레의 길이의 차를 구해 보세요.

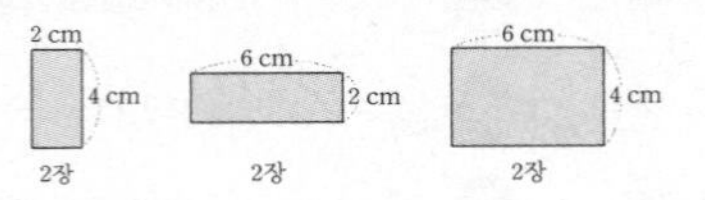

① 둘레가 가장 길 때의 전개도입니다. 전개도의 둘레의 길이를 구해 보세요.

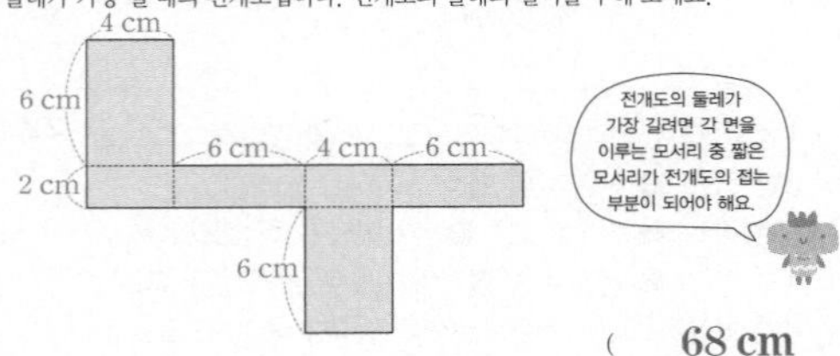

(68 cm)

✤ $(4+6+4+6)\times2+(6+2+6)\times2=40+28=68$ (cm)

② 둘레가 가장 짧을 때의 전개도를 완성한 후 전개도의 둘레의 길이를 구해 보세요.

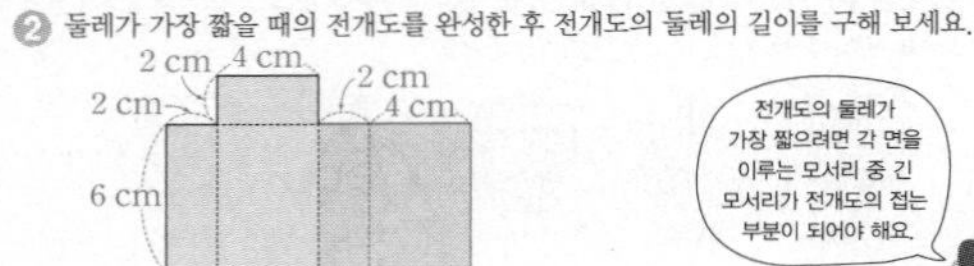

(44 cm)

✤ $(2+4+2+4)\times2+(2+6+2)\times2=24+20=44$ (cm)

③ 전개도의 둘레가 가장 길 때와 가장 짧을 때의 둘레의 길이의 차를 구해 보세요.

(24 cm)

✤ $68-44=24$ (cm)

2 다음 6장의 색종이를 이용하여 만들 수 있는 사각기둥의 전개도를 그리려고 합니다. 전개도의 둘레가 가장 길 때의 둘레의 길이를 구해 보세요.

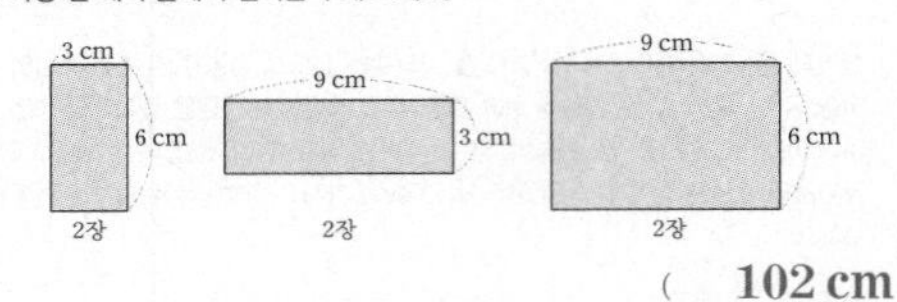

(102 cm)

✤ 전개도의 둘레가 가장 길려면 각 면을 이루는 모서리 중 짧은 모서리가 전개도의 접는 부분이 되어야 합니다.

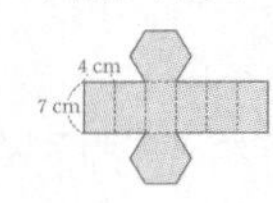

➔ (전개도의 둘레의 길이)
$=(6+9+6+9)\times2+(9+3+9)\times2$
$=60+42=102$ (cm)

3 다음과 같은 직사각형 6개를 옆면으로 하는 각기둥의 전개도를 그리려고 합니다. 전개도의 둘레가 가장 짧을 때의 둘레의 길이를 구해 보세요.

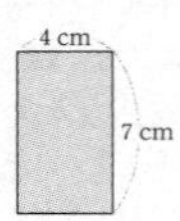

(94 cm)

✤ 직사각형 6개를 옆면으로 하는 각기둥은 육각기둥입니다.
전개도의 둘레가 가장 짧으려면 각 면을 이루는 모서리 중 긴 모서리가 전개도의 접는 부분이 되어야 합니다.

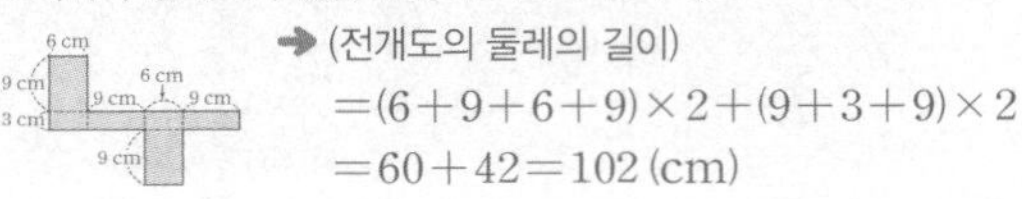

➔ (전개도의 둘레의 길이)$=4\times10\times2+7\times2$
$=80+14=94$ (cm)

정답과 풀이 8쪽

사고력 종합 평가

1 각뿔의 밑면의 모양, 이름, 면의 수를 관계있는 것끼리 선으로 이어 보세요.

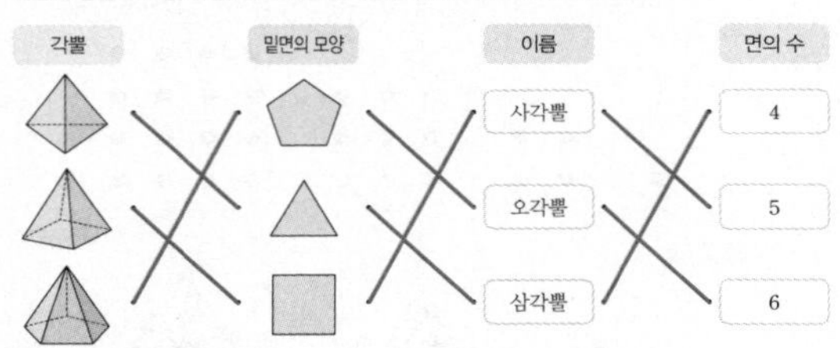

✤ 밑면의 모양이 ■각형인 각뿔의 이름은 ■각뿔입니다.
■각뿔의 면의 수는 ■+1이므로 삼각뿔은 $3+1=4$,
사각뿔은 $4+1=5$, 오각뿔은 $5+1=6$입니다.

2 오각기둥의 전개도를 잘못 그린 것을 찾아 기호를 쓰고, 그 이유도 써 보세요.

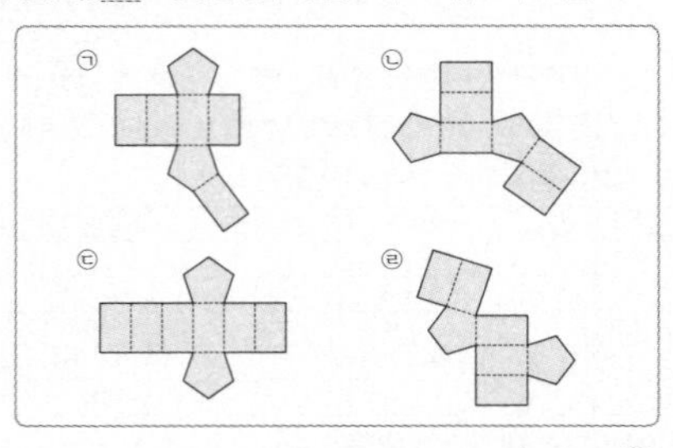

(㉢)

이유 예 오각기둥의 전개도는 옆면이 5개이어야 하는데 ㉢은 옆면이 6개입니다.

✤ 전개도를 접었을 때 겹치는 면이 없어야 합니다.

3 그림과 같이 각기둥을 평면으로 잘랐을 때 만들어진 두 입체도형의 꼭짓점의 수의 합을 구해 보세요.

(16)

✤ 밑면이 사각형 2개로 나누어지므로 사각기둥이 2개 만들어집니다.
➔ 사각기둥의 꼭짓점의 수는 $4\times2=8$이므로 합은 $8+8=16$입니다.

4 그림과 같이 각기둥을 평면으로 잘랐을 때 만들어진 두 입체도형의 모서리의 수의 합을 구해 보세요.

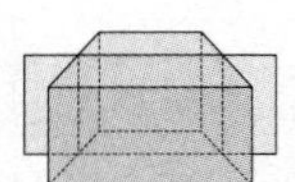

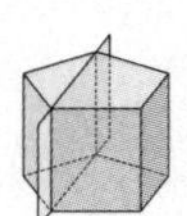

(21)

✤ 밑면이 삼각형과 사각형으로 나누어지므로 삼각기둥과 사각기둥이 만들어집니다.
➔ 삼각기둥의 모서리의 수는 $3\times3=9$이고 사각기둥의 모서리의 수는 $4\times3=12$이므로 합은 $9+12=21$입니다.

5 출발하는 곳의 각기둥과 도착하는 곳의 면의 수가 맞도록 가로선을 하나 더 그어 보세요.

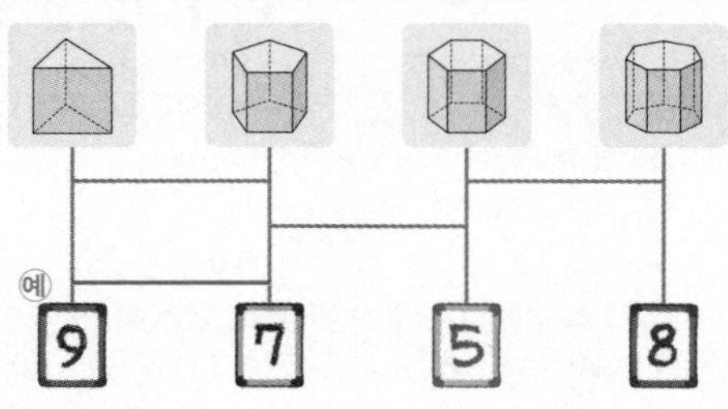

✤ ■각기둥의 면의 수는 ■+2이므로 삼각기둥은 $3+2=5$,
오각기둥은 $5+2=7$, 육각기둥은 $6+2=8$, 칠각기둥은 $7+2=9$입니다.
➔ 주어진 사다리를 타고 내려 가면 삼각기둥은 5, 오각기둥은 9, 육각기둥은 8, 칠각기둥은 7에 도착하므로 9와 7이 바뀔 수 있도록 가로선을 하나 긋습니다.

사고력 종합 평가

6 규칙적으로 늘어놓은 각뿔의 밑면의 모양을 나타낸 것입니다. 7번째 각뿔의 꼭짓점의 수를 구해 보세요.

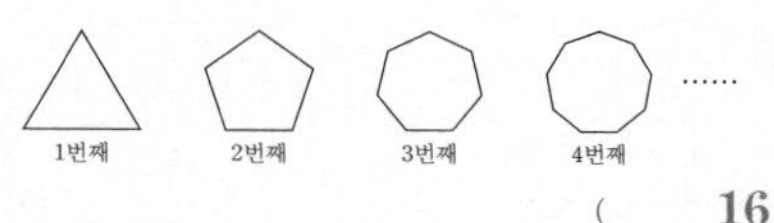

(16)

✤ 밑면의 변의 수를 차례로 쓰면 3, 5, 7, 9……이므로 2씩 커지는 규칙입니다.

➔ 7번째 각뿔의 밑면의 변의 수는 9+2+2+2=15이므로 (십오각뿔의 꼭짓점의 수)=15+1=16입니다.

7 윤하네 반 학생들이 번호 순서대로 규칙에 따라 그린 각기둥에 대한 설명입니다. 6번 학생이 그린 각기둥의 모서리의 수를 구해 보세요.

번호	학생	각기둥에 대한 설명
1번	윤하	한 밑면의 변의 수는 5입니다.
2번	준우	꼭짓점의 수는 12입니다.
3번	은주	모서리의 수는 21입니다.
4번	현서	면의 수는 10입니다.
……	……	……

(30)

✤ ■각기둥의 (꼭짓점의 수)=■×2, (모서리의 수)=■×3, (면의 수)=■+2입니다.
1번 윤하: 밑면이 오각형이므로 오각기둥입니다.
2번 준우: ■×2=12, ■=6이므로 육각기둥입니다.
3번 은주: ■×3=21, ■=7이므로 칠각기둥입니다.
4번 현서: ■+2=10, ■=8이므로 팔각기둥입니다.
➔ 한 밑면의 변의 수가 1씩 커지는 규칙입니다. 따라서 6번 학생이 그린 각기둥의 한 밑면의 변의 수는 8+1+1=10이므로 (십각기둥의 모서리의 수)=10×3=30입니다.

✤

순서(번째)	1	2	3	4	5	……
밑면의 모양	삼각형	사각형	오각형	육각형	칠각형	……
각기둥/각뿔	각뿔	각기둥	각뿔	각기둥	각뿔	……

8 다음과 같은 규칙으로 각뿔과 각기둥을 번갈아 가며 놓으려고 합니다. 9번째 입체도형의 꼭짓점의 수를 구해 보세요.

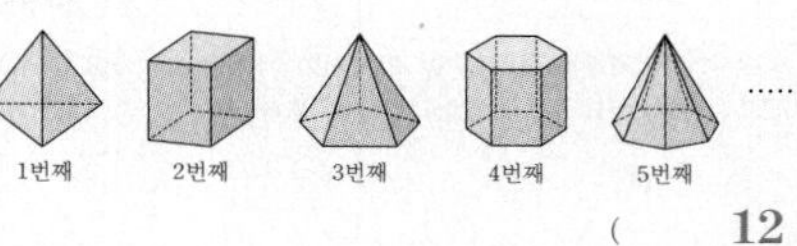

(12)

➔ 밑면의 변의 수는 1씩 커지고, 홀수 번째는 각뿔, 짝수 번째는 각기둥입니다.
9번째 입체도형의 밑면의 모양은 십일각형이고 각뿔이므로
(십일각뿔의 꼭짓점의 수)=11+1=12입니다.

9 그림은 삼각수와 삼각뿔수를 나타내고 있습니다. 6단계 삼각뿔수를 구해 보세요.

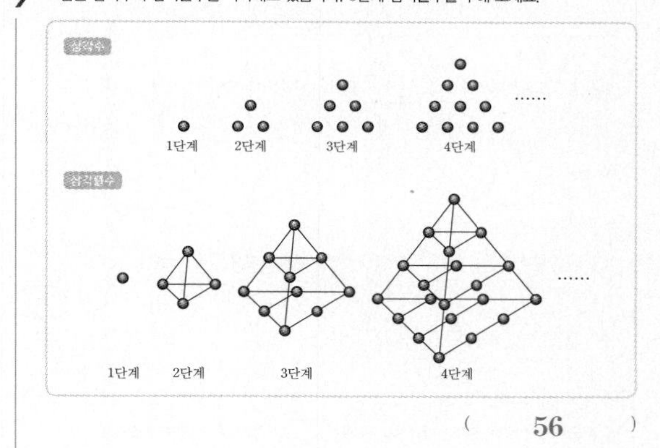

(56)

✤

단계	삼각수	삼각뿔수
1	1	1
2	1+2=3	1+3=4
3	1+2+3=6	1+3+6=10
4	1+2+3+4=10	1+3+6+10=20
5	1+2+3+4+5=15	1+3+6+10+15=35
6	1+2+3+4+5+6=21	1+3+6+10+15+21=56

사고력 종합 평가

10 그림은 사각뿔수를 나타내고 있습니다. 7단계 사각뿔수를 구해 보세요.

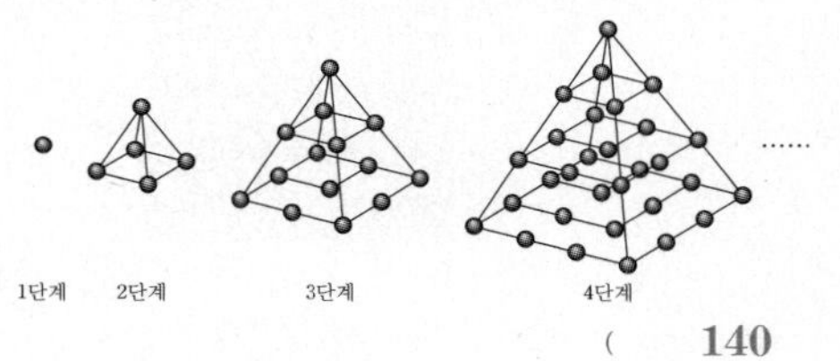

(140)

✤ 1단계: 1
2단계: 1+4=5
3단계: 1+4+9=14
4단계: 1+4+9+16=30
5단계: 1+4+9+16+25=55
6단계: 1+4+9+16+25+36=91
7단계: 1+4+9+16+25+36+49=140

11 다음 6장의 색종이를 이용하여 만들 수 있는 사각기둥의 전개도를 그리려고 합니다. 전개도의 둘레가 가장 짧을 때의 둘레를 구해 보세요.

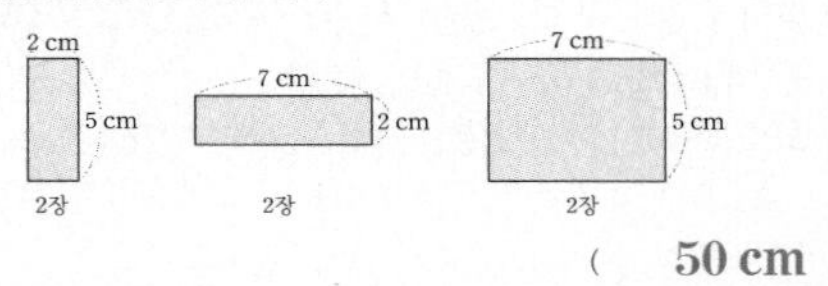

(50 cm)

✤ 전개도의 둘레가 가장 짧으려면 각 면을 이루는 모서리 중 긴 모서리가 전개도의 접는 부분이 되어야 합니다.

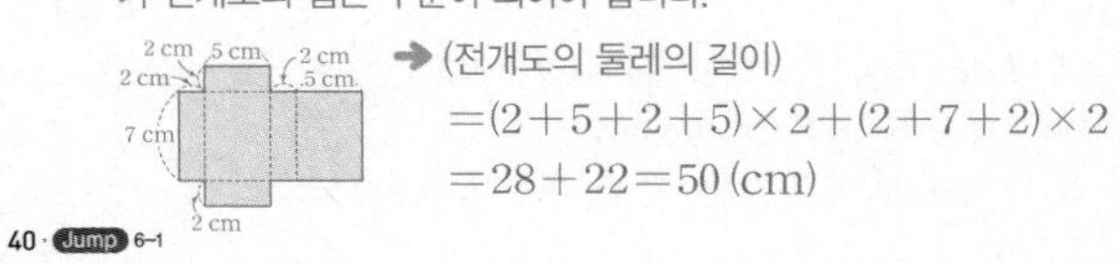

➔ (전개도의 둘레의 길이)
=(2+5+2+5)×2+(2+7+2)×2
=28+22=50 (cm)

[GO! 매쓰]
여기까지 2단원 내용입니다.
다음부터는 3단원 내용이 시작합니다.

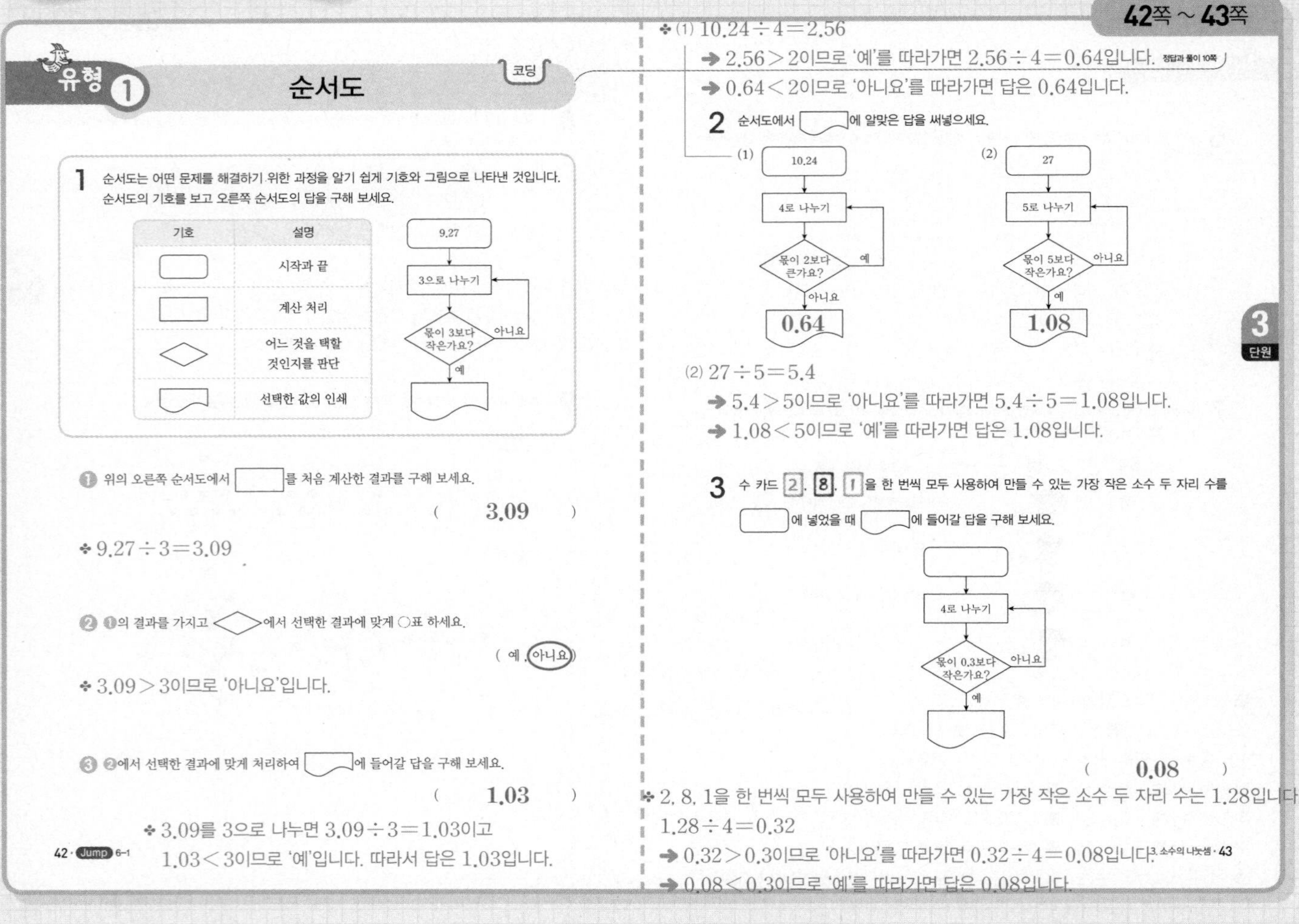

42쪽 ~ 43쪽

유형 1 순서도 코딩

1 순서도는 어떤 문제를 해결하기 위한 과정을 알기 쉽게 기호와 그림으로 나타낸 것입니다. 순서도의 기호를 보고 오른쪽 순서도의 답을 구해 보세요.

기호	설명
(둥근 사각형)	시작과 끝
(사각형)	계산 처리
(마름모)	어느 것을 택할 것인지를 판단
(인쇄 기호)	선택한 값의 인쇄

❶ 위의 오른쪽 순서도에서 □를 처음 계산한 결과를 구해 보세요.

(3.09)

✤ $9.27 \div 3 = 3.09$

❷ ❶의 결과를 가지고 ◇에서 선택한 결과에 맞게 ○표 하세요.

(예 , (아니요))

✤ $3.09 > 3$이므로 '아니요'입니다.

❸ ❷에서 선택한 결과에 맞게 처리하여 □에 들어갈 답을 구해 보세요.

(1.03)

✤ 3.09를 3으로 나누면 $3.09 \div 3 = 1.03$이고 $1.03 < 3$이므로 '예'입니다. 따라서 답은 1.03입니다.

✤ (1) $10.24 \div 4 = 2.56$

→ $2.56 > 2$이므로 '예'를 따라가면 $2.56 \div 4 = 0.64$입니다.

→ $0.64 < 2$이므로 '아니요'를 따라가면 답은 0.64입니다.

정답과 풀이 10쪽

2 순서도에서 □에 알맞은 답을 써넣으세요.

(2) $27 \div 5 = 5.4$

→ $5.4 > 5$이므로 '아니요'를 따라가면 $5.4 \div 5 = 1.08$입니다.

→ $1.08 < 5$이므로 '예'를 따라가면 답은 1.08입니다.

3 수 카드 2, 8, 1을 한 번씩 모두 사용하여 만들 수 있는 가장 작은 소수 두 자리 수를 □에 넣었을 때 □에 들어갈 답을 구해 보세요.

(0.08)

✤ 2, 8, 1을 한 번씩 모두 사용하여 만들 수 있는 가장 작은 소수 두 자리 수는 1.28입니다.

$1.28 \div 4 = 0.32$

→ $0.32 > 0.3$이므로 '아니요'를 따라가면 $0.32 \div 4 = 0.08$입니다.

→ $0.08 < 0.3$이므로 '예'를 따라가면 답은 0.08입니다.

3 단원

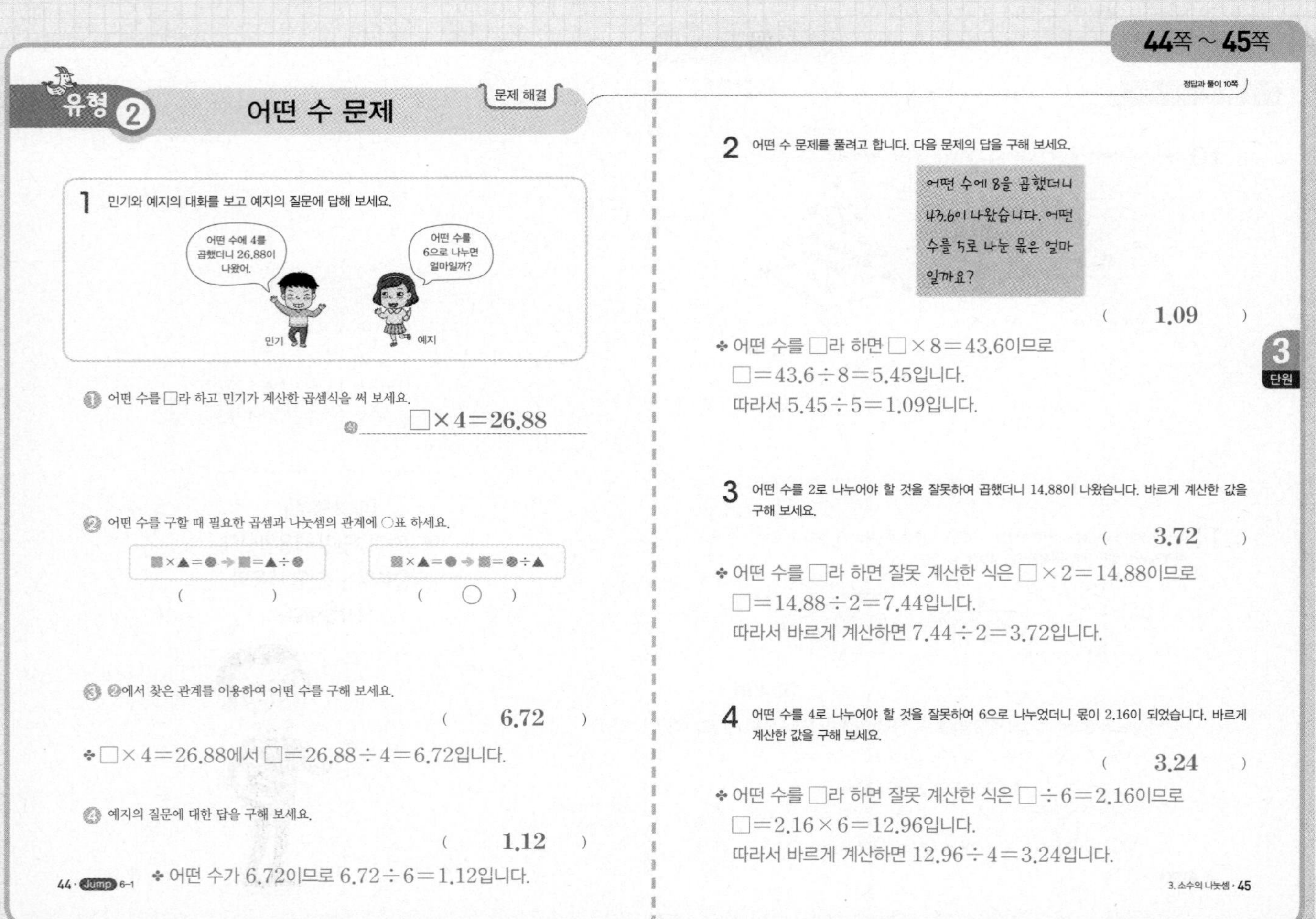

44쪽 ~ 45쪽

유형 2 어떤 수 문제 문제 해결

1 민기와 예지의 대화를 보고 예지의 질문에 답해 보세요.

❶ 어떤 수를 □라 하고 민기가 계산한 곱셈식을 써 보세요.

식 $\square \times 4 = 26.88$

❷ 어떤 수를 구할 때 필요한 곱셈과 나눗셈의 관계에 ○표 하세요.

■×▲=● → ■=▲÷● ( )

■×▲=● → ■=●÷▲ (○)

❸ ❷에서 찾은 관계를 이용하여 어떤 수를 구해 보세요.

(6.72)

✤ $\square \times 4 = 26.88$에서 $\square = 26.88 \div 4 = 6.72$입니다.

❹ 예지의 질문에 대한 답을 구해 보세요.

(1.12)

✤ 어떤 수가 6.72이므로 $6.72 \div 6 = 1.12$입니다.

정답과 풀이 10쪽

2 어떤 수 문제를 풀려고 합니다. 다음 문제의 답을 구해 보세요.

어떤 수에 8을 곱했더니 43.6이 나왔습니다. 어떤 수를 5로 나눈 몫은 얼마일까요?

(1.09)

✤ 어떤 수를 □라 하면 $\square \times 8 = 43.6$이므로 $\square = 43.6 \div 8 = 5.45$입니다. 따라서 $5.45 \div 5 = 1.09$입니다.

3 어떤 수를 2로 나누어야 할 것을 잘못하여 곱했더니 14.88이 나왔습니다. 바르게 계산한 값을 구해 보세요.

(3.72)

✤ 어떤 수를 □라 하면 잘못 계산한 식은 $\square \times 2 = 14.88$이므로 $\square = 14.88 \div 2 = 7.44$입니다. 따라서 바르게 계산하면 $7.44 \div 2 = 3.72$입니다.

4 어떤 수를 4로 나누어야 할 것을 잘못하여 6으로 나누었더니 몫이 2.16이 되었습니다. 바르게 계산한 값을 구해 보세요.

(3.24)

✤ 어떤 수를 □라 하면 잘못 계산한 식은 $\square \div 6 = 2.16$이므로 $\square = 2.16 \times 6 = 12.96$입니다. 따라서 바르게 계산하면 $12.96 \div 4 = 3.24$입니다.

3 단원

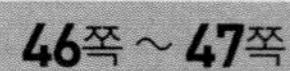

유형 3 수직선에서 나타내는 수 구하기 (추론)

1 수직선에서 3.6과 5.4 사이를 4등분 하였습니다. ㉠에 알맞은 수를 구해 보세요.

① 3.6과 5.4 사이의 크기를 구해 보세요.

(1.8)

✤ $5.4-3.6=1.8$

② 눈금 한 칸의 크기를 구해 보세요.

(0.45)

✤ $1.8\div4=0.45$

③ 3.6과 ㉠ 사이의 크기를 구해 보세요.

(0.9)

✤ $0.45\times2=0.9$

④ ㉠에 알맞은 수를 구해 보세요.

(4.5)

✤ ㉠$=3.6+0.9=4.5$

2 수직선에서 4.5와 8.25 사이를 5등분 하였습니다. ㉠에 알맞은 수를 구해 보세요.

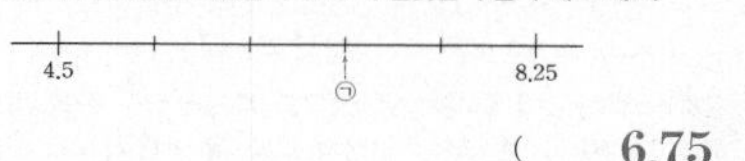

(6.75)

✤ (4.5와 8.25 사이의 크기)$=8.25-4.5=3.75$,
(눈금 한 칸의 크기)$=3.75\div5=0.75$,
(4.5와 ㉠ 사이의 크기)$=0.75\times3=2.25$,
㉠$=4.5+2.25=6.75$

3 수직선에서 0.98과 7.4 사이를 6등분 하였습니다. ㉠에 알맞은 수를 구해 보세요.

0.98 ㉠ 7.4

(4.19)

✤ (0.98과 7.4 사이의 크기)$=7.4-0.98=6.42$,
(눈금 한 칸의 크기)$=6.42\div6=1.07$,
(0.98과 ㉠ 사이의 크기)$=1.07\times3=3.21$,
㉠$=0.98+3.21=4.19$

4 수직선 가는 0과 10 사이를 5등분 한 것이고, 수직선 나는 ▲와 ● 사이를 8등분 한 것입니다. 수직선 나에서 □ 안에 알맞은 수를 구해 보세요. (단, 두 수직선에서 같은 모양은 같은 수를 나타냅니다.)

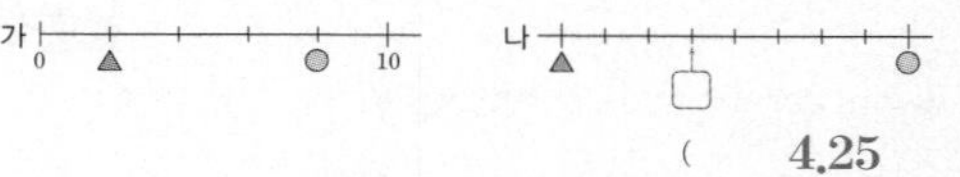

(4.25)

✤ • 수직선 가에서 눈금 한 칸의 크기는 $10\div5=2$이므로 ▲$=2$, ●$=8$입니다.
• 수직선 나에서 눈금 한 칸의 크기는 $6\div8=0.75$이므로 ▲와 □ 사이의 크기는 $0.75\times3=2.25$입니다.
□$=2+2.25=4.25$

48쪽 ~ 49쪽

유형 4 몫의 소수점 아래 규칙 (추론)

1 다음과 같이 계산기 버튼을 차례로 눌렀습니다. 몫의 소수 30번째 자리 숫자를 구해 보세요.

① 16÷27의 몫을 소수 6번째 자리까지 구해 보세요.

(0.592592)

✤ $16\div27=0.592592\cdots\cdots$

② 몫의 소수점 아래 반복되는 숫자를 모두 써 보세요.

(5, 9, 2)

✤ $16\div27=0.592592\cdots\cdots$
➔ 소수점 아래에 숫자 5, 9, 2가 반복됩니다.

③ □ 안에 알맞은 수를 써넣으세요.

몫의 소수점 아래 반복되는 숫자가 3개이므로 몫의 소수점 아래 3번째 자리 숫자와 (예) 6 번째 자리 숫자는 서로 같습니다.

✤ 몫의 소수점 아래 반복되는 숫자가 3개이므로 몫의 소수점 아래 3번째 자리 숫자와 6번째 자리 숫자, 9번째 자리 숫자……는 서로 같습니다.

④ 몫의 소수 30번째 자리 숫자를 구해 보세요.

(2)

✤ $30\div3=10$이므로 소수 30번째 자리 숫자는 반복되는 세 번째 숫자와 같은 2입니다.

2 다음과 같이 계산기 버튼을 차례로 눌렀습니다. 몫의 소수 25번째 자리 숫자를 구해 보세요.

(2)

✤ $11\div37=0.297297\cdots\cdots$이므로 소수점 아래에 숫자 2, 9, 7이 반복됩니다.
$25\div3=8\cdots1$이므로 소수 25번째 자리 숫자는 반복되는 첫 번째 숫자와 같은 2입니다.

3 다음과 같이 계산기 버튼을 차례로 눌렀습니다. 몫의 소수 40번째 자리 숫자를 구해 보세요.

(4)

✤ $8\div55=0.14545\cdots\cdots$이므로 소수점 아래에 두 번째 자리부터 숫자 4, 5가 반복됩니다.
$40-1=39$, $39\div2=19\cdots1$이므로 소수 40번째 자리 숫자는 반복되는 첫 번째 숫자와 같은 4입니다

4 분수 $3\frac{7}{11}$을 소수로 나타내었을 때 소수 50번째 자리 숫자를 구해 보세요.

(3)

✤ $3\frac{7}{11}=\frac{40}{11}$입니다.
$40\div11=3.6363\cdots\cdots$이므로 소수점 아래에 숫자 6, 3이 반복됩니다.
$50\div2=25$이므로 소수 50번째 자리 숫자는 반복되는 두 번째 숫자와 같은 3입니다.

유형 5 도형에서 길이 구하기 (문제 해결)

1 강호와 서희는 각각 길이가 같은 끈을 겹치지 않게 모두 사용하여 정다각형을 1개씩 만들었습니다. 서희가 만든 도형의 한 변의 길이는 몇 cm인지 구해 보세요.

각이 모두 7개이고, 한 변의 길이는 6.9 cm인 도형을 만들었어.

변이 모두 6개인 도형을 만들었어.

① 강호가 만든 도형의 이름을 써 보세요. (정칠각형)

✤ 각이 7개인 정다각형은 정칠각형입니다.

② 강호가 만든 도형의 둘레는 몇 cm인지 구해 보세요. (48.3 cm)

✤ 정칠각형은 7개의 변의 길이가 같으므로 둘레는 $6.9\times7=48.3$ (cm)입니다.

③ 서희가 만든 도형의 이름을 써 보세요. (정육각형)

✤ 변이 6개인 정다각형은 정육각형입니다.

④ 서희가 만든 도형의 한 변의 길이는 몇 cm인지 구해 보세요. (8.05 cm)

✤ 정육각형은 6개의 변의 길이가 같으므로 한 변의 길이는 $48.3\div6=8.05$ (cm)입니다.

정답과 풀이 12쪽

2 근우와 가은이는 각각 길이가 같은 끈을 겹치지 않게 모두 사용하여 정다각형을 1개씩 만들었습니다. 가은이가 만든 도형의 한 변의 길이는 몇 cm인지 구해 보세요.

근우: 변이 모두 8개이고, 한 변의 길이는 4.2 cm인 도형을 만들었어.
가은: 각이 모두 5개인 도형을 만들었어.

(6.72 cm)

✤ 근우가 만든 도형은 정팔각형입니다.
정팔각형은 8개의 변의 길이가 같으므로 둘레는 $4.2\times8=33.6$ (cm)입니다.
가은이가 만든 도형은 정오각형입니다.
정오각형은 5개의 변의 길이가 같으므로 한 변의 길이는 $33.6\div5=6.72$ (cm)입니다.

3 정사각형 가와 평행사변형 나의 넓이는 같습니다. 평행사변형 나의 높이는 몇 cm인지 구해 보세요.

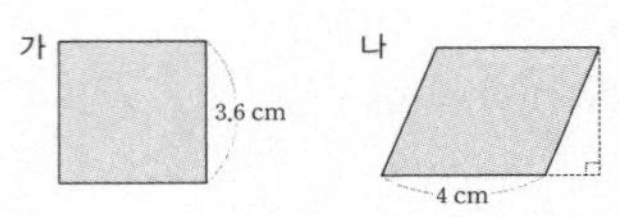

(3.24 cm)

✤ (정사각형 가의 넓이)$=3.6\times3.6=12.96$ (cm^2)
(평행사변형 나의 넓이)=(정사각형 가의 넓이)$=12.96$ cm^2
➔ (평행사변형 나의 높이)$=12.96\div4=3.24$ (cm)

4 삼각형에서 ㉠의 길이는 몇 cm인지 구해 보세요.

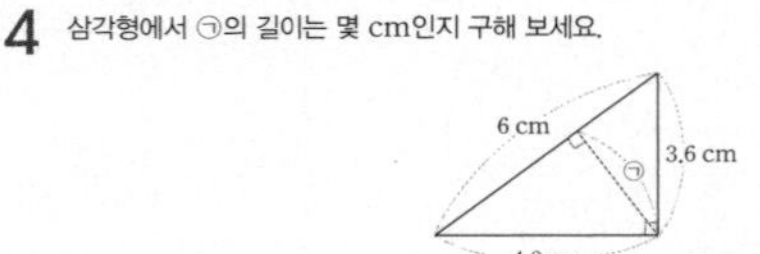

(2.88 cm)

✤ (삼각형의 넓이)$=4.8\times3.6\div2=17.28\div2=8.64$ (cm^2)
밑변의 길이를 6 cm라 하면 높이는 ㉠이므로 $6\times$㉠$\div2=8.64$ (cm^2)입니다.
➔ $6\times$㉠$=17.28$, ㉠$=17.28\div6=2.88$ (cm)

유형 6 일정한 빠르기로 갈 수 있는 거리 구하기 (문제 해결)

1 자동차와 기차는 각각 일정한 빠르기로 갑니다. 자동차와 기차가 동시에 출발한다면 20분 후에는 어느 것이 몇 km 더 많이 가는지 구해 보세요.

12분 동안 19.8 km를 갑니다.

14분 동안 25.9 km를 갑니다.

① 자동차는 1분 동안 몇 km 가는지 구해 보세요. (1.65 km)

✤ $19.8\div12=1.65$ (km)

② 기차는 1분 동안 몇 km 가는지 구해 보세요. (1.85 km)

✤ $25.9\div14=1.85$ (km)

③ 1분 동안 가는 거리가 더 긴 것은 자동차와 기차 중 어느 것일까요? (기차)

✤ $1.65<1.85$이므로 기차입니다.

④ 20분 후에는 어느 것이 몇 km 더 많이 가는지 차례로 구해 보세요. (기차), (4 km)

✤ 1분 동안 기차가 자동차보다 $1.85-1.65=0.2$ (km) 더 많이 가므로 20분 후에는 기차가 자동차보다 $0.2\times20=4$ (km) 더 많이 갑니다.

정답과 풀이 12쪽

2 자동차 A는 일정한 빠르기로 15분 동안 32.4 km를 가고, 자동차 B는 일정한 빠르기로 20분 동안 47.6 km를 간다고 합니다. 자동차 A와 B가 같은 곳에서 반대 방향으로 동시에 출발한다면 35분 후에 자동차 A와 B 사이의 거리는 몇 km가 되는지 구해 보세요.

(158.9 km)

✤ (자동차 A가 1분 동안 가는 거리)$=32.4\div15=2.16$ (km)
(자동차 B가 1분 동안 가는 거리)$=47.6\div20=2.38$ (km)
1분 동안 자동차 A와 B 사이의 거리는 $2.16+2.38=4.54$ (km)씩 늘어나므로 35분 후에 자동차 A와 B 사이의 거리는 $4.54\times35=158.9$ (km)가 됩니다.

3 현서와 은주는 각자 일정한 빠르기로 걷는다고 합니다. 길이가 399.5 m인 운동장의 둘레를 돌려고 합니다. 현서와 은주가 같은 곳에서 반대 방향으로 동시에 출발한다면 두 사람은 출발한지 몇 분 후에 처음으로 만나게 되는지 구해 보세요.

난 8분 동안 196 m를 걸어.
난 12분 동안 270 m를 걸어.
현서
은주

(8.5분 후)

✤ (현서가 1분 동안 걷는 거리)$=196\div8=24.5$ (m)
(은주가 1분 동안 걷는 거리)$=270\div12=22.5$ (m)
1분 동안 두 사람이 걷는 거리는 $24.5+22.5=47$ (m)이므로
두 사람은 출발한지 $399.5\div47=8.5$(분) 후에 처음으로 만나게 됩니다.

사고력 종합 평가

1 규칙에 따라 수를 차례로 쓰고 있습니다. ㉠에 알맞은 수를 구해 보세요.

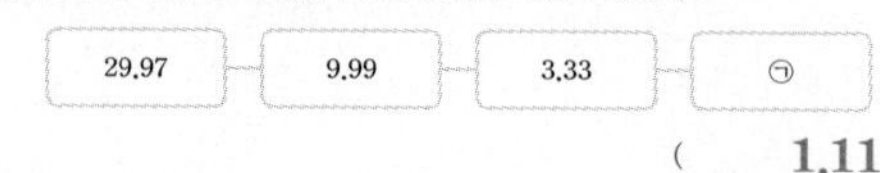

(1.11)

✤ $29.97 \div 3 = 9.99$, $9.99 \div 3 = 3.33$이므로 앞에 있는 수를 3으로 나눈 몫을 쓰는 규칙입니다.
따라서 ㉠$= 3.33 \div 3 = 1.11$입니다.

2 가⊙나를 다음과 같이 약속하였습니다. 8.6⊙4를 계산해 보세요.

가⊙나=(가+나)÷나

(3.15)

✤ $8.6⊙4 = (8.6+4) \div 4 = 12.6 \div 4 = 3.15$

3 3장의 수 카드 6, 4, 7을 한 번씩 모두 사용하여 만들 수 있는 가장 큰 소수 두 자리 수를 [ ]에 넣었을 때 [ ]에 들어갈 답을 구해 보세요.

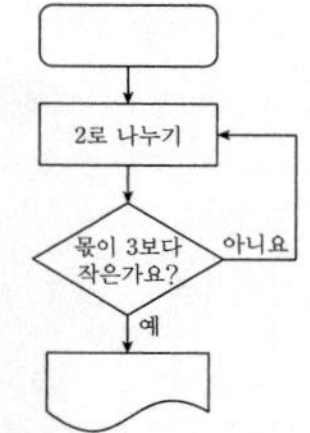

(1.91)

✤ 6, 4, 7을 한 번씩 모두 사용하여 만들 수 있는 가장 큰 소수 두 자리 수는 7.64입니다.
$7.64 \div 2 = 3.82$
➔ $3.82 > 3$이므로 '아니요'를 따라가면 $3.82 \div 2 = 1.91$입니다.
➔ $1.91 < 3$이므로 '예'를 따라가면 답은 1.91입니다.

4 다음과 같이 가장 큰 정사각형을 똑같은 크기의 작은 정사각형 16개로 나눈 후 색칠하였습니다. 색칠한 부분의 넓이가 9.72 cm²일 때 작은 정사각형 한 개의 넓이는 몇 cm²인지 구해 보세요.

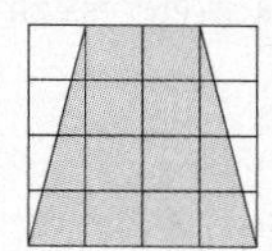

(0.81 cm²)

✤ 색칠한 부분은 작은 정사각형 12개의 넓이와 같습니다.
따라서 작은 정사각형 한 개의 넓이는 $9.72 \div 12 = 0.81$ (cm²)입니다.

3 단원

5 어떤 수에 6을 곱했더니 55.2가 나왔습니다. 어떤 수를 8로 나눈 몫을 구해 보세요.

(1.15)

✤ 어떤 수를 □라 하면 $□ \times 6 = 55.2$이므로 $□ = 55.2 \div 6 = 9.2$입니다.
따라서 $9.2 \div 8 = 1.15$입니다.

6 다음과 같이 계산기 버튼을 차례로 눌렀습니다. 몫의 소수 35번째 자리 숫자를 구해 보세요.

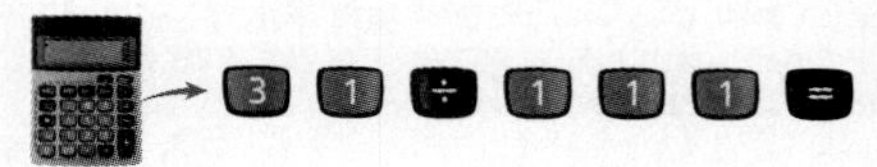

(7)

✤ $31 \div 111 = 0.279279\cdots\cdots$이므로 소수점 아래에 숫자 2, 7, 9가 반복됩니다.
$35 \div 3 = 11 \cdots 2$이므로 소수 35번째 자리 숫자는 반복되는 두 번째 숫자와 같은 7입니다.

사고력 종합 평가

7 수직선에서 2.16과 9.02 사이를 7등분 하였습니다. ㉠에 알맞은 수를 구해 보세요.

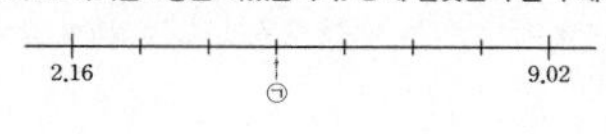

(5.1)

✤ (2.16과 9.02 사이의 크기)$= 9.02 - 2.16 = 6.86$,
(눈금 한 칸의 크기)$= 6.86 \div 7 = 0.98$,
(2.16과 ㉠ 사이의 크기)$= 0.98 \times 3 = 2.94$,
㉠$= 2.16 + 2.94 = 5.1$

8 준우와 윤하는 각각 길이가 같은 끈을 겹치지 않게 모두 사용하여 정다각형을 1개씩 만들었습니다. 윤하가 만든 도형의 한 변의 길이는 몇 cm인지 구해 보세요.

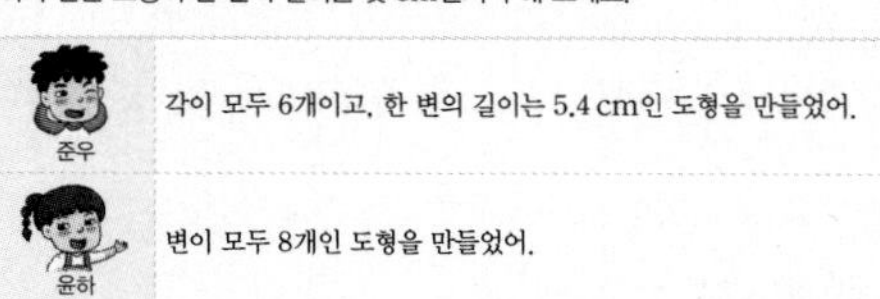

(4.05 cm)

✤ 준우가 만든 도형은 정육각형입니다.
정육각형은 6개의 변의 길이가 같으므로 둘레는 $5.4 \times 6 = 32.4$ (cm)입니다.
윤하가 만든 도형은 정팔각형입니다.
정팔각형은 8개의 변의 길이가 같으므로 한 변의 길이는 $32.4 \div 8 = 4.05$ (cm)입니다.

9 길이가 102.85 m인 길의 양쪽에 나무 36그루를 같은 간격으로 심으려고 합니다. 길의 처음과 끝에도 나무를 심는다면 나무와 나무 사이의 간격은 몇 m로 해야 하는지 구해 보세요. (단, 나무의 굵기는 생각하지 않습니다.)

(6.05 m)

✤ (한쪽에 심는 나무의 수)$= 36 \div 2 = 18$(그루)
(나무 사이의 간격의 수)$= 18 - 1 = 17$(군데)
(나무와 나무 사이의 간격)$= 102.85 \div 17 = 6.05$ (m)

10 분수 $1\frac{15}{22}$를 소수로 나타내었을 때 소수 25번째 자리 숫자를 구해 보세요.

(1)

✤ $1\frac{15}{22} = \frac{37}{22}$입니다.
$37 \div 22 = 1.68181\cdots\cdots$이므로 소수점 아래에 두 번째 자리부터 숫자 8, 1이 반복됩니다.
$25 - 1 = 24$, $24 \div 2 = 12$이므로 소수 25번째 자리 숫자는 반복되는 두 번째 숫자와 같은 1입니다.

11 삼각형 가와 마름모 나의 넓이가 같습니다. 마름모 나에서 ㉠의 길이는 몇 cm인지 구해 보세요.

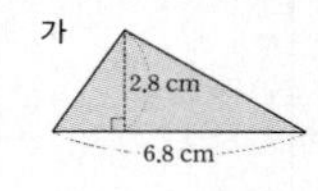

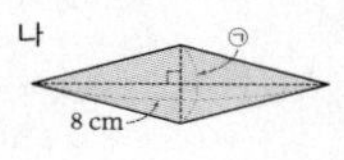

(2.38 cm)

✤ (삼각형 가의 넓이)$= 6.8 \times 2.8 \div 2 = 19.04 \div 2 = 9.52$ (cm²)
(마름모 나의 넓이)=(삼각형 가의 넓이)$= 9.52$ cm²
따라서 마름모 나에서 $8 \times ㉠ \div 2 = 9.52$,
㉠$= 9.52 \times 2 \div 8 = 19.04 \div 8 = 2.38$ (cm)입니다.

3 단원

12 상자를 열 수 있는 비밀번호는 상자에 각각 적혀 있는 나눗셈의 몫입니다. A 상자와 B 상자 중 한 상자에만 보물이 들어 있고, ㉮, ㉯, ㉰ 중 한 가지만 옳습니다. 보물이 들어 있는 상자의 비밀번호를 구해 보세요.

㉮ B 상자에 보물이 들어 있습니다.
㉯ A 상자에 보물이 들어 있지 않습니다.
㉰ B 상자에 보물이 들어 있지 않습니다.

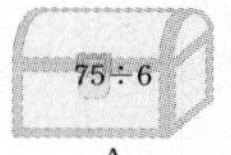

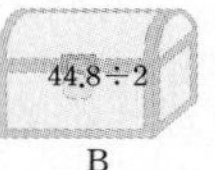

(12.5)

✤ • ㉮가 옳다고 하면 ㉯와 ㉰는 틀린 것이 되어야 하므로 ㉯에 따라 A 상자에도 보물이 들어 있습니다.
➔ A 상자와 B 상자에 모두 보물이 들어 있게 되므로 조건에 맞지 않습니다.
• ㉯가 옳다고 하면 ㉮와 ㉰는 틀린 것이 되어야 하는 데 ㉮와 ㉰는 동시에 옳거나 또는 동시에 틀릴 수 없습니다.
➔ 조건에 맞지 않습니다.
• ㉰가 옳다고 하면 ㉮와 ㉯는 틀린 것이 되어야 하므로 ㉯에 따라 A 상자에 보물이 들어 있습니다.
➔ $75 \div 6 = 12.5$

58쪽

사고력 종합 평가 정답과 풀이 14쪽

13 ●는 18 이상 21 이하의 어떤 수이고 ▲는 4 이상 8 이하의 어떤 수입니다. ●÷▲의 몫이 가장 클 때의 값과 가장 작을 때의 값의 합을 구해 보세요.

(7.5)

✣ • ●÷▲의 몫이 가장 클 때: (가장 큰 ●)÷(가장 작은 ▲)$=21\div4=5.25$
• ●÷▲의 몫이 가장 작을 때: (가장 작은 ●)÷(가장 큰 ▲)$=18\div8=2.25$
➔ $5.25+2.25=7.5$

14 어떤 수의 소수점을 오른쪽으로 한 자리 옮긴 수와 어떤 수의 차가 219.15입니다. 어떤 수를 5로 나눈 몫을 구해 보세요. (선생님의 도움말을 보고 문제를 해결해 보세요.)

(4.87)

✣ $\square\times10-\square=219.15$, $\square\times9=219.15$, $\square=219.15\div9=24.35$
➔ $24.35\div5=4.87$

15 정호는 일정한 빠르기로 6분 동안 165 m를 걷고, 윤지는 일정한 빠르기로 8분 동안 188 m를 걷는다고 합니다. 길이가 484.5 m인 공원의 둘레를 돌려고 합니다. 오후 1시에 정호와 윤지가 같은 곳에서 반대 방향으로 동시에 출발했습니다. 두 사람이 출발한 후 처음으로 만나게 되는 시각은 오후 몇 시 몇 분 몇 초인지 구해 보세요.

(**오후 1시 9분 30초**)

✣ (정호가 1분 동안 걷는 거리)$=165\div6=27.5$ (m)
(윤지가 1분 동안 걷는 거리)$=188\div8=23.5$ (m)
1분 동안 두 사람이 걷는 거리는 $27.5+23.5=51$ (m)이므로
두 사람은 출발한지 $484.5\div51=9.5$(분) 후에 처음으로 만나게 됩니다.
0.5분$=\frac{5}{10}$분$=\frac{30}{60}$분이므로 9.5분은 9분 30초입니다.
따라서 두 사람이 처음으로 만나게 되는 시각은 오후 1시 9분 30초입니다.

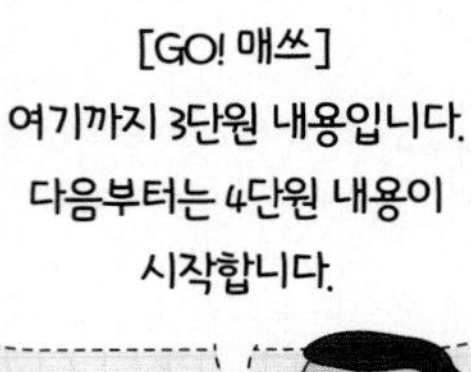

60쪽 ~ 61쪽

유형 ① 폴리오미노

창의 · 융합

1 크기가 같은 작은 정사각형을 변끼리 맞닿도록 이어 붙여 만든 모양을 폴리오미노라고 합니다. 이어 붙이는 정사각형의 수에 따라 폴리오미노를 다음과 같이 구분할 수 있습니다. 트로미노 모양을 모두 만드는 데 필요한 모노미노 수에 대한 도미노 모양을 모두 만드는 데 필요한 모노미노 수의 비율을 구해 보세요.

폴리오미노	설명	만들 수 있는 모양
모노미노	폴리오미노를 만드는 가장 작은 정사각형 1개	
도미노	모노미노 2개를 변끼리 맞닿도록 이어 붙여 만든 모양	
트로미노	모노미노 3개를 변끼리 맞닿도록 이어 붙여 만든 모양	

❶ 도미노와 트로미노 모양을 모두 만드는 데 각각 필요한 모노미노 수를 구해 보세요.

도미노 모양 (2)
트로미노 모양 (6)

✣ 도미노 모양을 만드는 데 필요한 모노미노는 2개입니다.
트로미노 모양 2개를 만드는 데 필요한 모노미노는 6개입니다.

❷ 트로미노 모양을 모두 만드는 데 필요한 모노미노 수에 대한 도미노 모양을 모두 만드는 데 필요한 모노미노 수의 비를 구해 보세요.

(2 : 6)

✣ (도미노 모양을 모두 만드는 데 필요한 모노미노 수) : (트로미노 모양을 모두 만드는 데 필요한 모노미노 수)$=2:6$

❸ 트로미노 모양을 모두 만드는 데 필요한 모노미노 수에 대한 도미노 모양을 모두 만드는 데 필요한 모노미노 수의 비율을 구해 보세요.

($\frac{2}{6}\left(=\frac{1}{3}\right)$)

✣ $2:6$ ➔ $\frac{2}{6}=\frac{1}{3}$

정답과 풀이 14쪽

2 이어 붙이는 정사각형의 수에 따라 폴리오미노를 구분할 때 다음과 같이 모노미노 4개를 변끼리 맞닿도록 이어 붙여 만든 모양을 테트로미노라고 합니다. 테트로미노 모양을 모두 만드는 데 필요한 모노미노 수에 대한 트로미노 모양을 모두 만드는 데 필요한 모노미노 수의 비율을 구해 보세요.

폴리오미노	만들 수 있는 모양
테트로미노	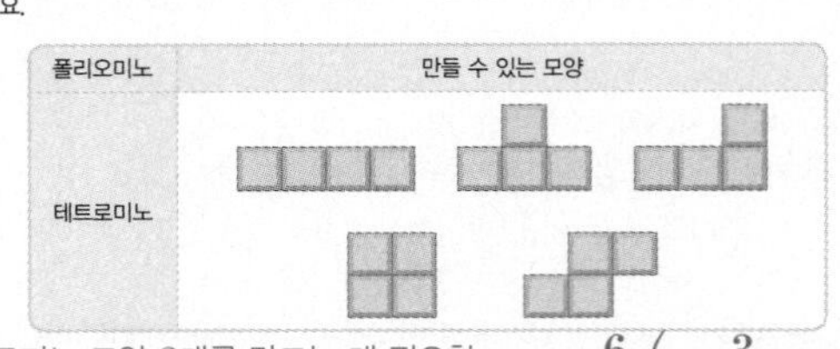

($\frac{6}{20}\left(=\frac{3}{10}=0.3\right)$)

✣ 트로미노 모양 2개를 만드는 데 필요한 모노미노는 6개입니다.
테트로미노 모양 5개를 만드는 데 필요한 모노미노는 20개입니다.
(트로미노 모양을 모두 만드는 데 필요한 모노미노 수) : (테트로미노 모양을 모두 만드는 데 필요한 모노미노 수)$=6:20$
$6:20$ ➔ $\frac{6}{20}=\frac{3}{10}=0.3$

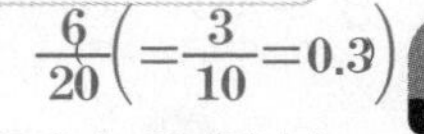

4 단원

3 한 변의 길이가 1 cm인 작은 정사각형을 변끼리 맞닿도록 이어 붙여 큰 정사각형을 만든 것입니다. 찾을 수 있는 크고 작은 정사각형 중에서 한 변의 길이가 2 cm인 정사각형 수에 대한 한 변의 길이가 3 cm인 정사각형 수의 비율을 구해 보세요.

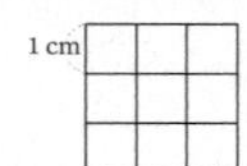

($\frac{1}{4}(=0.25)$)

✣ 한 변의 길이가 2 cm인 정사각형은 4개, 한 변의 길이가 3 cm인 정사각형은 1개 찾을 수 있습니다.
(한 변의 길이가 3 cm인 정사각형의 수) : (한 변의 길이가 2 cm인 정사각형의 수)$=1:4$
$1:4$ ➔ $\frac{1}{4}=0.25$

유형 2 조건을 만족하는 비와 비율 (문제 해결)

1 서희와 강호가 말한 두 조건을 모두 만족하는 비를 구해 보세요.

비율로 나타내면 0.75입니다.
서희

기준량과 비교하는 양의 차가 5입니다.
강호

❶ □ 안에 알맞은 말을 써넣으세요.

[기준량]에 대한 [비교하는 양]의 크기를 비율이라고 합니다.

➔ (비율)=[비교하는 양]÷[기준량]

=$\frac{\text{비교하는 양}}{\text{기준량}}$

❷ 비율 0.75를 기약분수로 나타내려고 합니다. □ 안에 알맞은 수를 써넣으세요.

$0.75=\frac{75}{100}=\frac{3}{4}$

✤ $\frac{75}{100}=\frac{75\div25}{100\div25}=\frac{3}{4}$

❸ ❷에서 구한 기약분수부터 시작하여 크기가 같은 분수를 분모가 작은 수부터 차례로 쓰려고 합니다. □ 안에 알맞은 수를 써넣으세요.

$\frac{3}{4}=\frac{6}{8}=\frac{9}{12}=\frac{12}{16}=\frac{15}{20}=\frac{18}{24}=\cdots\cdots$

❹ 서희와 강호가 말한 두 조건을 모두 만족하는 비를 구해 보세요.

(15 : 20)

✤ $\frac{3}{4}$과 크기가 같고 분모(기준량)와 분자(비교하는 양)의 차가 5인 분수는 $\frac{15}{20}$이므로 비로 나타내면 15 : 20입니다.

위편삼절(韋編三絶)이란?
책을 묶은 가죽 끈이 세 번이나 끊어졌다는 뜻으로 책이 닳고 닳을 때까지 여러 번 읽을만큼 학문에 열중한다는 말입니다.

정답과 풀이 15쪽

2 비교하는 양이 기준량보다 큰 비율이 적힌 카드를 왼쪽부터 차례로 모두 찾아 늘어놓으면 사자성어가 됩니다. 이 사자성어를 써 보세요.

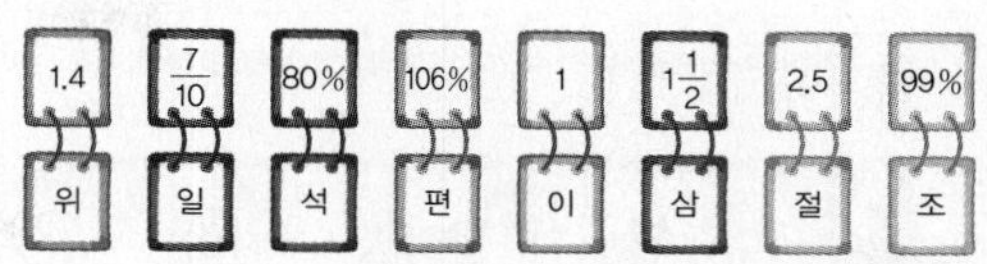

(위편삼절)

✤ (비율)=$\frac{\text{(비교하는 양)}}{\text{(기준량)}}$이므로 비교하는 양이 기준량보다 크면 비율은 1보다 큽니다.

➔ 비교하는 양이 기준량보다 큰 비율은 1.4(위), 106 %(편), $1\frac{1}{2}$(삼), 2.5(절)이므로 사자성어는 위편삼절입니다.

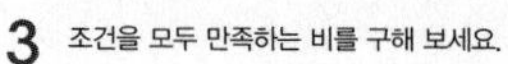

3 조건을 모두 만족하는 비를 구해 보세요.

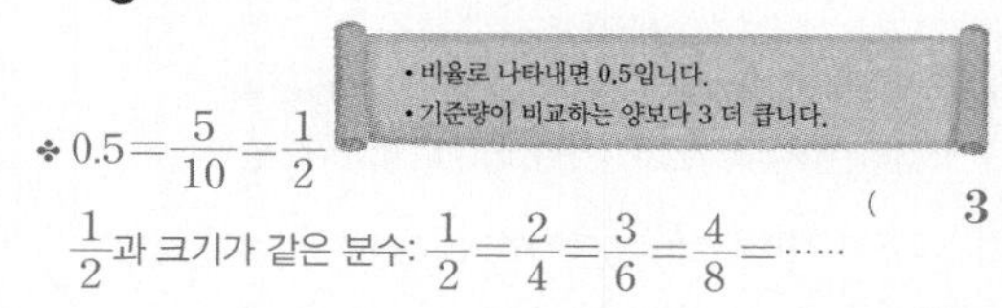

• 비율로 나타내면 0.5입니다.
• 기준량이 비교하는 양보다 3 더 큽니다.

(3 : 6)

✤ $0.5=\frac{5}{10}=\frac{1}{2}$

$\frac{1}{2}$과 크기가 같은 분수: $\frac{1}{2}=\frac{2}{4}=\frac{3}{6}=\frac{4}{8}=\cdots\cdots$

➔ 분모(기준량)가 분자(비교하는 양)보다 3 더 큰 분수는 $\frac{3}{6}$이므로 비로 나타내면 3 : 6입니다.

4 조건을 모두 만족하는 비를 구해 보세요.

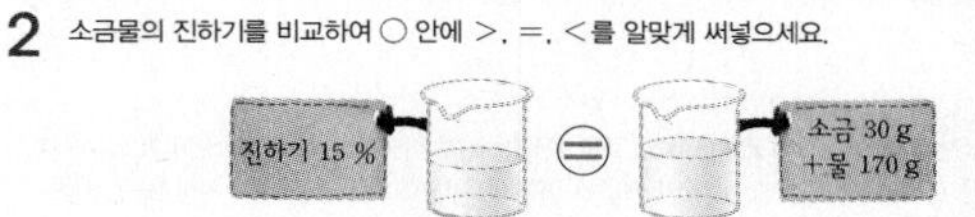

• 백분율로 나타내면 40 %입니다.
• 기준량과 비교하는 양의 차가 15입니다.

(10 : 25)

✤ 40 % → $\frac{40}{100}=\frac{2}{5}$

$\frac{2}{5}$와 크기가 같은 분수: $\frac{2}{5}=\frac{4}{10}=\frac{6}{15}=\frac{8}{20}=\frac{10}{25}=\cdots\cdots$

➔ 분모(기준량)와 분자(비교하는 양)의 차가 15인 분수는 $\frac{10}{25}$이므로 비로 나타내면 10 : 25입니다.

유형 3 용액의 진하기 (문제 해결)

1 현수와 재영이는 물이 담긴 비커에 각각 설탕을 모두 녹여 설탕물을 만들려고 합니다. 누가 만든 설탕물이 더 진한지 구해 보세요.

(설탕물의 진하기)=$\frac{\text{(설탕 양)}}{\text{(설탕물 양)}}\times100$

❶ 현수가 만든 설탕물의 진하기는 몇 %인지 구하려고 합니다. □ 안에 알맞은 수를 써넣으세요.

$\frac{60}{300}\times100=20$ (%)

✤ (설탕물 양)=60+240=300 (g)

❷ 재영이가 만든 설탕물의 진하기는 몇 %인지 구해 보세요.

(10 %)

✤ (설탕물 양)=50+450=500 (g)

➔ (설탕물의 진하기)=$\frac{50}{500}\times100=10$ (%)

❸ 누가 만든 설탕물이 더 진한지 구해 보세요.

(현수)

✤ 20 %＞10 %이므로 현수가 만든 설탕물이 더 진합니다.

정답과 풀이 15쪽

2 소금물의 진하기를 비교하여 ○ 안에 ＞, =, ＜를 알맞게 써넣으세요.

진하기 15 % ⊜ 소금 30 g + 물 170 g

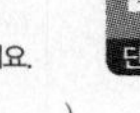

✤ (오른쪽 비커에 든 소금물 양)=30+170=200 (g)

➔ (오른쪽 비커에 든 소금물의 진하기)=$\frac{30}{200}\times100=15$ (%)

3 설탕물 2 kg에 설탕이 400 g 녹아 있습니다. 이 설탕물의 진하기는 몇 %인지 구해 보세요.

(20 %)

✤ 2 kg=2000 g

➔ (설탕물의 진하기)=$\frac{400}{2000}\times100=20$ (%)

4 윤아는 진하기가 25 %인 소금물 600 g을 만들었고, 승주는 진하기가 30 %인 소금물 400 g을 만들었습니다. 누구의 소금물에 녹아 있는 소금의 양이 더 많은지 구해 보세요.

(윤아)

✤ 윤아: $\frac{□}{600}\times100=25$, $\frac{□}{6}=25$, $\frac{□}{6}=\frac{150}{6}$, □=150 (g)

승주: $\frac{□}{400}\times100=30$, $\frac{□}{4}=30$, $\frac{□}{4}=\frac{120}{4}$, □=120 (g)

➔ 150 g＞120 g이므로 윤아의 소금물에 녹아 있는 소금의 양이 더 많습니다.

정답과 풀이 16쪽

유형 4 할인율

문제 해결

1 어느 가게에서 가방, 인형, 로봇을 할인하여 판매하고 있습니다. 할인율이 다른 하나를 써 보세요.

① 가방의 할인율은 몇 %인지 구하려고 합니다. □ 안에 알맞은 수를 써넣으세요.

(가방의 할인 금액)=25000−[20500]=[4500](원)

→ (가방의 할인율)= $\frac{4500}{25000}$ × 100=[18](%)

② 인형의 할인율은 몇 %인지 구해 보세요. (20 %)

✤ (인형의 할인 금액)=20000−16000=4000(원)

→ (인형의 할인율)= $\frac{4000}{20000}$ ×100=20 (%)

③ 로봇의 할인율은 몇 %인지 구해 보세요. (20 %)

✤ (로봇의 할인 금액)=15000−12000=3000(원)

→ (로봇의 할인율)= $\frac{3000}{15000}$ ×100=20 (%)

④ 가방, 인형, 로봇 중 할인율이 다른 하나를 써 보세요. (가방)

✤ 할인율이 가방은 18 %, 인형은 20 %, 로봇은 20 %이므로 다른 하나는 가방입니다.

2 원래 가격이 A 신발은 40000원, B 신발은 50000원입니다. 할인된 판매 가격이 A 신발은 32000원, B 신발은 45000원일 때 할인율이 더 높은 신발은 어느 것일까요? (A 신발)

✤ A 신발: (할인 금액)=40000−32000=8000(원)

→ (할인율)= $\frac{8000}{40000}$ ×100=20 (%)

B 신발: (할인 금액)=50000−45000=5000(원)

→ (할인율)= $\frac{5000}{50000}$ ×100=10 (%)

→ 20 % > 10 %이므로 할인율이 더 높은 신발은 A 신발입니다.

3 보미 마트에서는 다음과 같이 할인하여 판매하고 있습니다. 할인율이 높은 것부터 차례로 이름을 써 보세요.

	수박	멜론	참외
원래 가격(원)	14000	6000	800
할인된 판매 가격(원)	11200	5100	720

(수박, 멜론, 참외)

✤ (수박 할인율)= $\frac{2800}{14000}$ ×100=20 (%)

(멜론 할인율)= $\frac{900}{6000}$ ×100=15 (%)

(참외 할인율)= $\frac{80}{800}$ ×100=10 (%)

4 어머니께서 지난주와 이번 주에 같은 가게에서 산 오이의 수와 지불한 금액입니다. 오이 한 개의 할인율은 몇 %인지 구해 보세요.

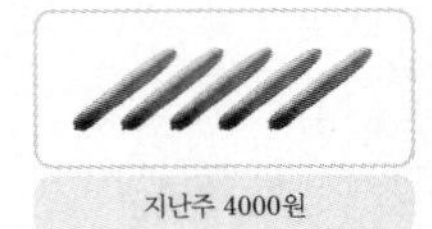

지난주 4000원 / 이번 주 2400원

(25 %)

✤ (지난주 오이 한 개의 금액)=4000÷5=800(원)

(이번 주 오이 한 개의 금액)=2400÷4=600(원)

(오이 한 개의 할인 금액)=800−600=200(원)

(오이 한 개의 할인율)= $\frac{200}{800}$ ×100=25 (%)

정답과 풀이 16쪽

유형 5 연비, 속력

문제 해결

1 연비는 자동차의 단위 연료(1 L)당 주행 거리(km)의 비율을 나타냅니다. 연비가 높을수록 같은 연료로 더 멀리 갈 수 있기 때문에 현정이의 아버지께서는 연비가 가장 높은 자동차를 선택하기로 하였습니다. 현정이의 아버지께서 선택한 자동차의 기호를 써 보세요.

자동차	가	나	다
연료(L)	30	32	35
주행 거리(km)	540	608	700

▲ 출처 © Ivengo shutterstock / © Rawpixel.com shutterstock

① 가 자동차의 연비를 구하려고 합니다. □ 안에 알맞은 수를 써넣으세요.

(가 자동차의 연비)= $\frac{540}{30}$ =[18] (km/L)

✤ (자동차의 연비)= $\frac{\text{(주행 거리)}}{\text{(단위 연료)}}$

② 나 자동차의 연비를 구해 보세요. (19) km/L

✤ (나 자동차의 연비)= $\frac{608}{32}$ =19 (km/L)

③ 다 자동차의 연비를 구해 보세요. (20) km/L

✤ (다 자동차의 연비)= $\frac{700}{35}$ =20 (km/L)

④ 현정이의 아버지께서 선택한 자동차의 기호를 써 보세요. (다)

✤ 자동차의 연비를 비교해 보면 18<19<20이므로 연비가 가장 높은 자동차는 다입니다.

2 가와 나 트럭 중에서 연비가 더 높은 트럭의 기호를 써 보세요.

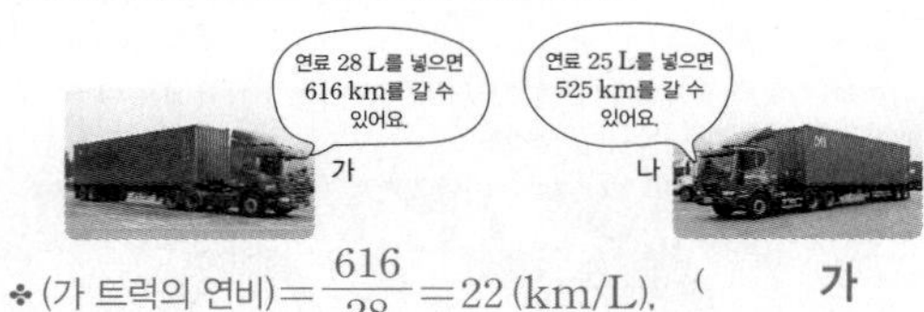

연료 28 L를 넣으면 616 km를 갈 수 있어요.
연료 25 L를 넣으면 525 km를 갈 수 있어요.
가
나

(가)

✤ (가 트럭의 연비)= $\frac{616}{28}$ =22 (km/L),

(나 트럭의 연비)= $\frac{525}{25}$ =21 (km/L)

→ 22>21이므로 연비가 더 높은 트럭은 가입니다.

3 속력은 단위 시간에 간 평균 거리를 나타냅니다. 1시간, 1분, 1초 동안에 가는 평균 거리를 각각 시속, 분속, 초속이라고 합니다. 예를 들어 1시간 동안 평균 60 km를 가는 속력을 60 km/시라 쓰고 시속 60 km라고 읽습니다. 예지의 말을 읽고 KTX의 속력을 구해 보세요.

(150) km/시

✤ (속력)= $\frac{\text{(간 거리)}}{\text{(걸린 시간)}}$ = $\frac{450}{3}$ =150 (km/시)

4 무궁화호 열차를 타고 332 km를 가는 데 4시간이 걸렸습니다. 무궁화호 열차의 속력을 구해 보세요.

(83) km/시

✤ (속력)= $\frac{\text{(간 거리)}}{\text{(걸린 시간)}}$ = $\frac{332}{4}$ =83 (km/시)

유형 6 확대, 축소

추론

1 그림과 같은 직사각형 모양 사진의 각 변의 길이를 120 %로 확대하려고 합니다. 확대한 사진의 넓이를 구해 보세요.

(가로 50 cm, 세로 30 cm)

① 확대한 사진의 가로의 길이를 구하려고 합니다. □ 안에 알맞은 수를 써넣으세요.

처음 사진의 가로의 길이: 50 cm

→ (확대하였을 때 더 늘어난 가로의 길이)$=50\times\frac{20}{100}=10$ (cm)

→ (확대한 사진의 가로의 길이)$=50+10=60$ (cm)

✤ 120 %로 확대하였으므로 처음(100 %)보다 $120-100=20$ (%) 더 늘어난 것입니다.

② 확대한 사진의 세로의 길이를 구하려고 합니다. □ 안에 알맞은 수를 써넣으세요.

처음 사진의 세로의 길이: 30 cm

→ (확대하였을 때 더 늘어난 세로의 길이)$=30\times\frac{20}{100}=6$ (cm)

→ (확대한 사진의 세로의 길이)$=30+6=36$ (cm)

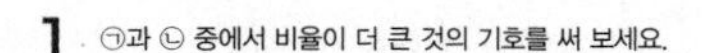

✤ 120 %로 확대하였으므로 처음(100 %)보다 20 % 더 늘어난 것입니다.

③ 확대한 사진의 넓이는 몇 cm^2일까요?

($2160\ cm^2$)

✤ (직사각형의 넓이)=(가로)×(세로)
$=60\times36=2160\ (cm^2)$

✤ 90 %로 축소하였으므로 처음(100 %)보다 $100-90=10$ (%) 더 줄어든 것입니다.

2 정사각형 모양 사진의 각 변의 길이를 90 %로 축소하려고 합니다. 축소한 사진의 넓이를 구해 보세요.

($1296\ cm^2$)

(축소하였을 때 더 줄어든 한 변의 길이)
$=40\times\frac{10}{100}=4$ (cm) → (축소한 사진의 한 변의 길이)$=40-4=36$ (cm)

→ (축소한 사진의 넓이)$=36\times36=1296\ (cm^2)$

3 평행사변형에서 밑변은 30 % 늘이고, 높이는 10 % 늘여서 새로운 평행사변형을 만들려고 합니다. 새로 만든 평행사변형의 넓이는 몇 cm^2일까요?

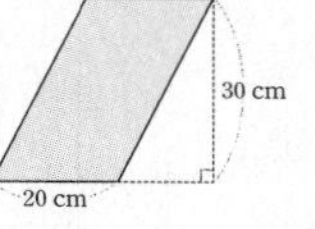

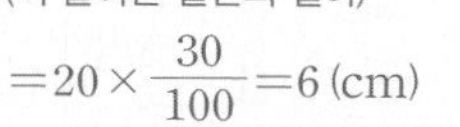

($858\ cm^2$)

✤ (더 늘어난 밑변의 길이)
$=20\times\frac{30}{100}=6$ (cm)
→ (늘어난 후 밑변의 길이)$=20+6=26$ (cm)

(더 늘어난 높이)$=30\times\frac{10}{100}=3$ (cm) → (늘어난 후 높이)$=30+3=33$ (cm)

→ (새로 만든 평행사변형의 넓이)=(밑변의 길이)×(높이)$=26\times33=858\ (cm^2)$

4 삼각형에서 밑변은 20 % 줄이고, 높이는 15 % 늘여서 새로운 삼각형을 만들려고 합니다. 새로 만든 삼각형의 넓이는 몇 cm^2일까요?

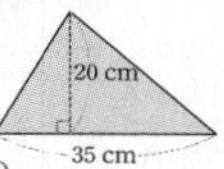

($322\ cm^2$)

✤ (더 줄어든 밑변의 길이)$=35\times\frac{20}{100}=7$ (cm)
→ (줄어든 후 밑변의 길이)$=35-7=28$ (cm)

(더 늘어난 높이)$=20\times\frac{15}{100}=3$ (cm) → (늘어난 후 높이)$=20+3=23$ (cm)

→ (새로 만든 삼각형의 넓이)=(밑변의 길이)×(높이)÷2
$=28\times23\div2=322\ (cm^2)$

사고력 종합 평가

1 ㉠과 ㉡ 중에서 비율이 더 큰 것의 기호를 써 보세요.

㉠ 15에 대한 12의 비 ㉡ 20의 15에 대한 비

(㉡)

✤ ㉠ 12 : 15 → $\frac{12}{15}$, ㉡ 20 : 15 → $\frac{20}{15}$

→ $\frac{12}{15}<\frac{20}{15}$이므로 비율이 더 큰 것은 ㉡입니다.

2 각기둥에서 모서리의 수에 대한 꼭짓점의 수의 비율을 구해 보세요.

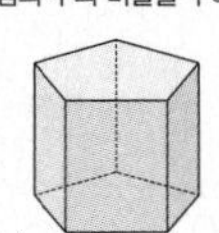

($\frac{10}{15}\left(=\frac{2}{3}\right)$)

✤ (오각기둥의 모서리의 수)$=5\times3=15$,
(오각기둥의 꼭짓점의 수)$=5\times2=10$
(오각기둥의 꼭짓점의 수) : (오각기둥의 모서리의 수)$=10:15$
$10:15$ → $\frac{10}{15}=\frac{2}{3}$

3 한 변의 길이가 1 cm인 작은 정삼각형을 변끼리 맞닿도록 이어 붙여 큰 정삼각형을 만든 것입니다. 찾을 수 있는 크고 작은 정삼각형 중에서 한 변의 길이가 2 cm인 정삼각형 수에 대한 한 변의 길이가 3 cm인 정삼각형 수의 비율을 구해 보세요.

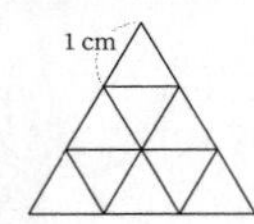

($\frac{1}{3}$)

✤ 한 변의 길이가 2 cm인 정삼각형은 3개, 한 변의 길이가 3 cm인 정삼각형은 1개 찾을 수 있습니다.

(한 변의 길이가 3 cm인 정삼각형의 수) : (한 변의 길이가 2 cm인 정삼각형의 수)$=1:3$ → $\frac{1}{3}$

4 비교하는 양이 기준량보다 작은 비율이 적힌 카드를 왼쪽부터 차례로 모두 찾아 늘어놓으면 영어 단어가 됩니다. 이 영어 단어를 써 보세요.

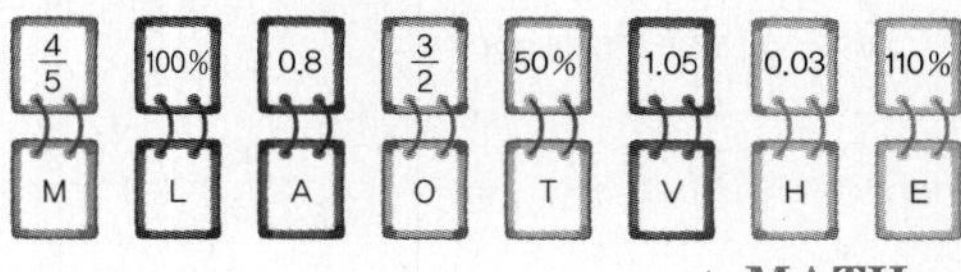

(MATH)

✤ (비율)$=\frac{(\text{비교하는 양})}{(\text{기준량})}$이므로 비교하는 양이 기준량보다 작으면 비율은 1보다 작습니다.

→ 비교하는 양이 기준량보다 작은 비율: $\frac{4}{5}$(M), 0.8(A), 50 %(T), 0.03(H)
영어 단어는 MATH입니다.

5 기준량이 비교하는 양보다 10 더 큰 비가 되도록 □ 안에 알맞은 수를 써넣으세요.

(1) 5 대 15 (2) 10와/과 20의 비

(3) 16에 대한 6의 비 (4) 7의 17에 대한 비

✤ ● : ▲에서 기준량은 ▲, 비교하는 양은 ●입니다.
(1) 5 : □ → □$=5+10=15$ (2) □ : 20 → □$=20-10=10$
(3) 6 : □ → □$=6+10=16$ (4) □ : 17 → □$=17-10=7$

6 대화를 읽고 더 진한 설탕물을 만든 사람의 이름을 써 보세요.

설탕 84 g을 녹여 설탕물 600 g을 만들었어요.
서희

설탕 52 g을 녹여 설탕물 400 g을 만들었어요.
강호

(서희)

✤ (서희가 만든 설탕물의 진하기)$=\frac{84}{600}\times100=14$ (%)

(강호가 만든 설탕물의 진하기)$=\frac{52}{400}\times100=13$ (%)

→ 14 % > 13 %이므로 서희가 만든 설탕물이 더 진합니다.

사고력 종합 평가 정답과 풀이 18쪽

7 조건을 모두 만족하는 비를 구해 보세요.

• 비율로 나타내면 1.25입니다.
• 기준량과 비교하는 양의 합이 36입니다.

(20 : 16)

$1.25=\frac{125}{100}=\frac{5}{4}$

✣ $\frac{5}{4}$와 크기가 같은 분수를 분모가 작은 수부터 차례로 쓰면 $\frac{5}{4}=\frac{10}{8}=\frac{15}{12}=\frac{20}{16}=\frac{25}{20}=$ ……입니다.

➔ 분모(기준량)와 분자(비교하는 양)의 합이 36인 분수는 $\frac{20}{16}$이므로 비로 나타내면 20 : 16입니다.

8 진하기가 10 %인 소금물 500 g을 만든 것입니다. 소금의 양과 물의 양을 구해 □ 안에 알맞은 수를 써넣으세요.

[50] g + [450] g = 500 g

✣ 소금의 양을 □라고 하면 $\frac{□}{500}\times100=10$, $\frac{□}{5}=10$, $\frac{□}{5}=\frac{50}{5}$, □$=50$ (g)입니다.

(물의 양)=(소금물의 양)−(소금의 양)=500−50=450 (g)

9 장난감 가게에서 장난감 자동차를 할인하여 판매하고 있습니다. 할인율이 더 높은 장난감 자동차의 기호를 써 보세요.

장난감 자동차	가	나
원래 가격(원)	8000	10000
할인된 판매 가격(원)	6000	8000

(가)

✣ 가: (할인율)$=\frac{2000}{8000}\times100=25$ (%)

나: (할인율)$=\frac{2000}{10000}\times100=20$ (%)

➔ 25 % > 20 %이므로 할인율이 더 높은 장난감 자동차는 가입니다.

10 재영이는 문구점에서 지난주에 연필 6자루를 3000원에 샀는데 이번 주에는 연필 5자루를 2000원에 샀습니다. 연필 한 자루의 할인율은 몇 %일까요?

(20%)

✣ (지난주 연필 한 자루의 금액)=3000÷6=500(원)
(이번 주 연필 한 자루의 금액)=2000÷5=400(원)
(연필 한 자루의 할인 금액)=500−400=100(원)

➔ (연필 한 자루의 할인율)$=\frac{100}{500}\times100=20$ (%)

11 윤하, 준우, 은주가 각각의 집에 있는 자동차에 대해 설명한 것입니다. 연비가 가장 높은 자동차를 가지고 있는 집은 누구네 집일까요?

윤하	연료 31 L를 넣으면 372 km를 갈 수 있어요.
준우	연료 27 L를 넣으면 378 km를 갈 수 있어요.
은주	연료 29 L를 넣으면 377 km를 갈 수 있어요.

(준우)

✣ 윤하: $\frac{372}{31}=12$ (km/L), 준우: $\frac{378}{27}=14$ (km/L), 은주: $\frac{377}{29}=13$ (km/L)

12 1분 동안에 가는 평균 거리를 분속이라고 합니다. 예를 들어 1분 동안 평균 100 m를 가는 속력을 100 m/분이라 쓰고 분속 100 m라고 읽습니다. 드론의 속력은 몇 m/분일까요?

저 드론으로 18 km를 가는 데 20분이 걸렸어요.
속력을 구하려면 1 km=1000 m 이니까……

(900) m/분

✣ 18 km=18000 m

(드론의 속력)$=\frac{(\text{간 거리})}{(\text{걸린 시간})}=\frac{18000}{20}=900$ (m/분)

4 단원

사고력 종합 평가 정답과 풀이 18쪽

13 1초 동안에 가는 평균 거리를 초속이라고 합니다. 예를 들어 1초 동안 평균 10 m를 가는 속력을 10 m/초라 쓰고 초속 10 m라고 읽습니다. 민경이의 100 m 달리기 기록이 20초일 때 민경이의 100 m 달리기 속력은 몇 m/초일까요?

(5) m/초

✣ (민경이의 100 m 달리기 속력)$=\frac{(\text{간 거리})}{(\text{걸린 시간})}=\frac{100}{20}=5$ (m/초)

14 그림과 같은 직사각형 모양 사진의 각 변의 길이를 110 %로 확대하려고 합니다. 확대한 사진의 넓이는 몇 cm^2일까요?

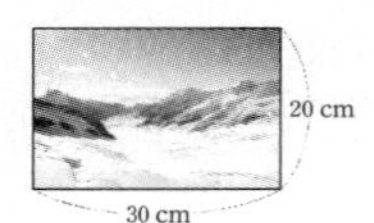

(726 cm^2)

✣ 110 %로 확대하였으므로 처음(100 %)보다 110−100=10 (%) 더 늘어난 것입니다.

(확대하였을 때 더 늘어난 가로의 길이)$=30\times\frac{10}{100}=3$ (cm)

(확대하였을 때 더 늘어난 세로의 길이)$=20\times\frac{10}{100}=2$ (cm)

➔ (확대한 사진의 넓이)$=(30+3)\times(20+2)=33\times22=726$ (cm^2)

15 삼각형에서 밑변은 12 % 늘이고, 높이는 20 % 줄여서 새로운 삼각형을 만들려고 합니다. 새로 만든 삼각형의 넓이는 몇 cm^2일까요?

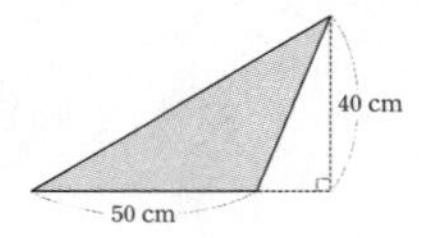

(896 cm^2)

✣ (더 늘어난 밑변의 길이)$=50\times\frac{12}{100}=6$ (cm)

→ (늘어난 후 밑변의 길이)=50+6=56 (cm)

(더 줄어든 높이)$=40\times\frac{20}{100}=8$ (cm)

→ (줄어든 후 높이)=40−8=32 (cm)

➔ (새로 만든 삼각형의 넓이)$=56\times32\div2=896$ (cm^2)

[GO! 매쓰]
여기까지 4단원 내용입니다.
다음부터는 5단원 내용이
시작합니다.

유형 1 항목의 비율 활용

창의·융합

정답과 풀이 19쪽

1 다음은 정아네 집의 어느 해 5월의 생활비 지출 내역을 정리한 띠그래프입니다. 5월 생활비는 총 200만 원이라고 합니다. 물음에 답하세요.

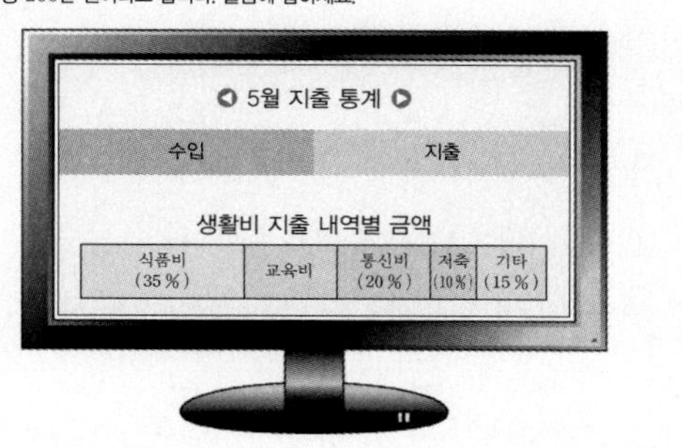

❶ 교육비의 비율은 전체의 몇 %인지 구해 보세요.

(20 %)

✤ $100-35-20-10-15=20\,(\%)$

❷ 교육비로 지출한 금액은 얼마인지 구해 보세요.

(40만 원)

✤ $200\times0.2=40$(만 원)

❸ 식품비 또는 교육비의 비율은 전체의 몇 %인지 구해 보세요.

(55 %)

✤ 식품비: 35 %, 교육비: 20 %
➔ $35+20=55\,(\%)$

❹ 교육비는 저축한 금액의 몇 배인지 구해 보세요.

(2배)

✤ 교육비: 20 %, 저축: 10 %
➔ $20\div10=2$(배)

2 윤미는 어머니와 함께 마트에서 장을 본 후 카트에 담은 물건 금액의 비율을 띠그래프로 나타내었습니다. 카트에 담은 물건의 총 금액이 15만 원이고, 생필품과 고기의 비율은 같다고 합니다. 물음에 답하세요.

카트에 담은 물건 금액

과자 (20 %)	생필품	빵 (10 %)	고기	과일 (10 %)

(1) 생필품과 고기의 비율은 전체의 몇 %인지 각각 구해 보세요.

생필품 (30 %)
고기 (30 %)

✤ (생필품과 고기의 비율) $=100-20-10-10=60\,(\%)$
생필품과 고기의 비율이 같으므로 두 항목의 비율은 각각 30 %입니다.

(2) 고기를 산 금액은 얼마인지 구해 보세요.

(45000원)

✤ $150000\times0.3=45000$(원)

(3) 과자 또는 고기의 비율은 전체의 몇 %인지 구해 보세요.

(50 %)

✤ 과자: 20 %, 고기: 30 %
➔ $20+30=50\,(\%)$

(4) 생필품을 산 금액은 과일을 산 금액의 몇 배인지 구해 보세요.

(3배)

✤ 생필품: 30 %, 과일: 10 %
➔ $30\div10=3$(배)

5 단원

유형 2 그래프 바꿔서 나타내기

문제 해결

정답과 풀이 19쪽

1 다음은 진주네 마을 학생 40명이 기르고 싶어 하는 동물을 조사하여 나타낸 원그래프입니다. 물음에 답하세요. (단, 원그래프에서 각도의 합계는 360°입니다.)

기르고 싶어 하는 동물 (원그래프: 강아지 108°, 고양이, 햄스터 72°, 토끼 36°, 기타 54°)

✤ 강아지: $\frac{108°}{360°}\times100=30\,(\%)$,
고양이: $\frac{90°}{360°}\times100=25\,(\%)$,
햄스터: $\frac{72°}{360°}\times100=20\,(\%)$,
토끼: $\frac{36°}{360°}\times100=10\,(\%)$,
기타: $\frac{54°}{360°}\times100=15\,(\%)$

❶ 위 그래프를 보고 표를 완성해 보세요.

기르고 싶어 하는 동물

동물	강아지	고양이	햄스터	토끼	기타	합계
백분율(%)	30	25	20	10	15	100

❷ ❶의 표를 보고 띠그래프로 나타내어 보세요.

기르고 싶어 하는 동물

강아지 (30 %)	고양이 (25 %)	햄스터 (20 %)	토끼 (10 %)	기타 (15 %)

❸ 가장 많은 학생이 기르고 싶어 하는 동물은 무엇인지 써 보세요.

(강아지)

✤ 띠그래프에서 길이가 가장 긴 부분을 찾으면 강아지입니다.

❹ 고양이를 기르고 싶어 하는 학생은 몇 명인지 구해 보세요.

(10명)

✤ 고양이의 비율이 25 %이므로 $40\times0.25=10$(명)입니다.

2 다음은 수영이네 반 학생 20명이 태어난 계절을 조사하여 나타낸 원그래프입니다. 물음에 답하세요. (단, 원그래프에서 각도의 합계는 360°입니다.)

학생들이 태어난 계절 (원그래프: 봄 54°, 여름 126°, 가을 72°, 겨울 108°)

✤ 봄: $\frac{54°}{360°}\times100=15\,(\%)$,
여름: $\frac{126°}{360°}\times100=35\,(\%)$,
가을: $\frac{72°}{360°}\times100=20\,(\%)$,
겨울: $\frac{108°}{360°}\times100=30\,(\%)$

(1) 위 그래프를 보고 표를 완성해 보세요.

학생들이 태어난 계절

계절	봄	여름	가을	겨울	합계
백분율(%)	15	35	20	30	100

(2) (1)의 표를 보고 띠그래프로 나타내어 보세요.

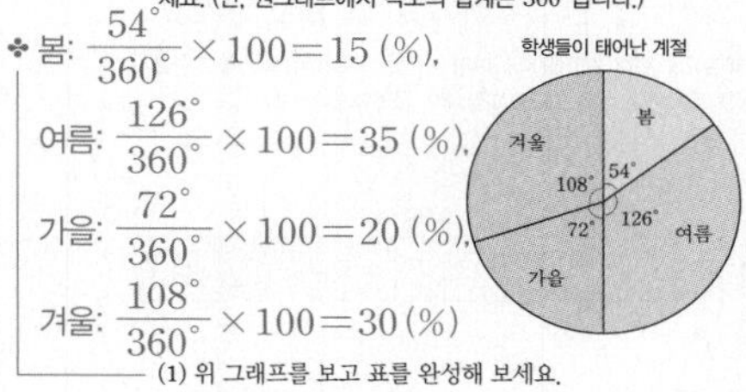

학생들이 태어난 계절

봄 (15 %)	여름 (35 %)	가을 (20 %)	겨울 (30 %)

✤ 각 항목이 차지하는 백분율의 크기만큼 띠를 나누고, 나눈 부분에 각 항목의 내용과 백분율을 씁니다.

(3) 여름 또는 겨울에 태어난 학생의 비율은 전체의 몇 %인지 구해 보세요.

(65 %)

✤ 여름: 35 %, 겨울: 30 %
➔ $35+30=65\,(\%)$

(4) 가을에 태어난 학생은 몇 명인지 구해 보세요.

(4명)

✤ 가을의 비율이 20 %이므로 $20\times0.2=4$(명)입니다.

5 단원

정답과 풀이 20쪽

유형 3 먹은 만큼 그래프로 나타내기 창의・융합

1 주아는 친구들과 함께 1 kg짜리 피자를 10조각으로 나누어 모두 먹었습니다. 주아와 친구들이 먹은 조각 수를 보고 물음에 답하세요.

친구들이 먹은 피자 조각 수

이름	주아	영미	윤재	승기
조각 수(개)	2	1	3	4

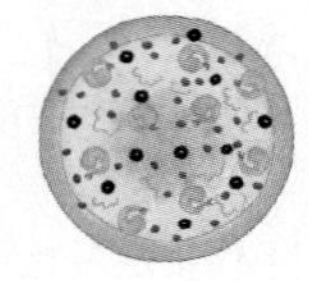

✤ 주아: $\frac{2}{10}\times100=20\,(\%)$, 영미: $\frac{1}{10}\times100=10\,(\%)$,

❶ 전체 조각 수에 대한 먹은 조각 수의 백분율을 구하여 표를 완성해 보세요.

친구들이 먹은 피자 조각 수

학생	주아	영미	윤재	승기	합계
백분율(%)	20	10	30	40	100

윤재: $\frac{3}{10}\times100=30\,(\%)$, 승기: $\frac{4}{10}\times100=40\,(\%)$

❷ ❶의 표를 보고 띠그래프로 나타내어 보세요.

친구들이 먹은 피자 조각 수

0 10 20 30 40 50 60 70 80 90 100(%)

주아 (20 %)	영미 (10 %)	윤재 (30 %)	승기 (40 %)

✤ 각 항목이 차지하는 백분율의 크기만큼 띠를 나누고, 나눈 부분에 각 항목의 내용과 백분율을 씁니다.

❸ 피자를 많이 먹은 사람부터 차례로 이름을 써 보세요.

(**승기, 윤재, 주아, 영미**)

✤ 띠의 길이가 긴 순서대로 씁니다.

❹ 윤재가 먹은 피자의 무게는 몇 g인지 구해 보세요. (단, 각 피자 조각의 무게는 같습니다.)

(**300 g**)

✤ 1 kg=1000 g입니다.
윤재의 비율이 30 %이므로 $1000\times0.3=300$ (g)입니다.

✤ (아빠와 동생이 먹은 피자 조각 수의 합)
$=8-1-3=4$(개)
아빠와 동생의 조각 수가 같으므로 각각 2개입니다.

2 예서네 가족들이 1.5 kg짜리 피자를 8조각으로 나누어 모두 먹었습니다. 아빠와 동생이 먹은 조각 수는 같습니다. 가족들이 먹은 피자 조각 수를 보고 물음에 답하세요.

가족들이 먹은 피자 조각 수

가족	아빠	엄마	예서	동생
조각 수(개)	2	1	3	2

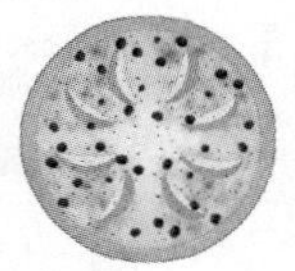

(1) 위 표를 완성해 보세요.

✤ 아빠: $\frac{2}{8}\times100=25\,(\%)$, 엄마: $\frac{1}{8}\times100=12.5\,(\%)$,

(2) 전체 조각 수에 대한 먹은 조각 수의 백분율을 구하여 표를 완성해 보세요.

가족들이 먹은 피자 조각 수

가족	아빠	엄마	예서	동생	합계
백분율(%)	25	12.5	37.5	25	100

예서: $\frac{3}{8}\times100=37.5\,(\%)$, 동생: $\frac{2}{8}\times100=25\,(\%)$

(3) (2)의 표를 보고 원그래프로 나타내어 보세요.

✤ 각 항목이 차지하는 백분율의 크기만큼 원을 나누고, 나눈 부분에 각 항목의 내용과 백분율을 씁니다.

가족들이 먹은 피자 조각 수

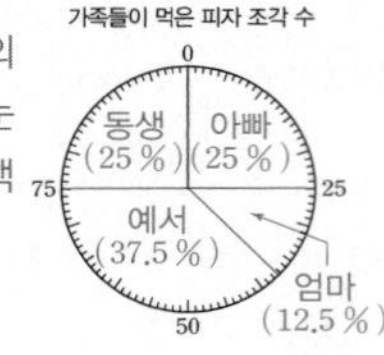

(4) 아빠가 먹은 피자의 무게는 몇 g인지 구해 보세요. (단, 각 피자 조각의 무게는 같습니다.)

(**375 g**)

✤ 1.5 kg=1500 g입니다.
아빠의 비율이 25 %이므로 $1500\times0.25=375$ (g)입니다.

5 단원

정답과 풀이 20쪽

유형 4 그래프의 일부분을 다른 그래프로 나타내기 문제 해결

1 버스 이용자 2000명을 대상으로 만족 여부를 조사하여 나타낸 그래프와 불만족인 이용자를 대상으로 불만족 이유를 조사하여 나타낸 그래프입니다. 물음에 답하세요.

만족 여부

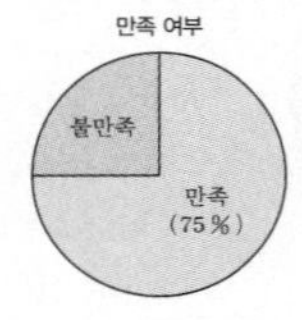

불만족 이유

정시 미도착 (52 %)	비싼 요금	노선표 (15 %)	기타 (10 %)

❶ 버스가 불만족이라고 답한 사람은 전체의 몇 %인지 구해 보세요.

(**25 %**)

✤ $100-75=25\,(\%)$

❷ 버스가 불만족이라고 답한 사람은 몇 명인지 구해 보세요.

(**500명**)

✤ $2000\times0.25=500$(명)

❸ 불만족인 이유가 비싼 요금이라고 답한 사람은 불만족인 사람의 몇 %인지 구해 보세요.

(**23 %**)

✤ $100-52-15-10=23\,(\%)$

❹ 불만족인 이유가 노선표라고 답한 사람은 몇 명인지 구해 보세요.

(**75명**)

✤ 불만족인 사람 500명 중에서 노선표의 비율이 15 %이므로 $500\times0.15=75$(명)입니다.

2 어느 지역의 토지 이용률과 농경지 면적 비율을 나타낸 그래프입니다. 이 지역의 토지 면적이 500 km^2일 때, 물음에 답하세요.

토지 이용률

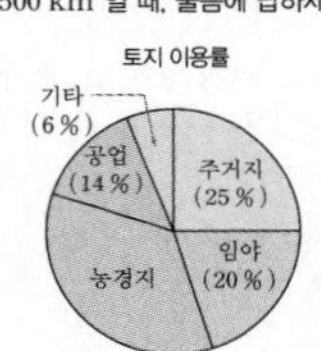

농경지 면적 비율

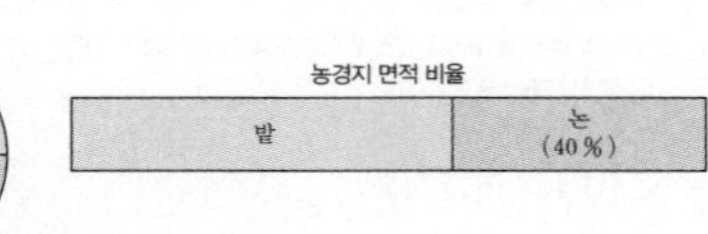

(1) 토지에서 농경지가 차지하는 비율은 전체의 몇 %인지 구해 보세요.

(**35 %**)

✤ $100-25-20-14-6=35\,(\%)$

(2) 농경지가 차지하는 면적은 몇 km^2인지 구해 보세요.

(**175 km^2**)

✤ $500\times0.35=175\,(km^2)$

(3) 밭이 차지하는 면적은 몇 km^2인지 구해 보세요.

(**105 km^2**)

✤ 밭이 차지하는 비율은 $100-40=60\,(\%)$입니다.
➜ $175\times0.6=105\,(km^2)$

(4) 밭은 논보다 면적이 몇 km^2 더 넓은지 구해 보세요.

(**35 km^2**)

✤ 논이 차지하는 비율이 40 %이므로 $175\times0.4=70\,(km^2)$입니다.
따라서 $105-70=35\,(km^2)$ 더 넓습니다.

5 단원

유형 5 그림그래프 완성하기

추론

1 지역별 사과 생산량을 조사하여 나타낸 그림그래프입니다. 네 지역의 평균 생산량은 27 t이고 가 지역의 생산량은 라 지역의 생산량의 2배일 때, 그림그래프를 완성하려고 합니다. 물음에 답하세요.

지역별 사과 생산량

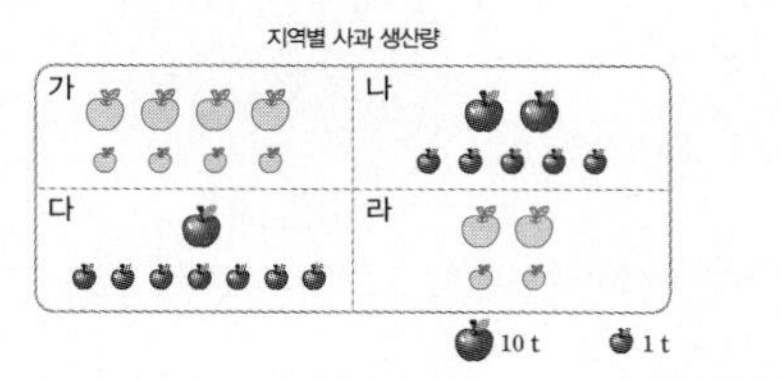

❶ 나와 다 지역의 생산량은 몇 t인지 각각 구해 보세요.

나 (25 t)
다 (17 t)

✤ 나: 10 t 그림 2개, 1 t 그림 5개로 25 t입니다.
다: 10 t 그림 1개, 1 t 그림 7개로 17 t입니다.

❷ 네 지역의 전체 생산량은 모두 몇 t인지 구해 보세요.

(108 t)

✤ $27 \times 4 = 108$ (t)

❸ 라 지역의 생산량은 몇 t인지 구해 보세요.

(22 t)

✤ 라 지역의 생산량을 □ t이라 하면 □ × 2 + 25 + 17 + □ = 108입니다.
➔ □ × 3 + 42 = 108, □ × 3 = 66, □ = 22

❹ 가 지역의 생산량은 몇 t인지 구해 보세요.

(44 t)

✤ $22 \times 2 = 44$ (t)

❺ 위 그림그래프를 완성해 보세요.

✤ 가 지역은 10 t 그림 4개, 1 t 그림 4개로 나타냅니다.
라 지역은 10 t 그림 2개, 1 t 그림 2개로 나타냅니다.

정답과 풀이 21쪽

✤ 가: 1000마리 그림 2개, 100마리 그림 5개이므로 2500마리입니다.
라: 1000마리 그림 4개, 100마리 그림 1개이므로 4100마리입니다.

2 농장별 돼지의 수를 조사하여 나타낸 그림그래프입니다. 네 농장의 평균 돼지 수가 3150마리이고 나 농장의 돼지 수는 다 농장의 돼지 수보다 800마리 더 많을 때, 그림그래프를 완성해 보세요.

농장별 돼지의 수

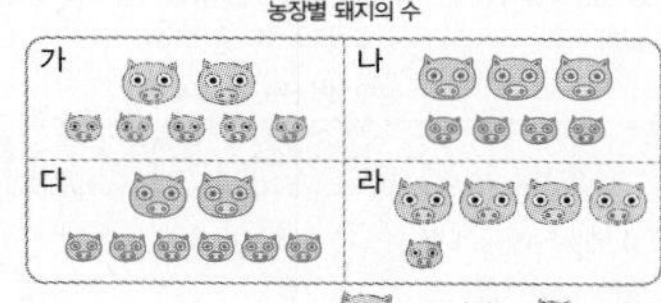

네 농장의 전체 돼지의 수는 $3150 \times 4 = 12600$(마리)입니다.
다 농장의 돼지 수를 □마리라 하면 2500 + □ + 800 + □ + 4100 = 12600입니다.
➔ □ + □ + 7400 = 12600, □ + □ = 5200, □ = 2600
➔ 나: 2600 + 800 = 3400(마리)
따라서 나 농장은 1000마리 그림 3개, 100마리 그림 4개로 나타내고
다 농장은 1000마리 그림 2개, 100마리 그림 6개로 나타냅니다.

3 마을별 당근 생산량을 조사하여 나타낸 그림그래프입니다. 네 마을의 평균 생산량은 29 t이고, 나 마을의 생산량은 다 마을의 생산량의 3배일 때, 그림그래프를 완성해 보세요.

마을별 당근 생산량

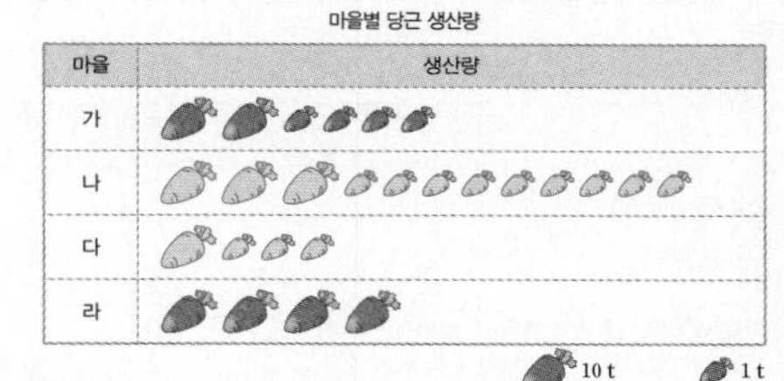

✤ 가: 10 t 그림 2개, 1 t 그림 4개이므로 24 t입니다.
라: 10 t 그림 4개이므로 40 t입니다.
네 마을의 전체 생산량은 $29 \times 4 = 116$ (t)입니다.
다 마을의 생산량을 □ t이라 하면 24 + □ × 3 + □ + 40 = 116입니다.
➔ □ × 4 + 64 = 116, □ × 4 = 52, □ = 13
➔ 나: $13 \times 3 = 39$ (t)
따라서 나 마을은 10 t 그림 3개, 1 t 그림 9개로 나타내고
다 마을은 10 t 그림 1개, 1 t 그림 3개로 나타냅니다.

5 단원

유형 6 길이가 정해진 띠그래프 그리기

추론

1 승기네 학교 6학년 학생들이 좋아하는 과목을 조사하였더니 국어는 영어의 8배, 수학은 영어의 5배, 과학은 영어의 4배, 사회는 영어의 2배였습니다. 가장 많은 학생이 좋아하는 과목은 두 번째로 많은 학생이 좋아하는 과목보다 30명이 더 많습니다. 물음에 답하세요.

❶ 영어를 좋아하는 학생은 몇 명인지 구해 보세요.

(10명)

✤ 영어를 좋아하는 학생 수를 □명이라 하면
국어는 (□ × 8)명, 수학은 (□ × 5)명, 과학은 (□ × 4)명, 사회는 (□ × 2)명입니다.
따라서 □ × 8 − □ × 5 = 30이므로 □ × 3 = 30, □ = 30 ÷ 3, □ = 10입니다.

❷ 표를 완성해 보세요.

학생들이 좋아하는 과목

과목	국어	수학	과학	사회	영어	합계
학생 수(명)	80	50	40	20	10	200
백분율 (%)	40	25	20	10	5	100

✤ 영어가 10명이므로 국어는 $10 \times 8 = 80$(명), 수학은 $10 \times 5 = 50$(명),
과학은 $10 \times 4 = 40$(명), 사회는 $10 \times 2 = 20$(명)입니다.
(합계) = 80 + 50 + 40 + 20 + 10 = 200(명)

❸ ❷의 표를 보고 전체 길이가 12 cm인 띠그래프로 나타내려고 합니다. □ 안에 알맞은 수를 써넣고 띠그래프에 항목과 길이를 나타내어 보세요.

• 국어: 4.8 cm • 수학: 3 cm • 과학: 2.4 cm
• 사회: 1.2 cm • 영어: 0.6 cm

학생들이 좋아하는 과목

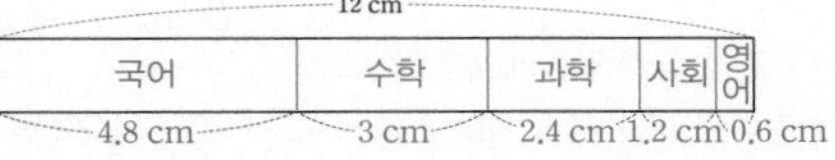

✤ 국어: $12 \times 0.4 = 4.8$ (cm), 수학: $12 \times 0.25 = 3$ (cm),
과학: $12 \times 0.2 = 2.4$ (cm), 사회: $12 \times 0.1 = 1.2$ (cm),
영어: $12 \times 0.05 = 0.6$ (cm)

정답과 풀이 21쪽

2 행복 농장에서 기르는 가축 수를 조사하였더니 닭은 오리의 7배, 돼지는 오리의 5배, 소는 오리의 4배, 염소는 오리의 3배였습니다. 가장 많은 가축은 네 번째로 많은 가축보다 60마리 더 많습니다. 물음에 답하세요.

(1) 행복 농장에서 기르는 오리는 몇 마리인지 구해 보세요.

(15마리)

✤ 오리의 수를 □마리라 하면
닭은 (□ × 7)마리, 돼지는 (□ × 5)마리, 소는 (□ × 4)마리,
염소는 (□ × 3)마리입니다. 따라서 □ × 7 − □ × 3 = 60이므로
□ × 4 = 60, □ = 60 ÷ 4, □ = 15입니다.

(2) 표를 완성해 보세요.

농장에서 기르는 가축별 수

가축	닭	돼지	소	염소	오리	합계
가축 수(마리)	105	75	60	45	15	300
백분율 (%)	35	25	20	15	5	100

✤ 오리가 15마리이므로 닭은 $15 \times 7 = 105$(마리), 돼지는 $15 \times 5 = 75$(마리),
소는 $15 \times 4 = 60$(마리), 염소는 $15 \times 3 = 45$(마리)입니다.
(합계) = 105 + 75 + 60 + 45 + 15 = 300(마리)

(3) (2)의 표를 보고 전체 길이가 14 cm인 띠그래프로 나타내려고 합니다. □ 안에 알맞은 수를 써넣고 띠그래프에 항목과 길이를 나타내어 보세요.

• 닭: 4.9 cm • 돼지: 3.5 cm • 소: 2.8 cm
• 염소: 2.1 cm • 오리: 0.7 cm

농장에서 기르는 가축별 수

14 cm

닭	돼지	소	염소	오리
4.9 cm	3.5 cm	2.8 cm	2.1 cm	0.7 cm

✤ 닭: $14 \times 0.35 = 4.9$ (cm), 돼지: $14 \times 0.25 = 3.5$ (cm),
소: $14 \times 0.2 = 2.8$ (cm), 염소: $14 \times 0.15 = 2.1$ (cm),
오리: $14 \times 0.05 = 0.7$ (cm)

5 단원

정답과 풀이 22쪽

사고력 종합 평가

1 가은이의 한 달 용돈 지출 항목을 나타낸 띠그래프입니다. 가은이의 한 달 용돈이 3만 원이라고 할 때, 물음에 답하세요.

가은이의 용돈 지출 항목

간식비 (30 %)	학용품 구입	책 구입 (15 %)	기타 (25 %)

(1) 학용품 구입 비율은 전체의 몇 %인지 구해 보세요.

(30 %)

✤ $100-30-15-25=30\,(\%)$

(2) 학용품을 구입하는 데 쓴 용돈은 얼마인지 구해 보세요.

(9000원)

✤ $30000\times0.3=9000$(원)

(3) 학용품을 구입하는 데 쓴 용돈은 책을 구입하는 데 쓴 용돈의 몇 배인지 구해 보세요.

(2배)

✤ 학용품 구입: 30 %, 책 구입: 15 %

➔ $30\div15=2$(배)

2 영수네 집에 있는 책을 조사하여 나타낸 띠그래프입니다. 위인전이 60권이라고 할 때, 물음에 답하세요.

영수네 집에 있는 책

학습 만화	위인전 (30 %)	동화책 (25 %)	과학책 (10 %)

(1) 영수네 집에 있는 책은 모두 몇 권인지 구해 보세요.

(200권)

✤ 전체 책을 □권이라 하면 $\dfrac{60}{□}=\dfrac{30}{100}$입니다.

➔ $\dfrac{30\times2}{100\times2}=\dfrac{60}{200}$이므로 □$=200$(권)입니다.

(2) 학습 만화의 비율은 전체의 몇 %인지 구해 보세요.

(35 %)

✤ $100-30-25-10=35\,(\%)$

(3) 학습 만화는 몇 권인지 구해 보세요.

(70권)

✤ $200\times0.35=70$(권)

3 명철이네 학교 학생 180명이 좋아하는 꽃을 조사하여 나타낸 원그래프입니다. 물음에 답하세요. (단, 원그래프에서 각도의 합계는 360°입니다.)

학생들이 좋아하는 꽃

기타 18°, 국화 54°, 프리지아 72°, 장미, 해바라기

(1) 장미를 좋아하는 학생의 비율은 전체의 몇 %인지 구해 보세요.

(35 %)

✤ (장미)$=360°-90°-72°-54°-18°=126°$

➔ $\dfrac{126°}{360°}\times100=35\,(\%)$

(2) 장미를 좋아하는 학생은 몇 명인지 구해 보세요.

(63명)

✤ $180\times0.35=63$(명)

4 어느 과일에 들어 있는 영양소를 나타낸 원그래프입니다. 탄수화물이 단백질의 3배일 때, 이 과일 800 g에 들어 있는 탄수화물은 몇 g인지 구해 보세요.

과일에 들어 있는 영양소

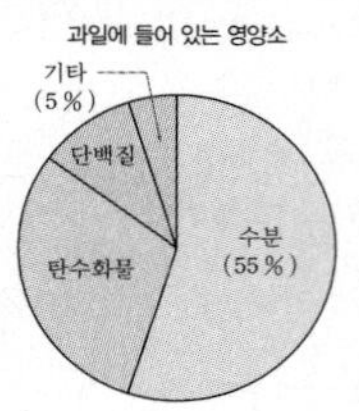

(240 g)

✤ 단백질의 비율을 □ %라 하면 탄수화물의 비율은 (□×3) %입니다.
(탄수화물과 단백질의 비율의 합)$=100-55-5=40$이므로
□×3+□=40입니다.
➔ □×4=40, □=10
따라서 단백질은 10 %, 탄수화물은 $10\times3=30\,(\%)$이므로 탄수화물은 $800\times0.3=240\,(g)$ 들어 있습니다.

정답과 풀이 22쪽

사고력 종합 평가

5 채민이는 친구들과 함께 1800 g짜리 피자를 16조각으로 나누어 모두 먹었습니다. 채민이와 친구들이 먹은 조각 수를 보고 물음에 답하세요.

친구들이 먹은 피자 조각 수

이름	채민	명철	진주	영미
조각 수(개)		2	6	4

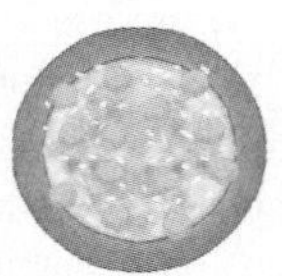

(1) 채민이가 먹은 피자의 비율은 전체의 몇 %인지 구해 보세요.

(25 %)

✤ (채민이가 먹은 조각 수)$=16-2-6-4=4$(개)

➔ 채민: $\dfrac{4}{16}\times100=25\,(\%)$

(2) 채민이가 먹은 피자의 무게는 몇 g인지 구해 보세요. (단, 각 피자 조각의 무게는 같습니다.)

(450 g)

✤ $1800\times0.25=450\,(g)$

6 영지네 반 학생 20명의 혈액형을 조사하여 나타낸 원그래프입니다. 화살표 방향으로 수혈이 가능하다고 할 때, 영지네 반 20명 중에서 A형에게 수혈을 할 수 있는 학생은 몇 명인지 구하려고 합니다. 물음에 답하세요.

혈액형별 학생 수

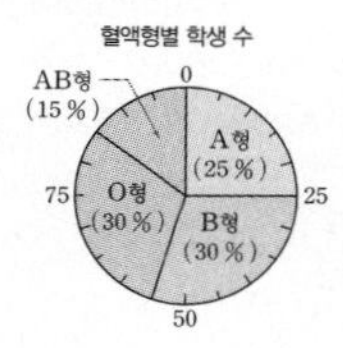

수혈 가능 혈액형

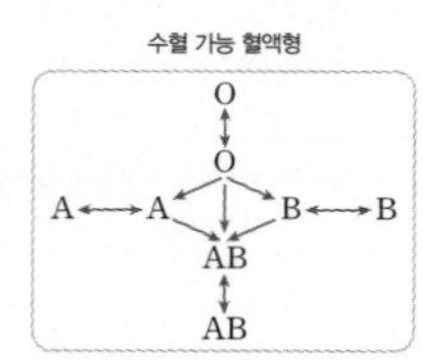

(1) A형에게 수혈을 할 수 있는 학생은 전체의 몇 %인지 구해 보세요.

(55 %)

✤ A형에게 수혈을 할 수 있는 혈액형은 A형과 O형입니다.
A형은 25 %이고 O형은 30 %이므로 $25+30=55\,(\%)$입니다.

(2) A형에게 수혈을 할 수 있는 학생은 몇 명인지 구해 보세요.

(11명)

✤ $20\times0.55=11$(명)

7 정아네 학교 학생 400명을 대상으로 취미 활동을 조사하여 나타낸 그래프와 운동이 취미 활동인 학생을 대상으로 운동 종류를 조사하여 나타낸 그래프입니다. 물음에 답하세요.

취미 활동별 학생 수

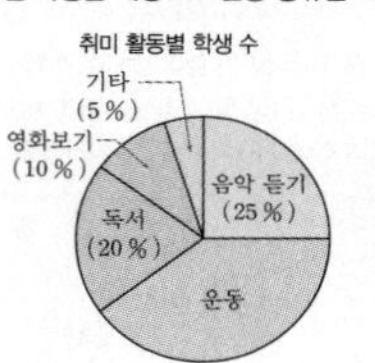

운동별 학생 수

축구 (35 %)	농구 (40 %)	기타 (25 %)

(1) 운동을 취미 활동으로 하는 학생은 몇 명인지 구해 보세요.

(160명)

✤ (운동의 비율)$=100-25-20-10-5=40\,(\%)$

➔ $400\times0.4=160$(명)

(2) 축구가 취미 활동인 학생은 몇 명인지 구해 보세요.

(56명)

✤ $160\times0.35=56$(명)

8 지역별 배 생산량을 조사하여 나타낸 그림그래프입니다. 네 지역의 전체 생산량이 120 t일 때, 그림그래프를 완성하고 생산량이 가장 많은 지역과 가장 적은 지역의 생산량의 합은 몇 t인지 구해 보세요.

지역별 배 생산량

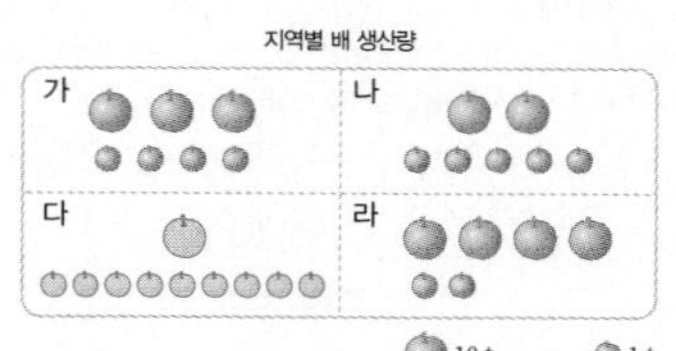

(61 t)

✤ 가: 34 t, 나: 25 t, 라: 42 t이므로,
다 지역의 생산량은 $120-34-25-42=19\,(t)$입니다.
생산량이 가장 많은 지역: 42 t, 생산량이 가장 적은 지역: 19 t
➔ $42+19=61\,(t)$

94쪽

사고력 종합 평가

정답과 풀이 23쪽

9 지역별 초등학생 수를 조사하여 나타낸 그림그래프입니다. 네 지역의 평균 초등학생 수가 25만 명일 때, 그림그래프를 완성해 보세요.

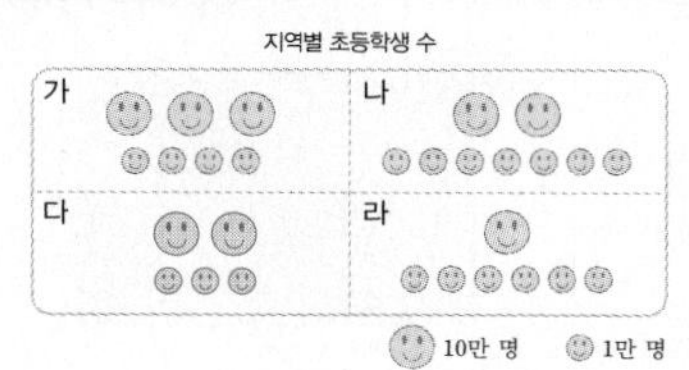

❖ (전체 초등학생 수) $=25\times4=100$(만 명)
가: 34만 명, 나: 27만 명, 라: 16만 명
(다 지역의 초등학생 수) $=100-34-27-16=23$(만 명)
따라서 다 지역은 10만 명 그림 2개, 1만 명 그림 3개로 나타냅니다.

10 수하네 마을 사람들이 구독하는 신문을 조사하였더니 신문별 구독 비율이 각각 ㉮ 신문은 ㉱ 신문의 9배, ㉯ 신문은 ㉱ 신문의 4배, ㉰ 신문은 ㉱ 신문의 6배였습니다. 물음에 답하세요.

(1) 표를 완성해 보세요.

신문별 구독 가구 수

신문	㉮	㉯	㉰	㉱	합계
구독 가구 수(가구)	90	40	60	10	200
백분율(%)	45	20	30	5	100

❖ ㉱ 신문의 비율을 □ %라 하면 ㉮ 신문은 (□ × 9) %, ㉯ 신문은 (□ × 4) %, ㉰ 신문은 (□ × 6) %입니다.
□ × 9 + □ × 4 + □ × 6 + □ = 100, □ × 20 = 100, □ = 5
따라서 ㉮, ㉯, ㉰, ㉱ 신문의 비율은 각각 45 %, 20 %, 30 %, 5 %입니다.
㉮ 신문: $200\times0.45=90$(가구), ㉯ 신문: $200\times0.2=40$(가구),
㉰ 신문: $200\times0.3=60$(가구), ㉱ 신문: $200\times0.05=10$(가구)

(2) (1)의 표를 보고 원그래프로 나타내어 보세요.

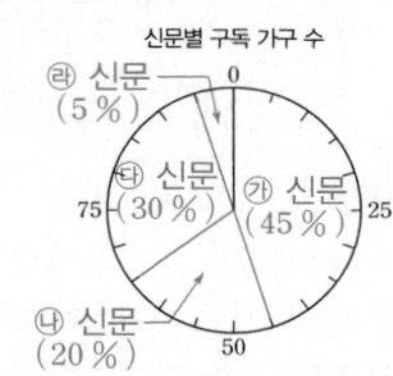

❖ 각 항목이 차지하는 백분율의 크기만큼 선을 그어 원을 나누고, 나눈 부분에 각 항목의 내용과 백분율을 씁니다.

[GO! 매쓰]
여기까지 5단원 내용입니다.
다음부터는 6단원 내용이 시작합니다.

96쪽 ~ 97쪽

정답과 풀이 23쪽

유형 1 정투상도 창의·융합

1 물건의 모양을 평면 위에 그리는 것을 투상, 그린 그림을 투상도라고 합니다. 정투상은 정면도(앞에서 본 모양), 평면도(위에서 본 모양), 측면도(오른쪽 옆에서 본 모양)의 3개 면으로 나타내는 제3각법이 많이 사용되며 그 도면이 정투상도입니다. 직육면체의 정투상도를 그리기 위해 정면도, 평면도, 측면도를 나타낸 것입니다. 이 직육면체의 겉넓이를 구해 보세요.

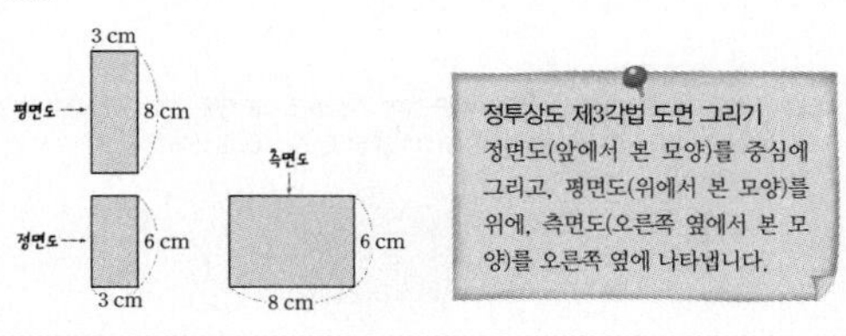

3 cm
평면도
8 cm
측면도
정면도
6 cm
3 cm
6 cm
8 cm
정투상도 제3각법 도면 그리기
정면도(앞에서 본 모양)를 중심에 그리고, 평면도(위에서 본 모양)를 위에, 측면도(오른쪽 옆에서 본 모양)를 오른쪽 옆에 나타냅니다.

❶ 직육면체의 정면도, 평면도, 측면도를 보고 직육면체의 겨냥도를 나타낸 것입니다. □ 안에 알맞은 수를 써넣으세요.

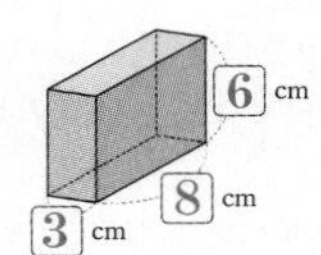

❖ 직육면체의 가로는 3 cm, 세로는 8 cm, 높이는 6 cm입니다.

❷ 직육면체의 겉넓이를 구해 보세요.

($180\ cm^2$)

❖ (직육면체의 겉넓이) $=(3\times8+8\times6+3\times6)\times2$
$=(24+48+18)\times2$
$=90\times2=180\ (cm^2)$

2 직육면체의 정면도와 평면도를 나타낸 것입니다. 빈 곳에 측면도를 그리고 직육면체의 겉넓이를 구해 보세요. (단, 측면도에 가로와 세로의 길이를 나타냅니다.)

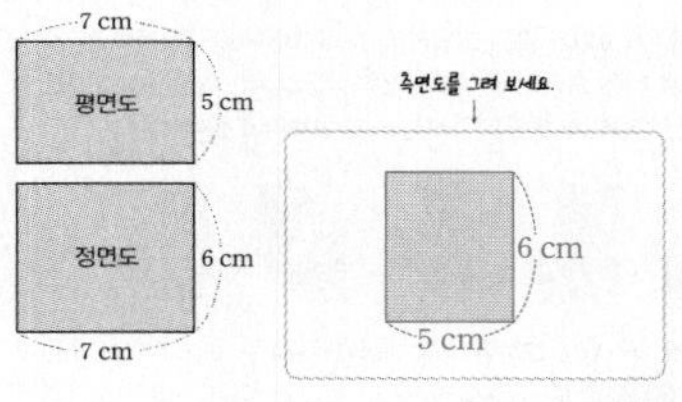

($214\ cm^2$)

❖ 직육면체의 가로는 7 cm, 세로는 5 cm, 높이는 6 cm입니다.
➔ (직육면체의 겉넓이) $=(7\times5+5\times6+7\times6)\times2$
$=(35+30+42)\times2=107\times2=214\ (cm^2)$

3 직육면체의 정면도와 측면도를 나타낸 것입니다. 빈 곳에 평면도를 그리고 직육면체의 겉넓이를 구해 보세요. (단, 평면도에 가로와 세로의 길이를 나타냅니다.)

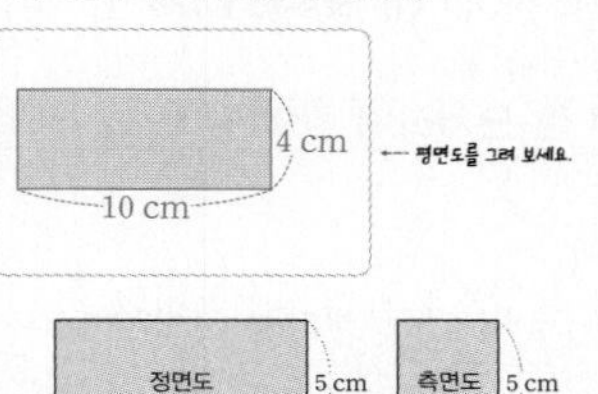

($220\ cm^2$)

❖ 직육면체의 가로는 10 cm, 세로는 4 cm, 높이는 5 cm입니다.
➔ (직육면체의 겉넓이) $=(10\times4+4\times5+10\times5)\times2$
$=(40+20+50)\times2$
$=110\times2=220\ (cm^2)$

6 단원

유형 2 뚜껑이 없는 직육면체 모양 (문제 해결)

정답과 풀이 24쪽

1 가로가 76 cm, 세로가 56 cm인 직사각형 모양의 종이가 있습니다. 그림과 같이 네 귀퉁이에서 한 변이 8 cm인 정사각형을 각각 오려 내고 점선을 따라 접어서 뚜껑이 없는 상자를 만들었습니다. 상자의 부피를 구해 보세요. (단, 종이의 두께는 생각하지 않습니다.)

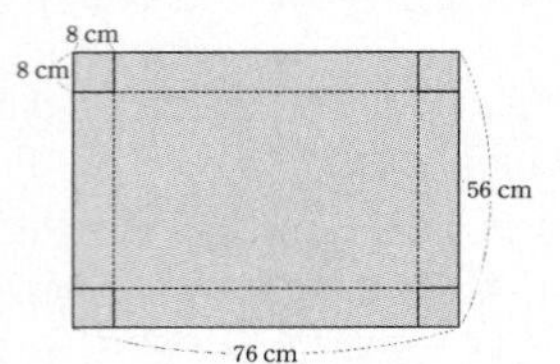

① 만든 상자의 가로의 길이는 몇 cm일까요?

(60 cm)

✤ (가로)$=76-8-8=60$ (cm)

② 만든 상자의 세로의 길이는 몇 cm일까요?

(40 cm)

✤ (세로)$=56-8-8=40$ (cm)

③ 만든 상자의 높이는 몇 cm일까요?

(8 cm)

✤ 상자의 높이는 네 귀퉁이에서 잘라낸 정사각형의 한 변의 길이와 같으므로 8 cm입니다.

④ 만든 상자의 부피는 몇 cm^3일까요?

($19200\ cm^3$)

✤ 상자의 부피는 가로가 60 cm, 세로가 40 cm, 높이가 8 cm인 직육면체의 부피와 같으므로 $60\times40\times8=19200\ (cm^3)$입니다.

2 가로가 6 m, 세로가 4 m인 직사각형 모양의 철판이 있습니다. 그림과 같이 네 귀퉁이에서 한 변이 50 cm인 정사각형을 각각 오려 내고 점선을 따라 접어서 뚜껑이 없는 물탱크를 만들었습니다. 물탱크의 부피는 몇 m^3일까요? (단, 철판의 두께는 생각하지 않습니다.)

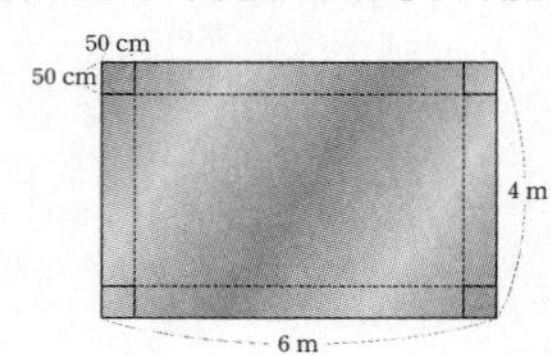

($7.5\ m^3$)

✤ 50 cm$=0.5$ m이므로 (물탱크의 가로)$=6-0.5-0.5=5$ (m), (물탱크의 세로)$=4-0.5-0.5=3$ (m)입니다.
➜ 물탱크의 부피는 가로가 5 m, 세로가 3 m, 높이가 0.5 m인 직육면체의 부피와 같으므로 $5\times3\times0.5=7.5\ (m^3)$입니다.

3 가로가 72 cm, 세로가 51 cm인 직사각형 모양의 종이가 있습니다. 그림과 같이 네 귀퉁이에서 한 변이 6 cm인 정사각형을 각각 오려 내고 점선을 따라 접어서 뚜껑이 없는 상자를 만들었습니다. 이 상자 안에 한 모서리의 길이가 3 cm인 정육면체 모양의 쌓기나무를 몇 개까지 넣을 수 있을까요? (단, 종이의 두께는 생각하지 않습니다.)

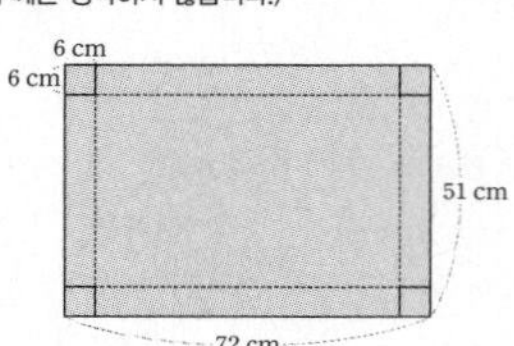

(520개)

✤ 상자의 가로는 $72-6-6=60$ (cm), 세로는 $51-6-6=39$ (cm), 높이는 6 cm입니다.
쌓기나무의 한 모서리의 길이가 3 cm이므로 가로로 $60\div3=20$(개)씩, 세로로 $39\div3=13$(개)씩, 높이 $6\div3=2$(층)으로 넣을 수 있으므로 $20\times13\times2=520$(개)까지 넣을 수 있습니다.

유형 3 소마 큐브 (창의·융합)

정답과 풀이 24쪽

1 그림과 같이 크기가 같은 정육면체 3개로 이루어진 한 개의 조각과 정육면체 4개로 이루어진 서로 다른 모양의 6개의 조각들이 있습니다. 이 7개의 조각을 한 번씩 모두 사용하여 만들어진 정육면체 모양의 큐브를 소마 큐브라고 합니다.

이 7개의 조각을 사용하여 소마 큐브를 만들 수 있는 방법은 뒤집거나 돌려서 같게 되는 경우를 생각했을 때 무려 240가지나 있다고 합니다. 그중 하나인 아래 모양의 겉넓이가 $54\ cm^2$일 때 ㉠의 길이를 구해 보세요.

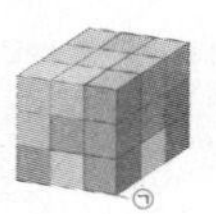

① □ 안에 알맞은 말이나 수를 써넣으세요.

(정육면체의 겉넓이)
$=$ 한 모서리의 길이 $\times$ 한 모서리의 길이 $\times$ 6

② 위의 소마 큐브에서 한 모서리의 길이를 ㉠을 사용하여 식으로 나타내어 보세요.

㉠$\times3$ 또는 ㉠$+$㉠$+$㉠

✤ 크기가 같은 정육면체로 만든 것이므로 소마 큐브의 한 모서리의 길이는 (㉠$\times3$) cm입니다.

③ 위의 소마 큐브에서 ㉠의 길이는 몇 cm일까요?

(1 cm)

✤ (소마 큐브의 겉넓이)$=$㉠$\times3\times$㉠$\times3\times6=54$, ㉠$\times$㉠$=1$, ㉠$=1$ (cm)

2 오른쪽 정육면체 모양의 쌓기나무 8개를 빈틈없이 쌓아 만든 큰 정육면체의 겉넓이는 몇 cm^2일까요? (1 cm)

($24\ cm^2$)

✤ (2 cm, 2 cm, 2 cm) ➜ (겉넓이)$=2\times2\times6=24\ (cm^2)$

3 크기가 같은 정육면체 모양의 쌓기나무를 쌓아 큰 정육면체를 만든 것입니다. 가장 큰 정육면체의 겉넓이가 $216\ cm^2$일 때 쌓기나무 하나의 겉넓이는 몇 cm^2일까요?

($24\ cm^2$)

✤ 쌓기나무 하나의 한 모서리의 길이를 □cm라고 하면 $□\times3\times□\times3\times6=216$, $□\times□=4$, $□=2$입니다.
➜ (쌓기나무 하나의 겉넓이)$=2\times2\times6=24\ (cm^2)$

4 그림과 같은 소마 큐브의 부피가 $729\ cm^3$입니다. 이 소마 큐브의 겉넓이는 몇 cm^2일까요?

($486\ cm^2$)

✤ (정육면체의 부피)
$=$(한 모서리의 길이)$\times$(한 모서리의 길이)$\times$(한 모서리의 길이)이므로 소마 큐브의 한 모서리의 길이를 □cm라고 하면 $□\times□\times□=729$, $□=9$입니다.
➜ (소마 큐브의 겉넓이)$=9\times9\times6=486\ (cm^2)$

유형 4 수조에 담긴 돌의 부피 문제 해결

1 그림과 같이 돌이 들어 있는 직육면체 모양의 수조에서 돌을 꺼냈더니 물의 높이가 돌이 들어 있을 때 물의 높이의 $\frac{3}{5}$이 되었습니다. 돌의 부피를 구해 보세요.

① 대화를 읽고 □ 안에 알맞은 말을 써넣으세요.

② 돌을 꺼낸 후 수조에 남아 있는 물의 높이는 몇 cm일까요?

(15 cm)

✣ $25 \times \frac{3}{5} = 15$ (cm)

③ 돌을 꺼냈을 때 줄어든 물의 높이는 몇 cm일까요?

(10 cm)

✣ $25 - 15 = 10$ (cm)

④ 돌의 부피는 몇 cm^3일까요?

($5040 cm^3$)

✣ (돌의 부피)=(줄어든 물의 부피)
$=18 \times 28 \times 10 = 5040$ (cm^3)

2 그림과 같이 물이 담겨 있는 직육면체 모양의 수조에 돌을 완전히 잠기도록 넣었더니 물의 높이가 높아졌습니다. 돌의 부피는 몇 cm^3일까요?

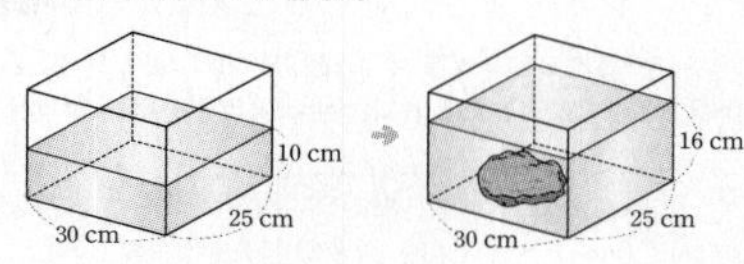

($4500 cm^3$)

✣ (돌을 넣었을 때 늘어난 물의 높이)$=16-10=6$ (cm)
➜ (돌의 부피)=(늘어난 물의 부피)
$=30 \times 25 \times 6 = 4500$ (cm^3)

3 직육면체 모양의 벽돌을 물이 담겨 있는 직육면체 모양의 수조에 완전히 잠기도록 넣으려고 합니다. 물의 높이는 몇 cm가 될까요?

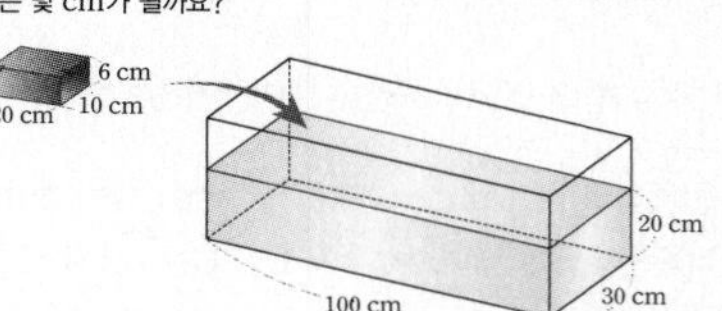

20.4 cm 또는 $20\frac{2}{5}$ cm

✣ (벽돌의 부피)$=20 \times 10 \times 6 = 1200$ (cm^3)
벽돌을 넣었을 때 늘어난 물의 높이를 □cm라 하면
(벽돌의 부피)=(늘어난 물의 부피)에서
$1200 = 100 \times 30 \times □$, $3000 \times □ = 1200$, $□ = 0.4$입니다.
➜ 벽돌을 완전히 잠기도록 넣었을 때 물의 높이는
$20 + 0.4 = 20.4$ (cm)가 됩니다.

6 단원

유형 5 뚫린 직육면체의 부피 문제 해결

1 대화를 보고 구멍을 뚫어 만든 치즈의 부피를 구해 보세요.

① 치즈에서 뚫린 부분을 나타낸 입체도형 모양입니다. □ 안에 알맞은 수를 써넣고 입체도형의 부피를 구해 보세요.

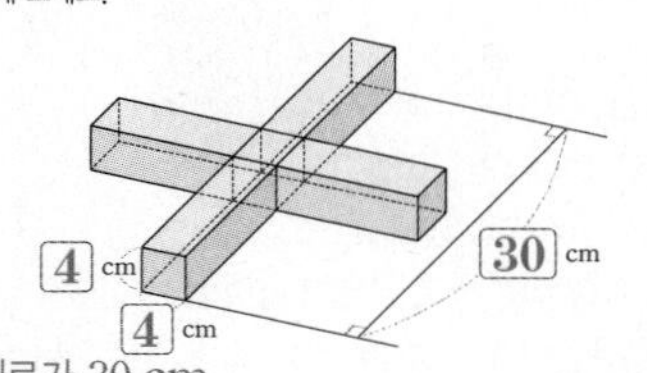

($896 cm^3$)

✣ (입체도형의 부피)
=(가로가 4 cm, 세로가 30 cm, 높이가 4 cm인 직육면체의 부피)$\times 2$
−(한 모서리의 길이가 4 cm인 정육면체의 부피)
$=(4 \times 30 \times 4) \times 2 - 4 \times 4 \times 4 = 480 \times 2 - 64 = 960 - 64 = 896$ (cm^3)

② 구멍을 뚫어 만든 치즈의 부피는 몇 cm^3일까요?

($26104 cm^3$)

✣ $30 \times 30 \times 30 - 896 = 27000 - 896 = 26104$ (cm^3)

2 그림은 직육면체 모양 나무토막의 윗면의 가운데에 한 변의 길이가 9 cm인 정사각형 모양의 구멍을 뚫어 만든 입체도형입니다. 입체도형의 부피는 몇 cm^3일까요? (단, 구멍은 반대쪽 바닥면을 통과하도록 뚫었습니다.)

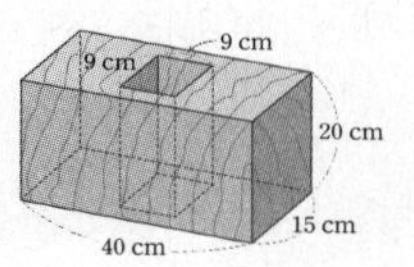

($10380 cm^3$)

✣ (입체도형의 부피)
=(가로가 40 cm, 세로가 15 cm, 높이가 20 cm인 직육면체의 부피)
−(가로가 9 cm, 세로가 9 cm, 높이가 20 cm인 직육면체의 부피)
$=40 \times 15 \times 20 - 9 \times 9 \times 20$
$=12000 - 1620 = 10380$ (cm^3)

3 그림은 정육면체 모양 나무토막의 각 면의 가운데에 한 변의 길이가 5 cm인 정사각형 모양의 구멍을 뚫어 만든 입체도형입니다. 입체도형의 부피는 몇 cm^3일까요? (단, 각 구멍은 반대쪽 면을 통과하도록 뚫었습니다.)

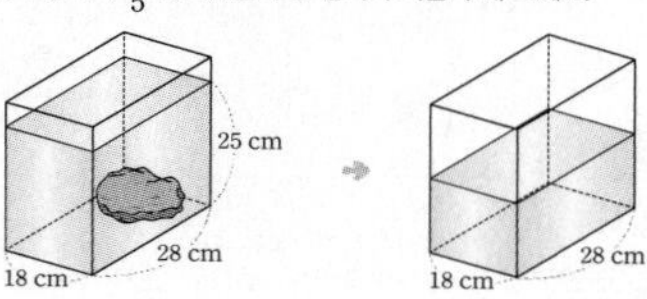

($6750 cm^3$)

✣ (뚫린 부분의 부피)
=(가로가 5 cm, 세로가 20 cm, 높이가 5 cm인 직육면체의 부피)$\times 3$
−(한 모서리의 길이가 5 cm인 정육면체의 부피)$\times 2$
$=5 \times 20 \times 5 \times 3 - 5 \times 5 \times 5 \times 2 = 1500 - 250 = 1250$ (cm^3)
➜ (입체도형의 부피)$=20 \times 20 \times 20 - 1250$
$=8000 - 1250 = 6750$ (cm^3)

6 단원

정답과 풀이 26쪽

유형 6 겉넓이가 가장 넓은 직육면체 (추론)

1 왼쪽과 같은 정육면체 모양의 쌓기나무 4개를 이용하여 오른쪽 두 조건을 모두 만족하는 직육면체를 만들려고 합니다. 만들 수 있는 직육면체의 겉넓이를 구해 보세요.

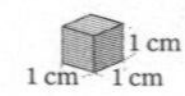

• 면끼리 맞닿도록 이어 붙여야 합니다.
• 겉넓이가 가장 넓어야 합니다.

❶ 쌓기나무 4개를 면끼리 맞닿도록 이어 붙여 만든 직육면체 모양은 2가지입니다. 나머지 하나를 그려 보세요. (단, 돌리거나 뒤집었을 때 같은 모양은 하나로 생각합니다.)

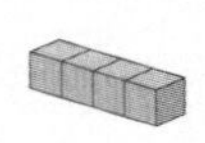

예 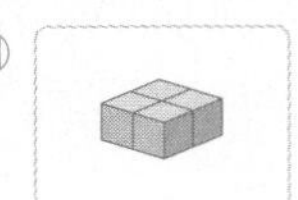

❷ ❶에서 만든 왼쪽 직육면체의 겉넓이는 몇 cm^2일까요?

($18\ cm^2$)

❖ 직육면체의 가로는 4 cm, 세로는 1 cm, 높이는 1 cm입니다.
➔ (직육면체의 겉넓이) $=(4\times1+1\times1+4\times1)\times2$
$=(4+1+4)\times2=9\times2=18\ (cm^2)$

❸ ❶에서 그린 오른쪽 직육면체의 겉넓이는 몇 cm^2일까요?

($16\ cm^2$)

❖ 직육면체의 가로는 2 cm, 세로는 2 cm, 높이는 1 cm입니다.
➔ (직육면체의 겉넓이) $=(2\times2+2\times1+2\times1)\times2$
$=(4+2+2)\times2=8\times2=16\ (cm^2)$

❹ 위의 두 조건을 모두 만족하는 직육면체의 겉넓이는 몇 cm^2일까요?

($18\ cm^2$)

❖ $18\ cm^2>16\ cm^2$

2 한 모서리의 길이가 1 cm인 정육면체 모양의 쌓기나무 6개를 면끼리 맞닿도록 이어 붙여 직육면체를 만들려고 합니다. 만들 수 있는 직육면체 모양 2가지를 모두 그리고, 그중에서 겉넓이가 더 넓은 직육면체의 겉넓이를 구해 보세요. (단, 돌리거나 뒤집었을 때 같은 모양은 하나로 생각합니다.)

예 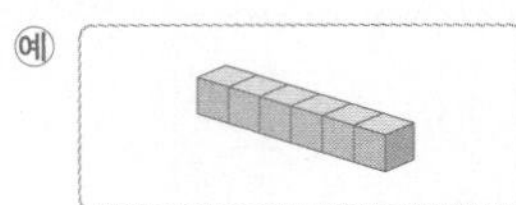 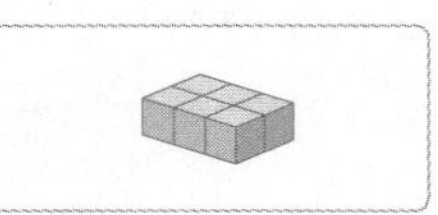

($26\ cm^2$)

❖ 왼쪽 직육면체의 가로는 6 cm, 세로는 1 cm, 높이는 1 cm입니다.
➔ (직육면체의 겉넓이) $=(6\times1+1\times1+6\times1)\times2$
$=(6+1+6)\times2=13\times2=26\ (cm^2)$
오른쪽 직육면체의 가로는 3 cm, 세로는 2 cm, 높이는 1 cm입니다.
➔ (직육면체의 겉넓이) $=(3\times2+2\times1+3\times1)\times2$
$=(6+2+3)\times2=11\times2=22\ (cm^2)$

3 한 모서리의 길이가 1 cm인 정육면체 모양의 쌓기나무 9개를 면끼리 맞닿도록 이어 붙여 직육면체를 만들려고 합니다. 만들 수 있는 직육면체 모양 2가지를 모두 그리고, 그중에서 겉넓이가 더 넓은 직육면체의 겉넓이를 구해 보세요. (단, 돌리거나 뒤집었을 때 같은 모양은 하나로 생각합니다.)

예 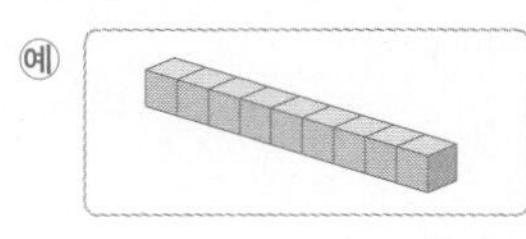 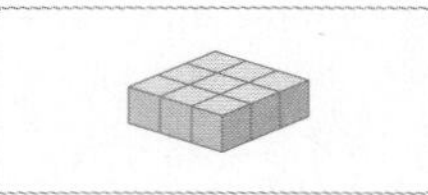

($38\ cm^2$)

❖ 왼쪽 직육면체의 가로는 9 cm, 세로는 1 cm, 높이는 1 cm입니다.
➔ (직육면체의 겉넓이) $=(9\times1+1\times1+9\times1)\times2$
$=(9+1+9)\times2=19\times2=38\ (cm^2)$
오른쪽 직육면체의 가로는 3 cm, 세로는 3 cm, 높이는 1 cm입니다.
➔ (직육면체의 겉넓이) $=(3\times3+3\times1+3\times1)\times2$
$=(9+3+3)\times2=15\times2=30\ (cm^2)$

정답과 풀이 26쪽

사고력 종합 평가

❖ (가의 겉넓이) $=(8\times1+1\times1+8\times1)\times2=17\times2=34\ (cm^2)$

1 한 모서리의 길이가 1 cm인 정육면체 모양의 쌓기나무 8개를 면끼리 맞닿도록 이어 붙여 만들 수 있는 직육면체 모양 3가지를 나타낸 것입니다. 겉넓이가 가장 넓은 직육면체의 기호를 써 보세요.

가 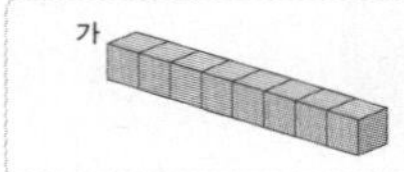 나 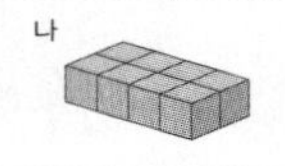 다 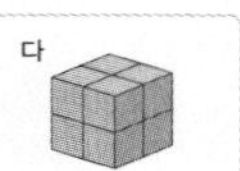

(가)

(나의 겉넓이) $=(4\times2+2\times1+4\times1)\times2=14\times2=28\ (cm^2)$
(다의 겉넓이) $=2\times2\times6=24\ (cm^2)$

2 직육면체의 정투상도를 그리기 위해 정면도(앞에서 본 모양), 평면도(위에서 본 모양), 측면도(오른쪽 옆에서 본 모양)를 나타낸 것입니다. 이 직육면체의 겉넓이는 몇 cm^2일까요?

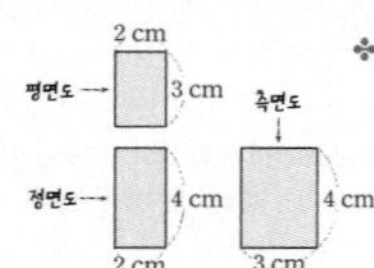

❖ 직육면체의 가로는 2 cm, 세로는 3 cm, 높이는 4 cm입니다.

($52\ cm^2$)

➔ (직육면체의 겉넓이) $=(2\times3+3\times4+2\times4)\times2$
$=26\times2=52\ (cm^2)$

3 가로가 54 cm, 세로가 34 cm인 직사각형 모양의 종이가 있습니다. 그림과 같이 네 귀퉁이에서 한 변이 7 cm인 정사각형을 각각 오려 내고 점선을 따라 접어서 뚜껑이 없는 상자를 만들었습니다. 상자의 부피는 몇 cm^3일까요? (단, 종이의 두께는 생각하지 않습니다.)

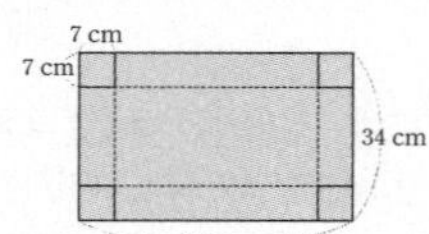

($5600\ cm^3$)

❖ (상자의 가로) $=54-7-7=40\ (cm)$, (상자의 세로) $=34-7-7=20\ (cm)$
➔ 상자의 부피는 가로가 40 cm, 세로가 20 cm, 높이가 7 cm인 직육면체의 부피와 같으므로 $40\times20\times7=5600\ (cm^3)$입니다.

4 직육면체의 정면도(앞에서 본 모양)와 평면도(위에서 본 모양)를 나타낸 것입니다. 이 직육면체의 부피는 몇 cm^3일까요?

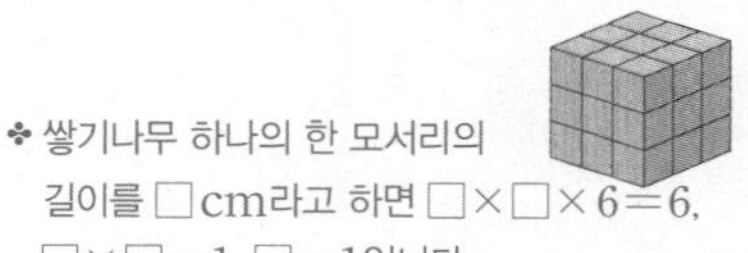

($280\ cm^3$)

❖ 직육면체의 가로는 8 cm, 세로는 5 cm, 높이는 7 cm입니다.
➔ (직육면체의 부피) $=8\times5\times7=280\ (cm^3)$

5 크기가 같은 정육면체 모양의 쌓기나무를 쌓아 큰 정육면체를 만든 것입니다. 쌓기나무 하나의 겉넓이가 $6\ cm^2$일 때 가장 큰 정육면체의 겉넓이는 몇 cm^2일까요?

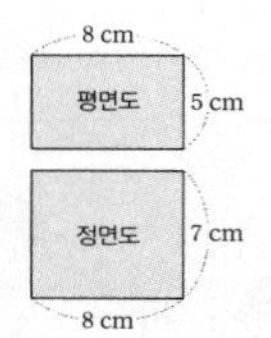

($54\ cm^2$)

❖ 쌓기나무 하나의 한 모서리의 길이를 □ cm라고 하면 $□\times□\times6=6$, $□\times□=1$, $□=1$입니다.
➔ 가장 큰 정육면체의 한 모서리의 길이는 $1\times3=3\ (cm)$이므로 (가장 큰 정육면체의 겉넓이) $=3\times3\times6=54\ (cm^2)$입니다.

6 그림과 같은 소마 큐브의 겉넓이가 $486\ cm^2$입니다. 이 소마 큐브의 부피는 몇 cm^3일까요?

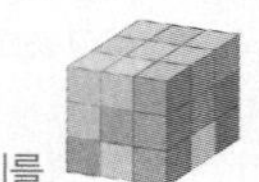

($729\ cm^3$)

❖ 소마 큐브의 한 모서리의 길이를 □ cm라고 하면 $□\times□\times6=486$, $□\times□=81$, $□=9$입니다.
➔ (소마 큐브의 부피) $=9\times9\times9=729\ (cm^3)$

사고력 종합 평가

정답과 풀이 27쪽

7 가로가 70 cm, 세로가 40 cm인 직사각형 모양의 종이가 있습니다. 왼쪽 그림과 같이 네 귀퉁이에서 한 변이 5 cm인 정사각형을 각각 오려 내고 점선을 따라 접어서 뚜껑이 없는 상자를 만들었습니다. 이 상자 안에 오른쪽 직육면체 모양의 과자 상자를 몇 개까지 넣을 수 있을까요?
(단, 종이의 두께는 생각하지 않습니다.)

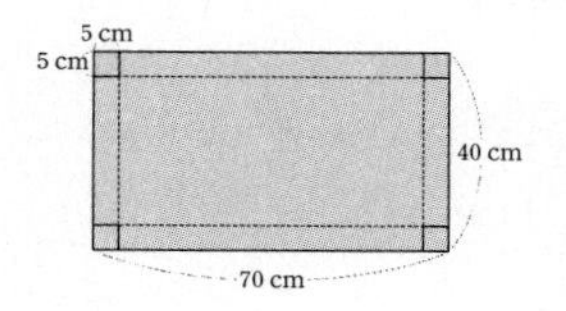

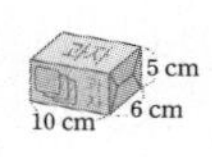

(**30개**)

✣ 상자의 가로는 $70-5-5=60$ (cm), 세로는 $40-5-5=30$ (cm), 높이는 5 cm입니다.
과자 상자를 가로로 $60\div10=6$(개)씩, 세로로 $30\div6=5$(개)씩, 높이 $5\div5=1$(층)으로 넣을 수 있으므로
$6\times5\times1=30$(개)까지 넣을 수 있습니다.

8 그림은 물이 담겨 있던 직육면체 모양의 수조에 돌을 완전히 잠기도록 넣었더니 물의 높이가 7 cm만큼 더 높아진 것입니다. 처음 수조에 담겨 있던 물의 부피는 몇 cm^3일까요?

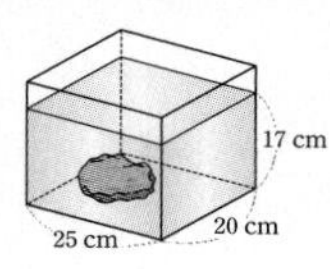

(**5000 cm^3**)

✣ (돌을 넣기 전 물의 높이)$=17-7=10$ (cm)
➔ (처음 수조에 담겨 있던 물의 부피)$=25\times20\times10=5000$ (cm^3)

9 그림과 같이 돌이 들어 있는 직육면체 모양의 수조에서 돌을 꺼냈더니 물의 높이가 돌이 들어 있을 때 물의 높이의 $\frac{5}{7}$가 되었습니다. 돌의 부피는 몇 cm^3일까요?

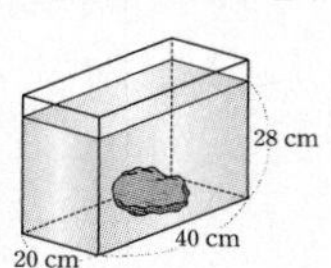

(**6400 cm^3**)

✣ (돌을 꺼낸 후 수조에 남아 있는 물의 높이)$=28\times\frac{5}{7}=20$ (cm)
(돌을 꺼냈을 때 줄어든 물의 높이)$=28-20=8$ (cm)
➔ (돌의 부피)=(줄어든 물의 부피)
$=20\times40\times8=6400$ (cm^3)

10 그림은 직육면체 모양 나무토막의 윗면의 가운데에 한 변의 길이가 8 cm인 정사각형 모양의 구멍을 뚫어 만든 입체도형입니다. 입체도형의 부피는 몇 cm^3일까요? (단, 구멍은 반대쪽 바닥면을 통과하도록 뚫었습니다.)

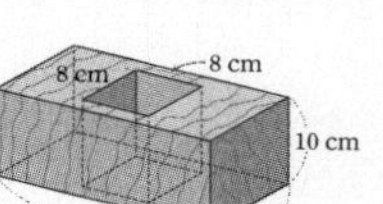

(**2360 cm^3**)

✣ (입체도형의 부피)
=(가로가 25 cm, 세로가 12 cm, 높이가 10 cm인 직육면체의 부피)
−(가로가 8 cm, 세로가 8 cm, 높이가 10 cm인 직육면체의 부피)
$=25\times12\times10-8\times8\times10$
$=3000-640=2360$ (cm^3)

6 단원

사고력 종합 평가

정답과 풀이 27쪽

11 정육면체 모양의 벽돌을 물이 담겨 있는 직육면체 모양의 수조에 완전히 잠기도록 넣으려고 합니다. 물의 높이는 몇 cm가 될까요?

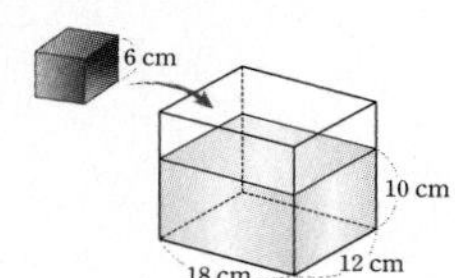

(**11 cm**)

✣ (벽돌의 부피)$=6\times6\times6=216$ (cm^3)
벽돌을 넣었을 때 늘어난 물의 높이를 □cm라 하면
(벽돌의 부피)=(늘어난 물의 부피)에서
$216=18\times12\times□$, $216\times□=216$, $□=1$입니다.
➔ 벽돌을 완전히 잠기도록 넣었을 때 물의 높이는
$10+1=11$ (cm)가 됩니다.

12 그림은 정육면체 모양 나무토막의 각 면의 가운데에 한 변의 길이가 4 cm인 정사각형 모양의 구멍을 뚫어 만든 입체도형입니다. 입체도형의 부피는 몇 cm^3일까요? (단, 각 구멍은 반대쪽 면을 통과하도록 뚫었습니다.)

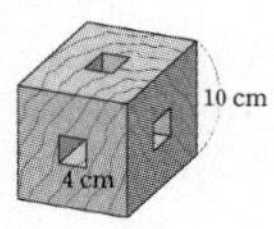

(**648 cm^3**)

✣ (뚫린 부분의 부피)$=4\times10\times4\times3-4\times4\times4\times2$
$=480-128=352$ (cm^3)
➔ (입체도형의 부피)$=10\times10\times10-352=1000-352$
$=648$ (cm^3)

13 한 모서리의 길이가 1 cm인 정육면체 모양의 쌓기나무 10개를 면끼리 맞닿도록 이어 붙여 직육면체를 만들려고 합니다. 만들 수 있는 직육면체 모양 중 겉넓이가 가장 넓은 직육면체의 겉넓이는 몇 cm^2일까요?

(**42 cm^2**)

✣ 만들 수 있는 직육면체 모양은 다음과 같은 2가지입니다.

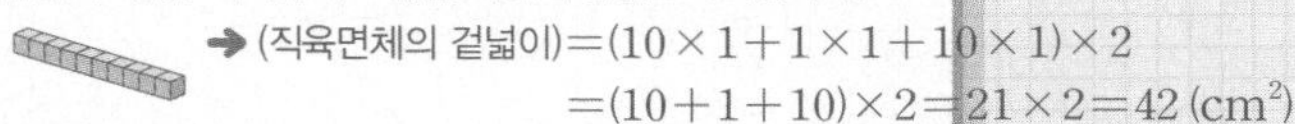

➔ (직육면체의 겉넓이)$=(10\times1+1\times1+10\times1)\times2$
$=(10+1+10)\times2=21\times2=42$ (cm^2)
➔ (직육면체의 겉넓이)$=(5\times2+2\times1+5\times1)\times2$
$=(10+2+5)\times2=17\times2=34$ (cm^2)

Memo